ELLE VOULAIT JUSTE MARCHER TOUT DROIT

SARAH BARUKH

ELLE VOULAIT JUSTE MARCHER TOUT DROIT

roman

ALBIN MICHEL

À Arthur,
À la mémoire de mon grand-père

« J'ai tendu des cordes de clocher à clocher ; des guirlandes de fenêtre à fenêtre ; des chaînes d'or d'étoile à étoile, et je danse. »

Arthur Rimbaud,
Les Illuminations

I

Parce que c'est la guerre

1.

Salies-de-Béarn, mai 1943

Il faisait si chaud ! Alice cherchait un coin à l'ombre. Il y avait un grand arbre de l'autre côté de la place, mais Jeanne lui avait interdit de s'éloigner de l'entrée de la mairie. Sa nourrice n'en avait que pour quelques minutes et les enfants n'avaient pas leur place dans ce type d'endroit…

Alice avait l'impression d'être sur ces marches depuis une éternité. Pour se changer les idées, elle observait les passants. Un petit garçon s'était mis à pleurer et sa mère lui avait donné une fessée. Deux hommes discutaient, adossés au mur du bâtiment voisin. Jeanne avait dit que ça s'appelait un commissariat, c'était là qu'on trouvait la police. Et puis plus rien. À cette heure-ci, le village était calme.

Une serveuse sortit du café en face. Elle tenait un plateau. Dessus, Alice distingua une carafe d'eau et une coupe recouverte d'un torchon. Impossible de voir ce qu'elle contenait. La dame avançait dans sa direction. Avec un grand sourire, Alice lui fit un signe de la main.

Mais la serveuse se dirigea vers les deux messieurs à côté. Alice était si déçue qu'elle eut envie de pleurer. Elle avait tellement soif !

Elle regardait les hommes avec envie. Le premier était petit avec une moustache, l'autre plutôt grand. Ses mains étaient immenses. Quelque chose la gênait chez eux, mais elle ne savait pas quoi. Elle continua de les observer. De la tête aux pieds, ils étaient vêtus de noir. Leurs pantalons semblaient épais, avec des poches sur les côtés, et leurs grosses chaussures de cuir montaient jusqu'aux mollets. Sur leur chemise noire, seul un petit écusson plus clair dénotait. Celui aux grandes mains portait même un béret. Pas étonnant qu'ils aient besoin de se rafraîchir…

La serveuse semblait mal à l'aise et dit sans lever la tête :

– C'est le patron qui vous offre ça.

Celui à la moustache lui caressa l'épaule :

– Et pourquoi ce n'est pas toi ?

D'un petit geste, elle se dégagea :

– Je ne suis que serveuse. Il y a de la citronnade et de la glace à la fraise.

Au mot glace, Alice tressaillit. Elle n'en avait goûté qu'une fois. Quel délice ! Jeanne s'était même moquée d'elle, parce qu'elle avait fermé les yeux en mangeant. Mais ça coûtait très cher, et peu d'endroits en vendaient. Il fallait qu'elle voie ça de plus près.

Ils s'étaient servi deux boules chacun. Deux belles

boules rose clair. Au bout d'un moment, le monsieur aux grandes mains croisa son regard et sourit. Du coude, il fit signe à son ami en montrant Alice du doigt.

– On aime la glace, petite ?

Alice se sentit rougir. Elle ne savait pas quoi dire et hocha la tête. L'homme aux grandes mains se mit à rire.

– La glace, c'est pour les grands ! T'as quel âge ?

– Cinq ans. Bientôt six !

– D'accord. Allez, viens, on va t'en donner.

Alice croyait rêver !

L'homme remplit un verre de glace et le lui tendit. La boule dépassait, Alice la lécha. Que c'était bon…

Soudain, une main agrippa son épaule et la secoua.

– Qu'est-ce que tu fais là ?

C'était Jeanne. Elle n'était pas contente.

– Excusez-la, messieurs. Nous vous laissons tranquilles.

– Mais c'est de la glace ! Ils me l'ont offerte !

– Je t'avais dit de m'attendre devant la porte.

– J'avais chaud…

Alice s'attendait à ce que Jeanne se mette à crier, mais sa nourrice ne dit rien. C'était bizarre, elle n'était pas comme d'habitude.

– Tu remercies ces messieurs et tu viens avec moi.

Mais l'homme aux grandes mains intervint :

– Pourquoi lui refusez-vous cette glace ?

Jeanne cherchait quelque chose à répondre. L'homme à la moustache, qui n'avait rien dit jusque-là, s'approcha.

– Parce qu'elle vient de nous, peut-être ?

Il croisait les bras, droit comme un piquet.

– Pas du tout. Je vous remercie, vous êtes très aimables, mais nous devons vite rentrer…

Alice ne comprenait plus rien.

– Mais tu avais dit qu'après on irait à la boulangerie et…

Jeanne lui fit les gros yeux.

– Nous sommes trop en retard. Il faut rentrer.

Elle attrapa sa main et tendit le verre encore plein dans une tentative de sourire qu'Alice trouva ratée. L'homme décroisa les bras et caressa sa moustache.

– Cette enfant, c'est de votre famille ?

Jeanne devint blême.

– Oui.

L'homme ne semblait pas satisfait. Il lissa de nouveau sa moustache, et demanda à Alice :

– Petite, c'est qui cette dame ?

Alice ne comprenait pas pourquoi on lui demandait ça. Mais surtout, elle ne s'expliquait pas la nervosité de Jeanne. Elle hésitait, espérant que sa nourrice lui dirait quoi faire, mais Jeanne restait silencieuse. D'une petite voix, elle répondit :

– C'est Jeanne…

– Je suis sa grand-mère, ponctua la nourrice.

– Et elle vous appelle Jeanne ?

– Oui, c'est une habitude… Depuis qu'elle est petite, elle a toujours préféré m'appeler comme ça.

L'homme hochait la tête. Cette réponse n'avait pas l'air de lui plaire.

– Elle ne vous ressemble pas beaucoup…

À présent, l'atmosphère était vraiment étrange. Alice sentait comme une tension qui la mettait mal à l'aise.

– On peut rentrer à la maison maintenant ? demanda-t-elle à Jeanne.

– Encore quelques minutes, petite, répondit le moustachu. D'ailleurs, elle est où cette maison ?

L'homme aux grandes mains sortit un carnet et un crayon de sa poche. La nourrice serra davantage la main d'Alice. Est-ce que ça signifiait qu'il ne fallait plus parler ? Mais Jeanne avait toujours dit que c'était mal de ne pas répondre quand on s'adressait à vous…

– Plus haut là-bas…, répondit Alice en indiquant les montagnes.

Soudain, un agent sortit du commissariat. Des gouttes de sueur coulaient sur ses grosses joues. Il héla les deux hommes :

– C'est bon, Duroque a parlé ! On sait où ils sont.

Les hommes étaient-ils des policiers ? À contrecœur, celui à la moustache sortit un béret de sa poche, et saisit une veste de cuir noir posée sur le muret. L'autre rangea son carnet et ils rejoignirent l'auto. Le moustachu se pencha par la fenêtre :

– Tu peux garder la glace, petite. On se reverra bientôt, madame.

Jeanne sursauta.

Quand la voiture disparut, elle s'effondra sur les marches de la mairie.

– Je t'avais dit de ne parler à personne et de m'attendre devant.

– Mais...

– Il n'y a pas de mais !

Alice repensait à la glace... Elle avait eu si chaud...

– J'espère qu'ils nous oublieront.

– Pourquoi ?

– Parce que c'est la guerre.

*

Les jours passaient, et pourtant cette histoire semblait avoir laissé des traces. Jeanne était sans cesse après Alice. C'était insupportable. Dès que la nuit tombait, il fallait qu'elle rentre à la maison. Et même en plein jour, elle ne devait jamais aller plus loin que la ferme des Michelac, à quelques centaines de mètres de chez elle. Chaque fois qu'elle partait se promener, Jeanne la regardait dans les yeux, l'air sérieux :

– Tu te souviens de ce que je t'ai dit ?

– Je ne parle à personne.

– Très bien. Et tu es la fille d'Armand, tu n'as pas oublié ?

– Non, mais qui c'est Armand ?

– Si on te demande, tu diras que c'est ton père.

– Pourquoi ?

– Quand tu seras plus grande, je t'expliquerai.

Mais Jeanne n'expliquait jamais.

Elle ne voulait plus qu'Alice l'accompagne au marché pour vendre les produits de la ferme. Elle avait peur de croiser des gens. Pour couronner le tout, sa nourrice lui avait interdit d'aller chercher seule les œufs au poulailler, depuis qu'elle en avait fait tomber deux. Elle disait que les œufs et les légumes, c'était trop important. À chaque pourquoi, la même réponse :

– Parce que c'est la guerre.

Mais qu'est-ce que ça voulait dire à la fin ? Quand Jeanne lui répondait, Alice oubliait aussitôt.

Tous les matins se ressemblaient. Sa nourrice lui montrait comment s'occuper des animaux et du potager, Alice devait la suivre pour apprendre et pouvoir l'aider un jour. Mais Alice avait envie de changements. Elle voulait se sentir utile.

Un matin, elle finit par exploser :

– Je ne suis plus un bébé ! Moi aussi je peux faire des choses.

– Tiens donc ! répondit Jeanne en croisant les bras sur son ventre.

Ça voulait dire qu'elle réfléchissait, mais était-ce bon ou mauvais signe ?

– Tu t'ennuies ?

Alice fit non de la tête.

– Après l'été, tu sais que tu iras à l'école ?

– Oui, mais…, marmonna-t-elle en regardant le bout de ses pieds.

– Bon, très bien. Dans quelque temps, tu pourras aller chercher l'eau toute seule.

Alice bondit de joie. C'était plus qu'elle n'avait osé espérer : l'eau, quoi de plus important ?

– Ne te réjouis pas trop vite, mon lapin ! Ce n'est pas si simple.

Le jour même, Jeanne lui montra comment faire une fois au puits :

– Ne remplis pas complètement le seau. Si c'est trop lourd, tu vas tomber et tout renverser.

Alice essaya chaque jour de la semaine, mais malgré les conseils de Jeanne, elle continuait de renverser l'eau. Sa nourrice était patiente, elle ne la grondait pas :

– On apprend en se trompant ! Allez, laisse-moi faire pour cette fois.

Alors elles retournaient au puits, où Jeanne portait, tirait, versait, encore et encore, jusqu'à ce que ça lui fasse mal aux mains. Elle transpirait beaucoup. Sur la fin, elle criait presque. Alice savait que ce n'était pas après elle, mais après le seau qui était trop lourd. Pour autant, elle était triste que Jeanne souffre. Elle avait l'impression que c'était quand même un peu de sa faute… Finalement, sa nourrice était gentille. Les seules choses sur lesquelles elle ne plaisantait pas étaient l'heure de rentrer à la maison, le poulailler où il ne fallait pas aller et les inconnus à qui il ne fallait surtout pas parler. Si elle respectait ces règles, Alice n'aurait jamais de problèmes.

*

Quelques semaines plus tard, elles étaient allées chercher l'eau, Alice parvint au bout du chemin sans rien renverser. Elle réitéra son exploit le lendemain, et les cinq jours suivants. Après le goûter, Jeanne lui dit :

– Aujourd'hui, tu vas aller chercher l'eau toute seule. Tu crois que tu pourras ?

– Oui !

Alice tapait des mains. Et comment qu'elle pourrait ! Elle avait tant attendu ce moment !

– Très bien. Souviens-toi, prends ton temps, marche à ton rythme, ne remplis pas trop le seau et surtout, sois là avant la tombée de la nuit.

Alice était si fière ! Elle était une grande. Elle chantonnait sur le chemin, dessinant des cercles avec ses bras, pour que le seau touche presque le soleil. Le sentier s'arrêtait au bord d'une route qu'il fallait traverser après avoir vérifié qu'aucune voiture ni aucune charrette ne s'approchait, puis un nouveau sentier commençait, plus étroit et surtout très pentu.

Elle fit bien attention en traversant et s'engagea de l'autre côté de la route. De gros cailloux menaçaient chaque fois de la faire trébucher, elle se jura qu'elle les éviterait. L'eau autour du puits rendait l'endroit boueux. C'était vraiment difficile de ne pas glisser. Mais elle y était déjà arrivée, ça irait encore aujourd'hui. À son retour, Jeanne la féliciterait, pour sûr ! Peut-être même qu'elle aurait droit à de la crème ? Généralement, Jeanne la gardait pour le petit déjeuner, mais là, elle ferait peut-être une exception... Elle pouvait déjà imaginer la crème onctueuse glisser sur sa langue, son palais... Oh, ce goût si doux... Et puis, si tout se passait bien, elle aurait bientôt le droit d'aller chercher les œufs ! Elle n'avait pas le choix. Il fallait qu'elle réussisse.

Elle tira de toutes ses forces pour puiser l'eau, mais la corde était usée et une partie finit par se rompre, écorchant sa paume au passage. Elle lâcha prise. Sur sa main, il y avait du sang. Elle le lécha. La chaleur de sa salive la soulagea. Elle tenta de s'y remettre, mais chaque fois qu'elle essayait de prendre la corde, la douleur l'en empêchait. C'était trop bête, elle n'allait pas s'arrêter pour une simple éraflure !

Elle eut une idée. Elle scruta les alentours pour vérifier qu'il n'y avait personne, et souleva sa jupe. Elle plaça le tissu de son vêtement entre sa main et la corde, et hissa le seau. Quelques minutes plus tard, c'était terminé. Ses vêtements étaient tachetés de sang, mais elle avait réussi, son seau était plein. Elle s'attaqua à la pente, veillant à chaque pas. Elle ne se redressait jamais complètement : si elle se relâchait, elle risquait d'être déséquilibrée. Ses muscles brûlaient, le seau tirait sur ses mains, ses bras. Elle serrait les dents en fixant le sol, levant parfois la tête pour compter les pas jusqu'à la route. Arrivée au sommet, elle poussa un cri de joie : près de la moitié du chemin, et pas une goutte de perdue !

Soudain, un bruit étrange attira son attention. Personne à l'horizon. Pourtant, ça ne semblait pas venir de très loin. Elle posa le seau et scruta les alentours. Rien. Elle avança de quelques mètres et n'en crut pas ses yeux. Mais non, elle ne rêvait pas. C'était bien un chat, allongé à quelques centimètres de la chaussée, et il perdait du sang. On aurait dit qu'il n'arrivait pas à respirer.

D'un pas mal assuré, Alice s'approcha. Elle aperçut aussitôt quelque chose qui bougeait, collé au chat. C'était une sorte de bourse visqueuse dont le contenu remuait. Alice grimaça. Elle regarda de plus près et parvint à distinguer une forme à l'intérieur. Elle comprit : ce n'était pas un chat, mais une chatte, et elle donnait naissance à des bébés chats.

Deux autres chatons virent le jour. Malgré son épuisement, la mère déchira de ses dents l'enveloppe visqueuse, et la dévora. Il y avait du sang partout, un liquide verdâtre s'échappa, et la chatte mastiqua le tout. Écœurée, Alice allait partir, mais les chatons se mirent à miauler. Ils cherchaient les mamelles de leur mère.

Au bout d'un moment, Alice se rendit compte que la nuit était tombée. Elle n'avait pas vu le temps passer ! Elle ne savait plus quoi faire. Elle regardait le seau puis retournait à la chatte et aux bébés. Elle ne pouvait pas les laisser là... Mais si elle ne rapportait pas l'eau, elle décevrait Jeanne... Le choix était trop difficile. Elle se balançait d'une jambe sur l'autre, évaluant les risques de chaque option.

Tant pis, elle resterait jusqu'à la fin de la tétée. Quelques minutes plus tard, elle se décida à rentrer. En voulant se dépêcher, elle ne vit pas un trou devant elle et trébucha. Elle perdit une bonne partie de l'eau. Quelle imbécile ! Elle jura un bon moment avant de reprendre son chemin, à la lumière de la lune.

– Où étais-tu passée ? lui demanda Jeanne, furieuse. Tu es partie depuis deux heures ! J'étais morte d'inquiétude !

Alice était triste d'avoir causé du souci à sa nourrice, mais si elle était partie et que la maman chatte était morte, que serait-il arrivé aux bébés ? Cette conclusion lui donna du courage.

– Ils sont tous au bord de la route, il faudrait au moins leur apporter un peu de lait... En plus, avec l'air de la nuit, ils risquent d'avoir froid...

– Non, on ne bouge pas d'ici.

– Mais pourquoi ?

– C'est la guerre. On ne sort pas après la tombée de la nuit, tu le sais très bien !

Décidément, cette guerre était trop injuste.

– Allez, passons à table.

Mais Alice ne voulait pas manger.

– Arrête de t'inquiéter, ils sauront se débrouiller.

– Ils sont tout seuls.

– Bon, si tu veux, nous y retournerons ensemble demain matin. Mais mange.

Alice sourit. Après dîner elle préparerait des couvertures, un panier aussi pour leur servir de maison. Ce serait chouette si demain matin arrivait vite ! Ce soir-là, elle mit plus de temps que d'habitude à s'endormir.

*

Alice se réveilla avant même les premiers rayons du soleil. Elle enfila son tricot, son pull, son pantalon, ses grosses chaussettes, et descendit dans la cuisine. En attendant que Jeanne la rejoigne, elle déposa deux bols sur la table, sortit le pain du torchon. Jeanne n'arrivait pas. Mais pourquoi prenait-elle tout ce temps, juste ce matin ? Alice fit chauffer de l'eau. Elle déplaça la grosse marmite en espérant faire suffisamment de bruit pour réveiller sa nourrice. On ne pourrait pas lui reprocher de préparer le petit déjeuner… L'horloge indiqua bientôt six heures et toujours personne. Le jour se levait. Si Jeanne n'arrivait pas dans trois minutes, elle monterait la chercher. Bon, peut-être pas trois. Disons cinq. Mais cinq minutes, c'était long… Il faudrait qu'elle trouve quelque chose pour faire du bruit encore…

– Bonjour, mon lapin, l'interrompit Jeanne.

– Ah ! Te voilà ! J'ai préparé le petit déjeuner.

– Mais je suis servie comme une reine ce matin !

Alice ne fit pas attention à la remarque. Elle s'assit à table et engloutit son repas aussi vite que possible.

– J'ai bien l'impression que je ne vais pas avoir le temps de nourrir les poules avant notre départ ! s'amusa Jeanne.

Alice lui adressa un sourire ravi.

Elles partirent aussitôt. Sur le chemin, Alice devançait Jeanne d'une dizaine de mètres. Quelques instants encore et elles y seraient.

– Vite, Jeanne !

– Enfin ! Ralentis donc un peu !

Encore deux minutes, peut-être trois, et elle reverrait les petits chats. Alice ne tenait plus en place. Vite ! Vite !

Pourtant arrivées sur les lieux, elles ne trouvèrent qu'un seul chaton. Le roux. C'était le plus maigre.

– Bah ! Où ils sont les autres ? s'inquiéta Alice.

– Ils ont dû bouger un peu. Cherchons-les, la rassura Jeanne.

Mais il n'y avait pas de traces du reste de la famille.

– Ils ont dû partir…, conclut Jeanne.

– Pourquoi ils sont partis sans lui ?

– Je ne sais pas. Peut-être qu'il n'était pas assez fort pour les suivre…

– Mais… mais les mamans, elles peuvent pas abandonner…

Alice n'arrivait pas à terminer sa phrase. Bien sûr

que si les mamans pouvaient partir sans leurs enfants. La preuve, elle-même était chez Jeanne. Elle sentit des larmes monter.

– Ça veut dire qu'elle l'aimait pas, sa mère ?

Jeanne posa ses mains sur les épaules d'Alice.

– Non, trésor, parfois on n'a pas le choix, c'est tout. Allez, rentrons.

Mais Alice refusait d'avancer.

– Et lui ? Qu'est-ce qu'il va faire tout seul ?

Jeanne soupira.

– On pourrait le garder ? supplia Alice.

– Tu trouves qu'on n'a pas assez d'animaux ?

– Sinon il sera tout seul… Et c'est la guerre…, tenta-t-elle de justifier.

Jeanne sourit.

– Bon, d'accord. Mais c'est toi qui t'en occupes.

Alice était contente. Ce petit chat, elle ne le laisserait jamais.

– On l'appellera Crème !

– Crème ? C'est pas un prénom de chat !

– Mais j'adore la crème !

– Très bien, va pour Crème, répondit Jeanne, amusée.

Elles rentrèrent à la ferme, en se tenant par la main.

– Demain, je pourrai aller chercher de l'eau toute seule ?

– Oui, tu pourras, si tu promets de ne plus t'arrêter en chemin.

– Promis. Et je pourrai bientôt aller chercher les œufs ?

– On verra.

*

Alice aimait jouer avec Crème. Lorsqu'elle allait chercher de l'eau, elle le glissait dans la poche de son tablier. Elle sentait ses petites pattes s'agiter contre son ventre. Ça la faisait rire.

Un matin que Jeanne tardait à se réveiller, Crème s'arrêta à quelques mètres du poulailler. Alice le rejoignit et le petit animal se mit à lui tourner autour. Elle savait ce que ça voulait dire.

– Toi aussi tu as envie d'y aller, hein ! Mais Jeanne veut pas qu'on s'occupe des œufs…

Le chaton miaulait. Il n'était pas d'accord non plus…

– Je sais bien ! C'est pas juste !

Elle ne comprenait pas pourquoi elle ne pouvait pas entrer. Elle fit quelques pas et recula aussitôt. Elle avait trop peur que Jeanne la surprenne… Mais l'envie était plus forte.

– Oh et puis zut ! On fera bien attention à pas les casser, c'est tout.

Elle poussa la porte. Des petites plumes tournoyaient çà et là dans les airs, et l'odeur d'excréments l'écœura. Elle ouvrit une cage, deux gros œufs encore chauds semblaient n'attendre qu'elle… Elle les saisit un par un, comme faisait Jeanne. Elle était tellement concentrée qu'elle se mordit la langue. Puis elle referma la porte pour ouvrir la seconde cage. Trois œufs cette fois ! Quelle chance ! En prenant garde à ne pas faire de mouvements brusques, elle souleva sa jupe et y déposa les deux premiers dans le revers. Puis un nouveau, et encore un autre... Mais au moment de s'emparer du dernier, un mouvement au fond du poulailler attira son attention.

D'habitude, à cette heure, aucune poule ne se promenait sur la paille, pourtant quelque chose avait bougé. Elle regarda, mais elle était trop petite pour bien voir. Peut-être qu'une poule s'était échappée ? Peut-être était-ce un renard ? Jeanne lui avait déjà expliqué qu'ils mangeaient les poules. Si elle chassait un renard malfaisant, Jeanne serait fière d'elle. Après ça, sûr qu'elle pourrait s'occuper des œufs ! Elle s'approcha à petits pas, s'assurant que Crème la suivait. Elle était prête à faire reculer l'animal, à lui donner la peur de sa vie pour qu'il ne revienne plus jamais. Rien sur la droite, il avait dû sentir sa présence, elle fila sur la gauche. Elle entendit un bruit. Il était là, derrière un tas de paille. Elle prit une grande inspiration et s'approcha en criant :

– Sors de là, sale bête !

Un homme leva les mains au-dessus de sa tête. Il était grand, brun, avec une barbe touffue, une casquette grise et verte, et des vêtements déchirés. Il semblait terrifié. Alice se pétrifia. Elle marmonna quelques mots incompréhensibles en reculant le plus vite possible. Dans sa panique, elle fit tomber tous les œufs. Soudain, la porte grinça. Elle eut à peine le temps de se retourner que Jeanne était devant elle, rouge de colère :

– Que fais-tu dans le poulailler ? Je t'avais interdit d'y aller sans moi !

Alice baissa la tête. À ses pieds, les œufs étaient éclatés. Elle sentit comme une pointe dans son ventre.

– Et les œufs ! Tout est gâché, reprit Jeanne.

– Avec Crème, on voulait…

Alice chercha le chaton du regard pour qu'il la soutienne, mais Crème avait filé dans la cour.

– Alice, je ne suis pas contente, tu seras punie. En attendant, rentre, et va faire chauffer de l'eau.

– Et pour lui ? demanda-t-elle en indiquant l'inconnu.

– Non, il n'y a personne ici.

– Mais…

– Je te dis qu'il n'y a personne, est-ce que tu comprends ?

Alice était perdue. Pourtant, face au regard sombre de Jeanne, elle acquiesça et rentra à la maison.

La journée reprit son cours. Jeanne s'occupa du potager, nourrit les bêtes. Aucune explication au sujet de l'inconnu. Était-il parti ? Jeanne le connaissait-elle ? Sûrement, elle n'avait pas eu l'air apeuré. Mais pourquoi Alice devait-elle faire semblant ? En fin d'après-midi, sans plus de détails, la nourrice l'envoya chercher de l'eau.

– Quand tu rentreras, tu auras ta punition.

– Mais...

– Je ne veux rien entendre.

Alice installa Crème dans la poche du tablier, elle prit le seau et s'en alla. Cette situation était injuste. Elle n'avait pas envie d'y aller, elle ne trouvait plus ça drôle. Et Crème n'arrêtait pas de la griffer.

– D'accord, d'accord, lui dit-elle en le déposant sur le sol.

Le chaton était tout excité. Il courait d'un point à un autre, essayant d'attraper sa queue. Il semblait très énervé de ne pas y arriver. Malgré les efforts d'Alice pour le calmer, quelque chose l'attira dans le champ et il s'éloigna. En un éclair, il avait disparu. Perdre Crème était sa plus grande peur, et voilà...

– Crème ! S'il te plaît, reviens ! Crème ! On va être en retard !

Mais le chat ne revenait pas et si Alice perdait trop de temps à lui courir après, Jeanne serait encore plus furieuse.

– Crème, ça suffit maintenant ! Puisque c'est comme ça, je pars sans toi !

Soudain, elle entendit une détonation. Quelqu'un avait tiré un coup de feu. Elle tressaillit. On ne chassait jamais par ici ! Ce n'était pas normal, et son cœur se mit à battre plus vite. Elle se cacha derrière un buisson pour observer les alentours. Rien. Crème dut avoir aussi peur qu'elle, car il réapparut aussitôt pour venir se frotter contre ses jambes. Elle le prit dans ses bras et le remit dans son tablier.

– T'inquiète pas, tenta-t-elle de le rassurer, mais elle avait du mal à s'en convaincre elle-même.

Il fallait qu'elle rejoigne la route. Elle resta courbée pour ne pas dépasser les épis de blé.

– Chut, Crème, fais pas de bruit.

Le petit chat cessa de miauler, et resta immobile dans le fond de sa poche. Alice dut s'arrêter pour reprendre son souffle. La route était à quelques mètres. Pourtant, elle avait peur d'y aller. Et si on tirait encore ? Elle pensa à Jeanne. Quand bien même elles s'étaient disputées, sa nourrice serait triste s'il lui arrivait quelque chose. Alice eut envie de pleurer. Elle se sentait coincée entre sa peur et la nécessité d'agir.

– Je suis là, Crème. On va y arriver, tu vas voir.

Elle prit son courage à deux mains, serra les poings et se remit à courir. Au milieu du chemin, elle s'arrêta net : quatre soldats en uniforme attendaient à côté d'une énorme voiture. Un des hommes aperçut Alice et s'approcha d'elle. Terrifiée, elle était incapable d'avancer ou de reculer.

– Bonchour ! lui dit-il avec un étrange accent.

Elle ne savait pas quoi répondre.

– *Du bist sehr hübsch*, dit le deuxième, en caressant ses nattes.

Des Allemands. Elle sentit ses jambes trembler.

– Afez-fous vu oun homme, très brun, avec barbe près de là ?

Alice pensa immédiatement à l'homme du poulailler, et la peur lui tordit le ventre. Elle fit non de la tête, d'un mouvement mal assuré.

– Fraiment ?

– Je... je vais chercher de l'eau.

Elle brandit son seau, comme une preuve irréfutable. Elle le souleva si vivement qu'elle se heurta le visage. Les soldats s'esclaffèrent.

– Allons, rentre chez toi, pétite. Tu es bien trop cholie pour avoir des problèmes. *Schnell.*

Alice prit ses jambes à son cou et s'engagea sur le chemin de la maison. Au bout de quelques secondes à peine, elle entendit de nouveau les soldats :

– *Er ist da !*

Ils pointaient un buisson, derrière lequel elle reconnut la casquette. L'homme du poulailler. C'était bien lui qu'ils cherchaient. Alors, celui qui avait caressé ses nattes pointa son arme, tira plusieurs coups, et la casquette disparut. Alice fit tomber son seau et courut de plus belle, le monde semblait s'effondrer autour d'elle. Plus de casquette, l'homme était tombé, les Allemands l'avaient eu. Ils avaient tiré et l'homme était... Non. Ce n'était pas possible. Ils n'avaient pas pu ! Mais la casquette... Rentrer vite. Oublier. Vite. Retrouver Jeanne. Et s'il lui arrivait quelque chose aussi ? Vite ! Vite !

De retour à la ferme, elle agrippa Jeanne par la jupe.

– Enfin, qu'est-ce qui t'arrive ? Pourquoi es-tu si essoufflée ?

Mais Alice n'arrivait pas à parler.

– Et où est l'eau ?

Ses dents claquaient, ses lèvres tremblaient. Jeanne la secoua.

– Que se passe-t-il ?

Alice souffla :

– L'homme qui n'était pas là. Je crois qu'il est mort.

Jeanne recula.

– Quoi ?

Alice lui raconta tout. Jeanne semblait se tasser sur elle-même. Alice s'en voulait de lui apprendre cette nouvelle, mais que pouvait-elle faire d'autre ? Il fallait bien qu'elle sache !

– Je suis désolée…

– Tu n'y es pour rien.

– C'était qui ?

– Personne. Tu ne l'as jamais vu.

La nourrice commença à préparer le dîner dans un silence insupportable. Elle prenait un temps fou pour découper les carottes en rondelles. Alice sursautait à chaque fois que le couteau atteignait la planche de bois. Puis Jeanne s'attaqua aux poireaux. Elle avait l'air en colère et serrait les dents. Parfois ses lèvres faisaient de petits mouvements, comme si elle voulait dire quelque chose, mais elle ne prononçait aucun mot. Alice restait auprès d'elle. Elle lui jetait des coups d'œil à la dérobée, lui adressait parfois un sourire, espérant déclencher une discussion, ou attirer un peu d'attention, mais Jeanne restait concentrée sur son couteau.

Quand l'heure de passer à table arriva, Jeanne fit une prière et dit à Alice de manger. Quant à elle, elle ne toucha pas à son assiette.

– Jeanne, si les Allemands gagnent la guerre, est-ce qu'on va tous mourir ?

– On ne les laissera pas gagner.

– Mais si jamais…

Jeanne ne répondit pas.

– Et si c'est nous qui gagnons, est-ce que ça veut dire qu'on va tuer tous les Allemands ?

– Mange ta soupe.

– Mais si Dieu dit qu'il ne faut pas tuer et que nous, on les tue, alors c'est pas bien ?

– C'est comme ça, c'est la guerre. S'il te plaît, termine ton assiette et monte te coucher, j'aimerais rester tranquille.

Alice quitta la table, mais elle n'était pas du tout d'accord pour s'isoler dans sa chambre. Elle fit semblant de monter, en faisant du bruit dans les escaliers, et doucement redescendit quelques marches. De là, elle pouvait voir sans être vue.

Jeanne était dans le salon, elle déplaçait des bûches. Cachées derrière, il y avait une bouteille et une médaille.

Alice ne les avait jamais remarquées. Jeanne alla s'asseoir à table et se servit un verre qu'elle but d'un seul trait. Elle soupira. Puis elle but un autre verre, et encore un autre. Elle se mit à parler à quelqu'un qui n'était pas là en regardant la médaille, et commença à pleurer. Alice était à la fois curieuse et gênée : elle aurait aimé observer encore pour comprendre, mais elle sentait que ce n'était pas bien. Comme si elle volait quelque chose à Jeanne. Sans faire de bruit, elle remonta dans sa chambre, ferma la porte et attendit un long moment que la fatigue la gagne.

Au milieu de la nuit, elle descendit chercher Crème, et trouva Jeanne, endormie, la tête sur la table, un verre à la main. La bouteille était vide. Jeanne bavait, et de temps en temps, elle sursautait en criant. Alice sortit une couverture du coffre et la posa sur le dos de sa nourrice. Puis elle prit Crème dans ses bras et le serra contre elle.

Alors c'était ça, la guerre. À présent, elle avait compris.

2.

Salies-de-Béarn, fin octobre 1943

Quelques mois passèrent. En septembre, Alice entra à l'école de Salies. Elle devait y aller tous les jours, et n'aimait pas ça. Il y avait trop de monde, elle se sentait différente, et ça l'inquiétait. La semaine, elle attendait le week-end avec impatience. Mais il se terminait toujours trop vite, et chaque lundi matin :

– Mange ton petit déjeuner, disait Jeanne.

– J'ai pas faim.

– Tu dois prendre des forces.

– Je crois que je suis malade.

Le même dialogue se soldait par le départ pour l'école, à reculons. Le lundi, Alice ressentait une gêne. Comme si quelque chose appuyait sur sa poitrine, qui irradiait l'ensemble de son corps. Un tremblement intérieur qui la paralysait. Jeanne ne semblait pas s'en soucier, une appréhension normale disait-elle, et elle préparait son petit déjeuner avec la même affection, lui accordait la même attention que les autres jours. Pourtant, plus l'heure de la sonnerie annonçant la reprise de la classe approchait, plus le malaise s'accentuait. Ce n'était pas le fait de devoir apprendre, ni la maîtresse. Non, c'était quelque chose d'inexplicable, un mauvais pressentiment.

– Tu me regardes, hein ?

– Oui, mon lapin.

– Jusqu'au deuxième arbre.

– Oui, vas-y, il fait froid, et tu vas être en retard.

Jeanne devait suivre Alice du regard le plus longtemps possible. Elles avaient fait l'expérience ensemble : de la maison, Jeanne pouvait la voir pendant une bonne partie du trajet, jusqu'au deuxième gros sapin. Ce chemin obligeait Alice à faire un détour, mais elle préférait sentir le regard de Jeanne plutôt que de se retrouver seule. Après le sapin, le terrain devenait pentu. Impossible de se voir depuis la ferme. Alors, sur les quelques mètres restants, la peur rattrapait Alice, plus intense encore, et elle accélérait pour atteindre le village. Le malaise se dissipait dès qu'elle rencontrait un camarade.

– Salut, Alice !

Deux mots qui lui suffisaient à retrouver l'équilibre.

Ce lundi-là, plus encore que d'habitude, elle sentait que quelque chose n'allait pas. Elle avait mal au ventre et transpirait beaucoup. Même le chant des oiseaux l'avait fait sursauter. Ce n'était pas normal. Qu'allait-il lui arriver ? Elle aurait aimé qu'on lui réponde tout de suite. Mais à qui demander ? On la prendrait pour une folle. Elle s'était attendue à une mauvaise nouvelle pendant toute sa journée de classe, et quand la sonnerie retentit, elle mit du temps à se lever. Il ne s'était rien passé. Elle n'en revenait pas. Elle commença à se dire que Jeanne avait raison : la peur ne servait à rien.

Mais deux jours plus tard, quand dans la cour Alice s'avança vers Claudine et Giselle, elles la repoussèrent et s'éloignèrent. Surprise, Alice suivit ses amies. Elle insista pour jouer avec elles. Les deux complices lui dirent sèchement :

– On est pas tes copines !

– Tu peux pas rester avec nous !

Alice crut à une plaisanterie, et attendit patiemment la récréation suivante pour tenter une nouvelle approche. Cette fois-ci, tous les élèves, même les grands qu'elle connaissait à peine, l'ignoraient. Ses oreilles se mirent à bourdonner. Elle regarda partout autour d'elle : que devait-elle faire ? Partir de l'école en courant ? Se cacher dans les toilettes ? Elle s'approcha des filles qui jouaient à la marelle. Ces dernières s'arrêtèrent aussitôt, et engagèrent quelques messes basses. Puis elles gloussèrent en lui jetant des regards supérieurs. C'était bien d'elle qu'on se moquait. Alice avait l'impression que leurs rires se propageaient d'élèves en élèves, comme des vagues, dans le préau.

– De toute façon, Madame Jeanne, c'est pas ta vraie mère. T'es une étrangère.

– Peut-être même que t'es une espionne.

Alice entendit des :

– Ouais !

– Bien dit !

– Sale espionne !

Ça venait de partout. Aussi fort que possible, elle plaqua ses mains sur ses oreilles, mais quelqu'un arriva par-derrière et les lui décolla pour crier :

– Traîtresse !

Alice tournait sur elle-même, à bout de souffle. Qu'allaient-ils lui faire ? Qu'allaient-ils lui dire ? Elle n'était pas comme eux, voilà ce qui les gênait. Mais pourquoi s'en mêlaient-ils ? C'était vrai qu'elle se posait des questions depuis quelque temps. Est-ce que Jeanne était quand même de sa famille ? Qui étaient ses parents ? Les verrait-elle un jour ? Pourquoi l'avaient-ils laissée ? Elle aurait bien demandé à Jeanne, mais elle avait peur de lui faire de la peine. Et si Jeanne cessait de lui parler, ou pire, si elle l'abandonnait à son tour ? Elle avait peur de devoir partir seule dans la forêt. Elle préférait se taire, espérant que rien n'atteindrait le fragile équilibre de sa situation. À présent, c'en était fini.

Alice sentit ses pieds se glacer. Les bruits de la cour cessèrent de lui parvenir, les rires, les rebonds de balles, les cris de victoire ou de défaite, les bruits de pas, de sauts, tout était en sourdine. Elle était seule. Le cœur serré, elle se dirigea, l'air aussi déterminé que possible, vers quelques marches près des toilettes, et s'assit. Elle pensa ne plus jamais pouvoir se relever. Mais elle ne voulait pas qu'on voie sa peur. Ça reviendrait à leur donner raison à tous. Elle fit semblant d'observer quelque chose de captivant, comme si rien ne l'atteignait. En réalité, elle comptait les secondes. Quatre cent vingt-deux jusqu'à ce que la maîtresse vienne les chercher pour remonter en classe. Personne ne se mit à côté d'elle dans le rang. Une fois assise, sa voisine posa une règle pour séparer leurs espaces sur la table qu'elles partageaient, une limite qu'Alice ne devait franchir sous aucun prétexte.

*

À la sortie de l'école, Alice courut comme si sa vie en dépendait. S'éloigner, vite, ne plus y retourner, jamais. En arrivant à la ferme, elle monta directement dans sa chambre et s'y enferma.

– Tout va bien, mon lapin ? demanda la nourrice, étonnée, en ouvrant doucement la porte quelques minutes plus tard.

– Oui, j'ai un peu mal à la tête.

– Bon, je vais te préparer une bonne soupe comme tu les aimes, en écrasant bien les légumes. Repose-toi en attendant. Tu as assez chaud ?

– Oui.

– Tu veux que j'aille chercher le médecin ?

– Non.

Alice remercia sa nourrice et attendit qu'elle soit

redescendue pour s'installer près de la fenêtre. Elle observa les champs à perte de vue, couverts de neige, les feux qu'on allumait dans les fermes voisines. Le ciel se teinta d'orange, puis de rouge, et bientôt le soleil se cacha. Elle resta immobile un long moment, sans penser au temps qui passait. Sans penser du tout d'ailleurs, elle regardait simplement la nuit tomber. Si seulement ce moment pouvait durer toujours. Si seulement elle pouvait vivre sans les autres, que les questions s'arrêtent. L'appel de Jeanne interrompit sa rêverie. Il fallait passer à table.

– Tu couves quelque chose, mon lapin ?

Alice fit non de la tête.

– Allez, mange.

– J'ai pas faim.

– Mange un peu, pour me faire plaisir.

Mais Alice était nouée. Jeanne l'observa un moment, et Alice comprit qu'elle ne pourrait plus se taire bien longtemps.

– Tu sais que tu peux tout me dire ?

– Oui.

– On t'a embêtée à l'école ?

– Non.

– En es-tu sûre ? Tu ne me mentirais pas, à moi…

Alice s'empourpra. Des larmes perlèrent aux coins de ses yeux et elle finit par raconter une partie de la torture que ses camarades lui avaient infligée. Elle passa cependant la cause sous silence, ne répéta pas les allusions au sujet de ses parents. Dévoiler cet aspect du problème aboutirait nécessairement à une discussion pour laquelle elle n'était pas prête. Il valait mieux ne rien provoquer.

– Mon lapin, tu sais, la plupart des gens sont des moutons. Il y a un chef, les autres ne font que suivre. Ignore-les. Tu verras, ils reviendront.

– Mais comment ?

– Ne les regarde pas, lis, dessine, promène-toi. Ils reviendront.

*

Peu convaincue, Alice mit pourtant les conseils de Jeanne en application. Sa nourrice lui fit un mot d'excuse qu'elle glissa dans une enveloppe avant de la cacheter. Alice n'en connaissait pas le contenu. Elle devait donner le tout à la maîtresse pour avoir le droit de rester seule en classe pendant la récréation. Sur le chemin de l'école, Alice hésita de nombreuses fois à l'ouvrir, mais elle avait peur d'abîmer le mot. De ce mot dépendait la réaction de la maîtresse. Avec ce mot commençait le combat contre les moutons. Durant tout le trajet, elle serra l'enveloppe des deux mains, comme s'il s'agissait d'un trésor.

En arrivant à l'école, elle ignora les regards malveillants de ses anciens camarades, et fila tout droit dans sa classe. Mme Jeanson était déjà là. Alice s'approcha du bureau à petits pas. Elle ne savait plus si c'était vraiment ça qu'il fallait faire. Elle avait peur que la maîtresse le lise devant tout le monde, et qu'on se moque d'elle encore plus. Mais elle n'avait plus le temps d'attendre, ce serait bientôt le début du cours, et si elle ne donnait pas l'enveloppe maintenant, elle ne pourrait plus le faire après. Elle serait obligée de descendre avec tous les autres dans le préau à la prochaine récréation. Elle inspira fort et dans un souffle, elle dit à sa maîtresse :

– Madame Jeanson, c'est pour vous.

La maîtresse prit la lettre. Elle hocha plusieurs fois la tête en la lisant.

– Très bien, Alice, tu pourras rester dans la salle si tu le souhaites.

– Merci, madame.

– Et je suis là si tu veux me parler. Tu n'es pas seule.

Alice esquissa un sourire et remercia Mme Jeanson.

Comme prévu, à la récréation, tous les élèves descendirent, et elle se retrouva seule dans la salle. Elle prit même un plaisir coupable à chiper quelques crayons à Claudine, et un buvard à Giselle pour dessiner. Finalement, elle était presque une privilégiée. À la pause de midi, elle se promena dans la cour, sans regarder les autres, ni parler à personne. Elle était dans une bulle, protégée par le silence. Chaque fois que des moqueries lui parvenaient, ébréchant son armure, elle se répétait ce que Jeanne lui avait dit : « Ce sont des moutons. »

À sa grande surprise, le lendemain, Marie, une fille

de son âge avec qui elle avait rarement parlé jusqu'ici, se mit à côté d'elle dans le rang. Sans dire un mot, Marie fit un grand sourire. Alice le lui rendit. Pourtant, sur le pas de la porte de la salle de classe, elle ne put s'empêcher de lui demander :

– Pourquoi tu t'es mise à côté de moi ?

– Comme ça, répondit sa camarade en allant s'asseoir.

Comme ça. Autant dire sans raison. Rejetée sans raison, aimée sans raison, Alice ne comprenait plus rien.

À la récréation suivante, Marie revint avec deux autres filles, et elle proposa de faire un pendu. Elle sortit des craies de sa poche et dessina des traits sur le sol.

– Premier indice : c'est une chose, précisa-t-elle.

Au début, les deux autres filles semblaient gênées de jouer avec Alice, mais très vite, le jeu les passionna et elles oublièrent leur hésitation.

– A ? dit l'une.

– Non !

– T ? proposa l'autre.

– Oui !

– R ?

– Oui !

– Attends, c'est crotte ton mot ? demanda Alice, étonnée.

– Oui ! répondit Marie en éclatant de rire.

Toutes les autres la suivirent.

– Elle a écrit crotte !

– C'est celui qui le dit qui l'est !

Et elles riaient de plus belle. À présent c'était sûr, il n'y avait plus de mouton dans ce petit groupe.

– À moi d'écrire un mot ! dit Alice. Non, en fait ce sont deux mots.

– Mais t'as pas le droit ! observa l'une des filles.

– Si, tu vas comprendre. C'est une chose.

En quelques minutes, Marie fut la première à deviner :

– De bique !

Alice hocha la tête en riant, et les nouvelles amies crièrent en chœur :

– Crotte de bique !

Elles s'esclaffèrent. Ça faisait du bien de rire comme ça ! Mais soudain, Alice surprit les regards mauvais de Claudine et Giselle quelques mètres plus loin. Son sang se glaça. C'était dur, mais elle n'en montra rien. Marie, qui n'avait rien vu, proposa :

– On fait une marelle ?

Alice accepta. Cette marelle fut la plus éprouvante de sa vie. Chaque saut était d'une importance capitale : elle ne devait pas tomber, elle devait avoir l'air joyeux, insouciant, il fallait qu'elle gagne pour que Marie l'aime. Marie avait toujours les plus beaux jouets, les plus beaux vêtements. Elle était la fille du docteur, et vivait dans la plus grande maison. Comme ce serait bien qu'elle devienne son amie pour de bon. Sauter haut, sauter loin. Faire honneur à Marie. Si Marie l'aimait, tout rentrerait dans l'ordre.

À la récréation de l'après-midi, Alice eut la confirmation que Jeanne disait vrai : les moutons suivaient. D'autres filles plus proches de Marie que du clan de Giselle se ralliaient à elles. Elles avaient dû les observer le matin, et avaient pesé le pour et le contre, entre bouder seules et jouer avec Alice. Trois d'entre elles firent le premier pas et demandèrent à Marie et Alice si elles pouvaient se joindre à elles. À présent, elles étaient sept. Elles décidèrent de jouer à chat perché. Alice adorait ce jeu. Elle courait vite, et avec Crème, elle avait appris à s'accrocher presque partout.

Au bout de quelques minutes, Claudine s'approcha de Marie. Alice s'immobilisa. Elle avait si peur que tout s'arrête, et que Marie la laisse tomber. Elle descendit de la marche où elle s'était perchée, et se dirigea vers elles. Une douleur lui perçait le ventre, comme des petits coups de couteau.

– On pourrait jouer ensemble ? demanda Claudine.

Marie interrogea Alice du regard. Toutes les filles se turent, suspendues à sa réponse. Alice n'en revenait pas. Claudine avait perdu son assurance. Elle peinait à se tenir droite. Elle bafouillait et parlait de plus en plus fort pour compenser, comme si de rien n'était. Giselle derrière elle se balançait d'une jambe sur l'autre, s'appliquant à ne pas regarder dans la direction d'Alice. C'était donc Claudine la chef des moutons, celle qui avait mené cette bataille injuste. Elle avait voulu blesser Alice, l'isoler, détourner tous les autres d'elle. Mais elle avait perdu. C'était une victoire suffisante.

– Oui, tu peux jouer avec nous si tu veux.

*

Les jours suivants, ça allait de mieux en mieux. Le lundi matin, Alice n'avait plus peur, ni les autres matins. Elle appréciait ce que la maîtresse leur enseignait. Noël approchait, et toute la classe fabriquait un vase en terre cuite à offrir aux parents. C'était une période agréable. Jeanne partageait cet avis. Un soir, tandis qu'elles décoraient la maison, sa nourrice avait dit :

– Quand les journées sont courtes, ça les rend plus intenses. Comme si l'obscurité et la lumière fragile aidaient les gens à se rapprocher.

Mais les questions se bousculaient dans la tête d'Alice. C'était plus fort qu'elle, et elle n'arrivait plus à dormir. À peine se couchait-elle qu'elles l'envahissaient, pendant des heures, sans qu'elle ait de réponse pour leur faire barrage. Pourquoi vivait-elle chez Jeanne ? Sa mère viendrait-elle la chercher un jour ? La croisait-elle parfois sans le savoir ? Ses parents étaient-ils morts ?

Ces mystères l'épuisaient. Comme les Pyrénées au loin, ils la faisaient penser à une montagne abrupte à gravir sans aucune aide. Personne autour d'elle ne partageait cette situation. Tout ce qu'elle voulait, c'était marcher tout droit, que les choses cessent d'être si compliquées. Plus les jours passaient, plus la torture s'accentuait. Il fallait que ça s'arrête. Mais comment ? Comment découvrir la vérité sans blesser personne ? Sans que les filles recommencent à la rejeter à l'école ? Le problème était sans fin.

*

Un matin, Marie distribua de jolies lettres à toutes les filles de la classe. Il y était écrit : « Tu es invitée à l'anniversaire de Marie ce samedi à partir de quinze heures. » L'adresse n'était pas précisée mais tout le monde savait où demeurait le docteur.

Un anniversaire ! C'était la première fois qu'Alice recevait une invitation comme ça. Elle était aussi excitée que terrorisée : que faisait-on à un anniversaire ? Elle demanda à Jeanne, mais la nourrice lui posa une nouvelle question en guise de réponse :

– Comment allons-nous t'habiller ?

Des jours durant, la fête de Marie retint toute leur attention.

– Mais je ne sais pas moi comment les autres vont s'habiller ! s'énervait Alice.

– Je ne suis pas sûre que les vêtements de la messe conviennent.

– Je vais quand même pas y aller en tablier !

Alice enfilait des tenues, Jeanne regardait et réfléchissait. Elles finirent par se mettre d'accord : Alice porterait une chemise blanche, la même que pour la messe, et la jupe plissée avec laquelle elle se rendait à l'école. Cette semaine-là, on la laverait deux fois. Jeanne la coifferait avec quelques anglaises et un ruban.

Mais à peine eurent-elles réglé le problème de la tenue qu'un nouveau fit surface. Un problème de taille :

– Giselle et Claudine vont lui offrir des crayons de couleur et du papier à dessin.

– Des crayons ! C'est une fortune !

Alice acquiesça.

– Je suis désolée, mon lapin, mais moi, je n'ai pas les moyens d'acheter quoi que ce soit.

– Je peux pas y aller sans rien !

– Non, tu ne peux pas.

Jeanne proposa d'apporter des œufs. Alice refusa, ce serait trop bizarre. La nourrice en convint et chercha dans la maison si par hasard un objet pouvait être donné.

– Regarde, je pourrais coudre le nom de Marie sur cette serviette…

Alice se sentait triste. Jeanne redoublait d'imagination et de bonne volonté, mais aucune de ses propositions ne convenait. Et sans cadeau, Alice ne pourrait pas aller chez Marie, ce serait trop humiliant. Elle s'en voulait d'être pauvre. Être pauvre, c'était toujours un problème et ça faisait de la peine à soi et aux autres.

Un soir, tandis qu'elle préparait la soupe, Jeanne se retourna vers Alice et lui dit, pleine d'enthousiasme :

– Et si on faisait un gâteau aux pommes ?

– Un gâteau aux pommes ?

– Oui ! Celui que tu aimes tant ! Avec les fines tranches de pommes et le sucre sur le dessus. On pourrait écrire Marie, le mettre sur une belle assiette…

Alice répondit par un grand sourire. C'était son gâteau préféré, celui qu'elle attendait des jours durant avant son anniversaire et avant Noël… Elles iraient cueillir des pommes ensemble et prépareraient la pâte la veille. Le samedi matin, elles confectionneraient le gâteau pour qu'il ait le temps de refroidir avant le goûter. Elles n'auraient plus de sucre ni d'œufs la semaine suivante, et peut-être quelques jours encore, mais qu'importe, Marie aurait le meilleur gâteau du monde pour son anniversaire, et ce serait de la part d'Alice ! Quelle merveilleuse idée !

– Je crois que les mamans de Madeleine et Jeannette vont venir aussi pour prendre le thé avec celle de Marie.

– Et on t'a demandé quelque chose ?

En réalité, Marie avait dit dans la cour de l'école que toutes les mamans qui le souhaitaient pourraient rester. Ces mamans de la ville étaient apprêtées, élégantes. Alice avait beau adorer Jeanne, elle sentait bien qu'il y avait une différence. Jeanne avait toujours les mains un peu sales. Le fichu qu'elle se mettait sur la tête cachait mal ses cheveux blancs emmêlés, ses jupes étaient déchirées par endroits, et même si elle lavait régulièrement ses vêtements, la vie à la ferme apportait chaque jour son lot de taches : une poule qui défèque, une vache qui bave, de la boue qui colle… Samedi serait un jour comme un autre, et Jeanne se tacherait. Alice n'avait pas envie que la maman de Marie propose à sa nourrice une chaise différente, ou qu'elle lui parle comme à quelqu'un d'idiot. Elle avait vu certaines personnes le faire au marché.

– Non, on m'a rien demandé.

Jeanne observa Alice un moment et hocha la tête.

– Mon lapin, tu sais, ces femmes… ce n'est pas vraiment mon monde… Je pense qu'il vaut mieux que tu y ailles seule.

Jeanne avait compris. Alice eut un peu honte, mais cet anniversaire, c'était tellement important… Si Jeanne venait, tout le monde se sentirait mal à l'aise, et elle ne voulait gêner personne.

– Promets-moi d'être sage et de jouer aux jeux que Marie proposera.

Alice acquiesça et promit aussi de manger en même temps que les autres et de demander la permission pour aller aux toilettes.

Le jour aussi attendu que redouté arriva. Jeanne accompagna Alice jusqu'à l'angle de la rue. Alice frappa et la mère de Marie ouvrit la porte. Elle était encore plus belle que ce qu'Alice avait imaginé : une coiffure impeccable, rehaussée d'un petit chapeau blanc, une robe de laine resserrée à la taille et de jolies chaussures. Marie arriva quelques secondes plus tard, également vêtue de blanc. Alice tendit l'assiette sur laquelle était déposé le gâteau, et Marie afficha un grand sourire en la remerciant. Toutes les craintes d'Alice s'évaporèrent et les deux amies montèrent à l'étage pour jouer avec les autres camarades déjà là.

– Claudine doit arriver. On attend aussi Martine, Lison, Jeannette et Madeleine, précisa Marie.

Elles improvisèrent une dînette. Elles étaient tour à tour crémières, épicières, fermières et vendaient leurs produits pour préparer l'anniversaire de Dame Marie. Oranges, vanille de Madagascar, cumin, noix de coco des Antilles, thé de Ceylan, œufs d'autruche, requins… Les mets les plus rares et les plus farfelus s'échangeaient. Quand les filles furent au complet, elles dégustèrent un faux thé, avec de faux gâteaux comme on en fait en Angleterre.

– Des scones, précisa Marie.

Son père pouvait en témoigner, il s'était déjà rendu à Londres dans sa jeunesse. On joua ensuite à la corde à sauter, aux devinettes. Puis la mère de Marie vint les prévenir qu'on mangerait le gâteau vingt minutes plus tard. Claudine proposa que l'on joue à la poupée en attendant.

– Mais… on est beaucoup, non ? remarqua Alice, gênée.

Marie posa sa main sur celle d'Alice et lui dit dans un sourire :

– T'inquiète pas, j'en ai pour tout le monde.

Elle se leva, lissa sa robe, et se dirigea vers la grande armoire en bois rose. Quand elle ouvrit les deux portes qui touchaient presque le plafond, Alice n'en crut pas ses yeux : une dizaine de poupées étaient installées sur les étagères. Elles semblaient se regarder en attendant qu'on joue avec elles. Alice n'en avait jamais vu autant, toutes aussi belles les unes que les autres. Il y avait des bébés, chauves, avec de jolies layettes en dentelle, des petites filles, une blonde avec de grosses anglaises et une robe en satin rose, une petite brune avec des vêtements de matelot, une rousse avec un chignon et une tenue écossaise… Des merveilles ! Alice aurait pu les contempler pendant des heures. Elle avait toujours rêvé d'avoir une vraie poupée. Jeanne lui en avait fabriqué une avec des tissus, des morceaux de bois, et des boutons en guise d'yeux, mais ça n'avait rien à voir. Là, elles semblaient réelles.

Marie commença la distribution. Elle donna un bébé à Jeannette, la belle petite fille blonde aux anglaises à Claudine, qui sembla ravie. Alice était déçue, elle aurait bien aimé l'avoir. Elle espérait que Marie lui donnerait l'Écossaise, mais elle l'attribua à Lison. Quelques minutes plus tard, toutes les filles en avaient une sauf Alice, et il ne restait plus que la poupée matelot dans le placard.

– Celle-ci sera pour moi, dit Marie en la prenant dans les bras.

Alice baissa la tête. Il n'y avait plus de poupée pour elle. Peut-être qu'elle n'en méritait pas ? Peut-être que quand on vivait dans une ferme, on ne pouvait pas avoir de poupée ? Elle se retint de pleurer, quand Marie lui prit la main.

– Viens, j'ai quelque chose pour toi.

Elle l'entraîna plus près de l'armoire, et ouvrit un grand tiroir. À l'intérieur, une magnifique poupée était allongée sur une couverture de laine. Elle avait des boucles brunes soyeuses, des taches de rousseur, et elle portait un diadème.

– C'est une princesse, elle est très ancienne. Mon père a dit qu'elle venait de Russie, précisa Marie.

Alice n'avait jamais rien vu de si beau.

– Je trouve qu'elle te ressemble, alors si tu veux, tu peux jouer avec, dit Marie en tendant la poupée.

Alice ne savait plus quoi dire. Elle accepta. Elle osait à peine refermer ses mains sur la belle robe de la princesse russe. Le tissu était si doux.

– C'est du velours, précisa Marie. Et le diadème est en argent.

Incroyable. Une vraie princesse, avec de vrais bijoux, et c'était elle qui allait jouer avec ! Marie lui avait confié sa plus belle poupée. Alice ne savait pas pourquoi, mais elle ne demanderait jamais. Elle ne voulait pas risquer qu'on la lui reprenne. Elle croisa le regard jaloux de Claudine, mais n'y prêta pas attention.

– Bon, on joue ou quoi ? demanda Lison.

– Oui ! Allons-y ! répondit Marie.

– On dirait qu'on avait toutes un bébé, et que notre mari serait à la guerre. Comme mon père, ajouta Claudine après un temps.

Les filles acquiescèrent. Mais Alice eut un pincement au cœur.

– Alors toi, comment tu vas appeler ton bébé ? demanda Giselle à Claudine.

– Audrey. Et toi ?

La même question se répandit de bouche en bouche, jusqu'à celle d'Alice.

– Je ne sais pas.

– Tu dois lui donner un nom. Il faut toujours donner un nom à son enfant.

Alice avait chaud. Alice. Pourquoi s'appelait-elle ainsi ? Elle n'y avait jamais pensé. Était-ce le prénom que sa mère lui avait donné ? Celui d'une grand-mère ? Ou était-ce une invention de Jeanne ? Comment savoir ?

– On peut ouvrir la fenêtre ? demanda-t-elle à Marie.

– Non, ma mère dit qu'après il fait trop froid.

– Bon, Alice, comment t'appelles ta fille ? renchérit Claudine.

– Je crois que je ne veux pas jouer à la poupée. Pardon.

– Mais on joue toutes, c'est pour l'anniversaire de Marie.

– En fait c'est toi le bébé, se moqua Giselle.

Les autres éclatèrent de rire. Alice fut prise de vertiges : les questions arrivaient, et avec elles, le vide. Elle se leva, posa la princesse russe sur un coussin, et recula.

– Je vais m'asseoir sur le lit quelques minutes.

Marie l'interrogea du regard, mais Alice avait l'impression que si elle ne s'éloignait pas, elle allait se sentir mal. Elle s'étendit sur le matelas. Claudine n'était pas d'accord.

– On a dit qu'on jouait, alors t'arrêtes de faire ta belle.

Alice tremblait.

– J'ai très mal au ventre, désolée. Je suis là.

– Non, t'es pas là si t'es sur le lit !

– Promis, j'entends tout, c'est pareil.

Les filles se mirent à râler :

– Franchement, c'est pas du jeu.

Malgré la sensation que tout tournoyait autour d'elle, que son corps même lui échappait, Alice sentit l'énervement la gagner. Pourquoi n'arrivait-elle pas à donner un nom à une poupée ? C'était facile ! Elle aurait pu l'appeler Jeanne, ou Marie, elle connaissait plein de noms. Mais elle n'y arrivait pas. Elle avait tellement chaud.

– J'ai pas envie d'avoir un bébé, conclut-elle.

Elle croyait avoir mis un terme à cette conversation. Cependant, avec la même assurance que lorsqu'elle avait refusé de jouer avec elle dans la cour de l'école, Claudine lança :

– Comme ta mère !

Un silence de plomb envahit la chambre.

– Bah quoi ! Sinon elle serait là ! insista Claudine.

Un éclair dans la tête d'Alice. Elle bondit vers Claudine et la frappa sur le bras, puis sur le visage. Elle lui marchait sur les pieds. Dès qu'un coup était donné, un autre partait. C'était comme si rien ne pouvait l'arrêter. Claudine devint si pâle que toutes les autres se turent. Personne ne comprenait ce qui était en train de se passer. Bientôt Claudine se laissa tomber par terre et envoya un grand coup de pied dans le ventre d'Alice, qui cria. Elle avait mal, mais elle était tellement énervée qu'elle en oublia la douleur. De ses petits poings, elle rouait de coups son adversaire. Elle cognait, griffait au hasard. Elle ne se souvenait plus où elle était ni qui elle frappait. Elle frappait, un point c'est tout. Les filles la suppliaient d'arrêter, mais leurs paroles semblaient lointaines, comme enveloppées de tissu épais. Bientôt des mains la saisirent par-derrière et l'immobilisèrent : c'était le père de Marie. Ses parents avaient été alertés par les bruits. Le docteur regardait Alice, stupéfait. Elle prit soudain conscience de son état : sa chemise déchirée, sa jupe dégrafée, ses chaussettes tombées sur ses chevilles. Claudine saignait du nez, ses bras portaient des marques rouges.

– Alice, tu m'entends ? Qu'est-ce qu'il t'a pris, voyons !

Le docteur insistait. Il était en colère. Alice avait honte. Tandis qu'elle encaissait ses réprimandes, Claudine, cachée derrière les adultes, lui faisait des grimaces. Un jour, elle l'aurait, cette garce !

– Je pense qu'il vaut mieux que tu rentres chez toi maintenant.

Alice comprit qu'il ne servait à rien d'insister. Elle salua Marie, les adultes, les autres filles. Elle remonta ses chaussettes et entreprit de faire le chemin seule. Durant tout le trajet, elle lutta pour ne pas pleurer. Elle n'était pas triste de s'être fait gronder. Elle était triste parce que Claudine avait raison : sa mère n'avait pas voulu d'elle.

En la voyant arriver si tôt, et dans cet état, Jeanne ne trouva rien à lui dire. Elle se contenta de la dévisager avec des yeux pleins d'étonnement. Cela suffit à Alice pour fondre en larmes. Des larmes rondes et chargées de toute sa souffrance.

– Que s'est-il passé ?

– Rien.

– Alice, raconte-moi.

– Rien, on s'est disputées et je me suis battue avec Claudine.

– Claudine… Celle qui t'avait dit de vilaines choses ?

Alice ne répondit pas.

– Mais qu'est-ce qu'elle t'a fait ?

Silence toujours. Alors Jeanne la regarda dans les yeux et lui dit :

– Tu sais, ma petite, si tu ne me dis rien, je ne peux pas t'aider. Et je suis pourtant là pour ça.

Alice savait très bien ce qui n'allait pas, mais le dire, c'était trop dur. Surtout à Jeanne… Après un long moment d'hésitation, elle murmura :

– Je suis pas normale.

– Qu'est-ce que tu racontes !

Puis elle ajouta sur un ton léger, en riant presque :

– Moi je vois une petite fille avec deux bras, deux jambes, tout ce qu'il y a de plus normal !

Comment pouvait-elle se moquer ? La colère s'empara d'Alice de nouveau et elle explosa :

– Elle est où ma mère ? C'est quand que mes parents vont venir me chercher ?

Entre chaque question, Alice lâchait des sanglots et donnait des coups sur le sol, sur ses cuisses. Elle n'en revenait pas de cette colère. Elle suffoquait, ses jambes brûlaient, elle avait envie de tout casser, d'écraser cette ferme, les poules, elle détestait tout le monde !

– Alice, je ne rentrerai pas dans ce jeu. Si tu as des questions, nous en parlerons. Mais pas comme ça. D'abord tu dois te calmer.

Pourtant Alice n'était plus capable de réfléchir. Jeanne l'attrapa par le bras et l'enferma dehors. Elle n'avait pas de manteau ni d'écharpe et le vent glacial, rempli de petits flocons de neige, l'anesthésia d'un coup. Elle se recroquevilla sur elle-même. En quelques minutes, elle retrouva une respiration plus régulière.

Alors, elle fut autorisée à rentrer. Elle se sentait épuisée. Jeanne la prit dans ses bras et la serra fort. En silence, Alice se concentra sur les mouvements de sa grosse poitrine, les battements réguliers de son cœur. Un-deux. Un-deux. Ses paupières s'alourdirent. Un-deux. Un-deux. Elle reniflait le cou de Jeanne, cette odeur qu'elle connaissait par cœur. Un-deux. Un-deux. Et puis plus rien.

Le chant du coq la réveilla. Elle était dans son lit. Des images de la veille lui revinrent. Elle ne se souvenait pas de s'être couchée. Se pourrait-il qu'elle ait rêvé toute cette histoire ? Elle se retourna sous la couverture, et ressentit une forte douleur à la hanche droite. Elle souleva sa chemise de nuit et constata une large marque violacée. Le coup de Claudine. Ses souvenirs étaient bien réels. Elle avait honte. Peur aussi, car Jeanne devait être furieuse. Qu'allait-il se passer ? Combien de temps pourrait-elle rester cachée ici sans que personne vienne la chasser ? Elle ne retournerait plus à l'école, elle ne parlerait plus à personne.

Jeanne ouvrit la porte de sa chambre.

– Bonjour, mon lapin. Viens avec moi, j'ai une surprise pour toi.

– C'est pas l'heure de manger ?

– Plus tard.

Alice, méfiante mais curieuse, enfila rapidement sa robe de chambre et sauta du lit.

Jeanne lui prit la main et fit descendre une échelle d'une trappe discrète, qu'Alice n'avait jamais remarquée, dans le plafond du couloir. Sa nourrice l'invita à monter. Le grenier était sombre, rempli d'objets qu'Alice ne parvenait pas toujours à identifier. Il y avait un costume militaire, des bouteilles d'alcool, un métier à tisser.

– Tu vois là-bas la petite valise ?

Alice fixa le coin que Jeanne lui indiquait en plissant les yeux. Elle distingua enfin la petite valise.

– C'est là-dedans que ta mère a rangé tes affaires quand elle t'a conduite ici.

– Ma mère ? Ici ?

– Oui. Si tu veux, tu peux les regarder, après tout elles sont à toi… Tu es assez grande maintenant.

Sa mère était bien réelle si elle était venue ! Cette valise, c'était une part d'elle, qui avait toujours été là, à quelques mètres au-dessus de son lit. C'était plus beau qu'un trésor. C'était mieux que magique. C'était peut-être des réponses. Alice attrapa la main de Jeanne. D'un pas hésitant, elles s'approchèrent de la valise.

3.

Salies-de-Béarn, novembre 1943

Alice espérait tellement que quelque chose se passerait en ouvrant cette valise : un déclic, un signe. Peut-être se souviendrait-elle du visage de sa mère ? Un objet pouvait-il procurer ce genre de réaction ? Au moment de faire le dernier pas, elle s'arrêta. Elle avait si peur que la valise soit vide qu'elle ne pouvait plus marcher. Elle chercha le regard de Jeanne et se surprit à bâiller.

– N'aie pas peur, mon lapin, l'encouragea sa nourrice. Vas-y, ouvre-la.

Alice, rassurée, s'agenouilla. La valise en cuir marron était toute petite, elle devait mesurer trois fois son avant-bras. Elle était cabossée en bas à droite, et le cuir était usé. Alice en défit les boucles avec précaution et l'ouvrit lentement. Sur le dessus, il y avait comme un torchon.

– Non, c'est une layette. Il y en a deux autres. Quand tu es arrivée, tu aimais t'endormir avec ça. Puis ça t'est passé, alors je les ai rangées là.

Alice les renifla, fort. Il restait peut-être un peu de l'odeur de sa mère ? Mais le tissu sentait l'humidité et le renfermé. Les layettes étaient restées trop longtemps dans la valise, et les traces du passé avaient disparu. Puis elle trouva deux petites robes en dentelle. C'était elle qui les avait portées, ça lui faisait tout drôle. Sous une pile de serviettes de bain, elle aperçut une petite paire de chaussures en cuir noir, au bout arrondi, avec une fine sangle.

– Elles sont jolies.

– Comme toi !

Alice sourit.

– Que tu étais magnifique, avec tes boucles partout autour du visage, et tes grands yeux qui me fixaient, l'air de dire : « Vous allez voir ce que vous allez voir ! »

– Est-ce que je ressemble à ma mère ? demanda Alice d'une voix hésitante.

– Il y a un air, oui, mais tu es encore trop petite pour qu'on sache vraiment.

– Est-ce qu'elle était belle ?

– Oui. Et très élégante aussi, très digne. Ta mère est une femme forte.

– Alors elle n'est pas morte ?

– Je n'espère pas, mon lapin. Mais on ne peut pas le savoir pour l'instant.

– Pourquoi on ne demande pas à la police ?

– C'est compliqué, trésor. Un jour tu comprendras.

Alice soupira et replongea sa main dans la valise. Elle en sortit une jolie cuillère en argent, qu'elle décida de garder pour manger avec dorénavant. Elle trouva deux dessins, dont elle ne se souvenait pas du tout. Était-ce vraiment elle qui les avait faits ? Elle ne comprenait pas ce qu'ils représentaient : il y avait des grands traits rouges, des gribouillis bleus et jaunes à différents endroits, de grands espaces vides. Pourquoi sa mère avait-elle gardé ça ? Sous les dessins, elle trouva une pile de culottes dont la petite taille la fit rire. Et puis plus rien. Elle plaqua sa main au fond de la valise, espérant déceler une bosse irrégulière, un dernier objet caché. Mais la valise était vide.

– Je crois qu'il y a une poche quelque part, dit Jeanne.

Alice reprit espoir et chercha sur le côté gauche. En effet, il y en avait bien une ! Elle y glissa sa main tremblante, elle voulait tant y découvrir quelque chose de spécial. Elle n'aurait pas su dire quoi. Elle rêvait d'être surprise. Elle sentit du papier... Il y avait plusieurs feuilles, très lisses. Des lettres ? Peut-être des photos ? Elle s'empressa de sortir les mystérieux documents.

Quelle déception. Il s'agissait d'un magazine. Sur la page de couverture, il y avait écrit *Regards*, et au-dessous, la photo d'un homme, minuscule devant un char de l'armée. Une page était cornée. La 22. Quand Alice l'ouvrit, une feuille tomba. C'était peut-être un mot de sa mère ? Elle se hâta de regarder. Ce n'était qu'un simple feuillet, plié en deux, avec le drapeau français, et à peine trois lignes écrites à la machine. Alice le reposa aussitôt. Jeanne l'interrompit :

– C'est ton extrait de naissance, mon lapin.

– Mon quoi ?

– Quand un enfant vient au monde, il lui faut une preuve de qui sont ses parents, c'est là qu'on note la preuve.

Alice s'empressa de lire les informations contenues à l'intérieur :

– Alice Amarille, née le 14 juin 1938, fille de Diane Amarille, née le 18 juillet 1918 à Villers-sur-Mer. Père inconnu.

C'était tout. Il n'y avait rien d'autre. Alice chercha au dos de la feuille à plusieurs reprises, mais en vain, elle demeurait blanche.

– Alors, si j'ai un père inconnu, je ne suis pas la fille d'Armand ?

Jeanne regarda Alice puis fixa le sol. Elle resta comme ça un moment, sans parler ni bouger. Alice hésita à s'approcher d'elle, mais c'était comme si la position de Jeanne lui servait de barricade : les jambes et les bras croisés, la tête rentrée vers sa poitrine. Alice sentait qu'elle devait lui laisser du temps, alors elle demeura immobile aussi. Elle se concentrait sur les bruits autour. Un oiseau dehors, le parquet qui craquait par endroits, les vaches. Au bout d'un moment, Jeanne s'assit sur le sol et prit une grande inspiration :

– Ce que je vais te dire là doit rester entre nous. Tu ne dois jamais en parler à qui que ce soit.

Alice, ce genre de phrase, ça lui faisait peur. À contrecœur, elle répondit d'une petite voix :

– D'accord.

– Je suis très sérieuse. Autrement il risque de nous arriver la même chose qu'à l'homme qui n'était pas là, tu te souviens ?

Alice essaya de chasser les images de l'affreuse scène dans le champ, qui des mois plus tard continuaient de la hanter, et elle acquiesça, luttant contre son angoisse.

– Ta maman t'a conduite ici pour que tu sois en sécurité. Elle est restée quelques jours, le temps que tu t'habitues, puis elle est repartie. Elle était très triste de te laisser, et m'a assuré qu'elle reviendrait. Elle m'a dit : « Donnez-lui beaucoup d'amour, parce que jusqu'ici elle n'a pas été très gâtée. » Elle voulait que tu sois heureuse.

– Mais pourquoi elle n'est pas restée ici aussi, pour être en sécurité ?

Jeanne hésita.

– Je ne sais pas, finit-elle par répondre. Elle ne voulait peut-être pas que les gens du village la voient.

– Et mon père ?

– Elle m'a dit que tu n'en avais pas.

– Il est mort ?

– Je ne sais rien de plus. Mais c'est là que j'ai eu l'idée

de raconter, à tous ceux qui me demanderaient, que tu étais la fille d'Armand.

Jeanne se tassa un peu, comme si elle venait de soulever quelque chose de très lourd. Puis elle soupira et se leva. Elle se dirigea vers le mur, et déplaça une malle. Derrière, il y avait des tableaux retournés, elle en choisit deux et revint s'asseoir. Elle retourna le premier et le plaça devant Alice.

– Là, vois-tu, c'est mon père, ma mère, mon frère et moi.

– Tu étais petite ! C'est trop drôle !

– Eh oui, moi aussi j'ai eu ton âge, qu'est-ce que tu crois !

– Et ils sont où tes parents maintenant ?

– Mon père est mort à la guerre, en 70.

– Il y a eu une guerre avant ?

– Oui, mon lapin, les hommes adorent faire la guerre, et ils oublient vite, mais pas moi. Mon frère et ma mère sont morts plus tard, de maladie et de tristesse.

Puis elle retourna le second tableau, qui était en fait une photo encadrée.

– Là, c'est moi, encore, mon mari, mon fils Jules et mon fils Armand.

– Mais il est bébé !

– Oui, c'est une très vieille photo. Mon mari et Jules sont morts au combat pendant la guerre de 14, mon fils a été décoré, d'ailleurs, un jour, je te montrerai sa médaille. Et puis Armand est mort en Espagne, au tout début, en 36. Je l'ai supplié de ne pas y aller, mais bien sûr, il ne m'a pas écoutée.

Jeanne se tut un moment. Elle ne pleurait pas, elle n'avait même pas l'air triste. Elle était en colère. Alice repensa à la bouteille derrière les bûches, et à la médaille que Jeanne sortait les soirs où elle lui demandait de monter plus tôt se coucher. Elle comprenait enfin. Puis sa nourrice reprit :

– Il était fiancé à une fille du village, mais en apprenant sa mort, cette… Enfin, on ne l'a jamais revue. Je me suis dit qu'elle aurait très bien pu avoir un enfant de mon fils et me le laisser. Alors j'ai inventé que tu étais la fille d'Armand, et que ta mère était partie en te laissant à ma charge.

Alice prit quelques minutes pour mettre de l'ordre dans sa tête, tenter d'assimiler toutes ces nouvelles informations. Elle s'attendait à découvrir des objets. Elle aurait aimé trouver une photographie de sa mère, peut-être d'elles ensemble, mais ça… Elle avait l'impression que le sol bougeait sous ses pieds. Combien de secrets lui cachait-on encore ? Combien de guerres le monde avait-il vécues ? Jeanne avait eu des enfants, une famille…

Mais alors… la chambre dans laquelle elle dormait, un de ses fils l'avait probablement occupée avant ? Elle eut un haut-le-cœur. Ça voulait dire que son lit était celui de quelqu'un qui était mort. Et son père à elle… inconnu. Pourtant il ne pouvait pas être complètement inconnu ! Elle savait que pour faire un enfant, il fallait qu'un homme et une femme s'aiment. Sa mère avait donc forcément aimé son père ! Et quelqu'un qu'on a aimé ne peut pas être quelqu'un qu'on ne connaît pas ! Ça signifiait qu'on lui mentait encore ! Alice serrait si fort les dents qu'elle avait l'impression que l'une d'elles finirait par se casser. Non. Rien de tout cela n'était clair.

– Ça fait beaucoup d'un coup. Je sais, trésor. Mais souviens-toi, surtout pas un mot, à personne. Je t'ai dit tout ça parce que tu es une grande. Je compte sur toi.

Alice avait tant de questions à poser, à commencer par toutes ces guerres, dont elle n'avait jamais entendu parler, pendant lesquelles la famille de Jeanne était morte. Elle voulait lui dire combien elle était triste pour elle. Elle aurait aimé que sa nourrice lui décrive encore sa mère, qu'elle lui dise quand elle reviendrait, puisqu'elle s'y était engagée. Enfin et surtout, qu'elle lui explique pourquoi tous ces mensonges. Ces révélations ne lui suffisaient pas. Mais elle n'avait pas la force de demander. Elle écoutait le silence, écoutait le souffle lourd de Jeanne, qui regardait à nouveau dans le vide. D'un pas timide, Alice s'approcha d'elle et lui prit la main. Elle pressa ses gros doigts rugueux et caressa sa paume desséchée. Elle se serra contre la jupe de sa nourrice et appuya sa tête sur son épaule. Jeanne frissonna. Alice l'enveloppa de son autre bras, et se colla à elle aussi fort que possible.

– Ne t'inquiète pas, va, mon lapin. J'en ai vu d'autres.

Elles restèrent blotties l'une contre l'autre, sans rien dire. Puis Jeanne se dégagea et bondit sur ses pieds. Elle battit des bras, comme pour faire circuler l'air autour d'elle, et dit d'un ton enjoué :

– J'ai une idée !

– Quoi ?

– Et si on faisait le ménage de printemps ?

– Mais c'est l'hiver !

Jeanne réfléchit :

– Eh bien ce sera le grand ménage d'hiver !

Elles se mirent à rire. Alice ne trouvait pas ça si amusant, mais rire lui faisait du bien, elle se sentait d'un coup plus libre. Elle adorait le grand ménage de printemps, lorsqu'elles déversaient de grands seaux d'eau sur le sol, s'éclaboussant au passage, avant d'astiquer les tomettes et les meubles, d'épousseter les objets de la maison, pour que tout soit propre, que tout sente bon. C'était comme obliger l'hiver à partir. Une fois, Jeanne avait glissé, et était tombée dans l'eau. Ses jupes étaient toutes mouillées, et on aurait dit qu'elle s'était fait pipi dessus ! Qu'est-ce que c'était drôle !

– Allez, viens, on va chercher de l'eau pour astiquer cette maison.

*

Alice n'en voulait plus à Claudine de l'avoir mise à l'écart ni d'avoir dit ces choses méchantes, comme quoi sa mère n'avait pas voulu d'elle. À présent, Alice arrivait à imaginer sa maman. Elle était réelle. La veille, elle avait prié pour que la guerre l'épargne, et qu'elle revienne, pour pouvoir enfin rattraper ce temps perdu, loin l'une de l'autre. Dorénavant, elle ferait cette prière chaque soir.

Comme elle devait être belle sa mère ! Forte, élégante, avait dit Jeanne. Quand elle reviendrait, puisqu'elle l'avait promis, rien ne serait plus merveilleux que leur vie ensemble. Elles s'aimeraient, visiteraient Paris, achèteraient de belles robes. Sa mère lui apprendrait tant de choses, elle l'inscrirait dans les meilleures écoles de la capitale, où tous les grands écrivains avaient étudié avant elle, et ensemble, elles se construiraient un avenir heureux. Oui, un jour, sa vie serait lumineuse. Sa présence à la ferme n'était qu'un passage, pour être en sécurité, en attendant que les belles promesses se réalisent, alors les mots de Claudine ne l'atteignaient plus autant.

En arrivant à l'école, elle s'approcha de sa camarade à la lèvre encore écorchée, mais celle-ci eut un mouvement de recul.

– Tu t'en vas ! Tu m'as frappée, je veux plus jamais te parler !

– Claudine, je suis désolée.

– C'est ça ! Encore un coup d'espionne !

– Je suis pas une espionne. Je suis la fille d'Armand et je te demande pardon.

Claudine interrogea Alice du regard, elle semblait chercher une faille. Les autres filles qui étaient venues à l'anniversaire s'approchèrent et formèrent un cercle autour d'elles.

– À vous aussi, je vous demande pardon, leur dit Alice. Marie, je suis désolée si j'ai gâché ton anniversaire.

Toutes se tournèrent vers Marie.

– C'est pas grave. Mes parents m'ont dit que c'était pas vraiment ta faute.

– Alors on fait la paix ? demanda Alice.

– Oui, on fait la paix.

Marie tendit la main à Alice, qui la serra, les autres suivirent. Claudine boudait toujours. Elle se tenait à l'écart, mais ne semblait pas non plus vouloir quitter le cercle. Alice ne pouvait rien dire d'autre pour l'aider. C'était à Claudine de décider. Apparemment, c'était un choix difficile pour elle, parce que ses joues s'empourpraient et elle serrait les poings. Marie s'en aperçut et posa sa main sur son épaule, alors Claudine finit par dire en grinçant des dents :

– D'accord, on fait la paix.

*

Alice était heureuse. Elle se demandait tout de même chaque jour quand sa mère reviendrait, si elle allait bien, mais elle était heureuse. Elle aimait ses amies à l'école. Depuis qu'elle s'était excusée, il n'y avait presque plus de disputes, du moins rien de grave. Elle aimait bien Mme Jeanson aussi, qui la complimentait sur son talent pour réciter les poésies et ses bons résultats. Elle aimait Jeanne, elle apprenait de plus en plus de choses à la ferme, elle avait même vu comment on tuait et plumait un poulet. Et autant dire qu'elle n'était pas prête à le faire seule. D'ailleurs, elle n'était même plus capable de manger le poulet du premier dimanche du mois, elle qui adorait ça jusque-là. Le dimanche précédent, Jeanne s'était mise dans une de ces colères ! Selon elle, c'était la guerre, et elles étaient déjà privilégiées d'avoir une ferme, et de pouvoir manger de la viande une fois par mois.

– Tu te comportes comme une petite fille capricieuse. Tu devrais avoir honte.

Les Allemands patrouillaient rarement dans le coin, et le printemps apporta son lot d'espoir et d'agitation. Bientôt l'été, les promenades et les déjeuners dans les champs, bientôt la fin de l'école. Alice était persuadée que sa mère était déjà revenue au village, mais qu'elle n'avait pas voulu lui faire prendre de risques en s'adressant à elle, alors elle traînait en chemin pour rentrer de l'école, patientait sous les arbres, au cas où sa mère aurait décidé de la suivre et de lui parler malgré tout.

Mais un matin, en se regardant dans le miroir, elle prit conscience de quelque chose : elle était grande à présent. Et si sa mère ne la reconnaissait pas ? De nouveaux doutes l'envahirent et elle fut prise de vertiges. Elle s'assit au bord de son lit pour essayer de se calmer, mais son inquiétude était plus forte. Et si sa mère était venue puis repartie, incapable de la trouver ? Peut-être devrait-elle porter sa layette, l'accrocher à son cartable, ce serait un indice ? Elle monta au grenier et s'empara de la layette la plus reconnaissable des trois, celle avec les fleurs, qu'elle accrocha à la sangle de son sac. Et chaque jour, elle guettait les coins des rues du village, la terrasse du café de la place du marché, les buissons, les alentours de la ferme, en brandissant son bout de tissu. Mais rien. Sa mère n'était pas là. Du moins, elle ne venait pas lui parler. Alice essayait de se rassurer. La guerre serait bientôt finie. D'ailleurs, elles en parlaient souvent avec les filles, dans la cour de l'école. Claudine voulait que son père revienne, comme beaucoup d'autres élèves. La fin devait être pour bientôt, c'était sûr…

*

Un jour, au moment où la sonnerie annonçait la récréation, des voitures se garèrent devant l'établissement. Une dizaine d'hommes en uniforme entrèrent dans la cour, repoussant la directrice et son mari qui tentaient de s'interposer. Alice reconnut l'uniforme.

C'était celui des Allemands. Pas normal. Pas normal du tout. Et elle n'était pas la seule à le penser. Autour d'elle, certains élèves se mirent à pleurer, d'autres coururent aux toilettes, d'autres encore restèrent figés sur place. Alice le sentait, il y avait du danger. L'Allemand qui devait être le chef souffla dans son sifflet, et le bruit strident la fit sursauter. Elle essaya de se calmer, tout irait bien, elle savait ce qu'elle devait dire. Elle était la fille d'Armand, sa mère l'avait abandonnée à Jeanne. Elle était la fille d'Armand, elle ne risquait rien, la petite-fille de Jeanne, ça irait. Marie lui prit la main, elle était toute rouge et sanglotait, comme Claudine et Giselle.

L'officier ordonna quelque chose à la directrice, mais Alice n'arriva pas à entendre quoi. Elle vit simplement le visage de la directrice pâlir. Elle faisait non de la tête puis joignit ses mains, comme pour une prière, mais l'Allemand la bouscula, et siffla encore. La directrice fut alors conduite de force dans son bureau, entourée de deux autres soldats. Plus personne ne bougeait dans la cour, on aurait dit que le temps s'était arrêté. Alice respirait par petites inspirations, et expirait à peine. La tension montait davantage à chaque pas de l'homme au sifflet.

La directrice revint, elle avait des feuilles à la main, qu'elle tendit au chef. Il dit avec un accent qu'Alice détestait :

– Les filles, à drouate, les garzons à gauche.

Tous lui obéirent. L'homme fit l'appel. Ils devaient dire : « Ici » en entendant leur nom, et répondre aux éventuelles questions que les Allemands leur poseraient. Quand vint le tour d'Alice, sa gorge se noua. La fille d'Armand, la fille d'Armand, recueillie par Jeanne, la fille d'Armand… Mais l'officier ne lui demanda rien. Il la regarda et passa à un autre nom. Elle sentit ses jambes trembler, on aurait dit qu'elles ne pouvaient plus la soutenir. Elle eut un vertige, commença à flancher, quand elle croisa le regard de Mme Jeanson. Cette dernière lui fit les gros yeux. De la main, elle lui indiqua de se redresser, ce n'était pas le moment d'attirer l'attention. Alors Alice s'accrocha, elle avala difficilement sa salive et regarda le ciel. Les nuages étaient toujours là, le bleu intense aussi. Le monde autour n'avait pas bougé, il fallait juste attendre que ce moment passe.

Les filles purent remonter dans la salle de classe, et ce fut au tour des garçons. Incapables de s'asseoir à leurs tables, les élèves s'agglutinèrent devant les fenêtres qui donnaient sur la cour. Quand l'appel fut terminé, les officiers laissèrent les garçons remonter, à l'exception de deux d'entre eux : Nicolas, un grand de dix ans, et Thomas, du même âge qu'Alice.

Les Allemands leur indiquèrent le mur au fond de la cour, et leur dirent quelque chose. Nicolas fit non de la tête, et un des Allemands brandit son fusil. Alors les deux garçons baissèrent leur pantalon, et un autre soldat s'accroupit devant chacun d'eux, pour regarder entre leurs jambes. Les filles étaient gênées, c'était tellement étrange. Pourquoi regarder ça ? Les Allemands aimaient-ils regarder les enfants nus ? Alice ne comprenait pas, mais elle n'y voyait rien de bon.

Nicolas eut le droit de remonter. Thomas, en revanche, reçut un coup sur l'épaule. On lui ordonna de se rhabiller, et deux Allemands l'encadrèrent pour l'emmener, de la même façon que pour la directrice un peu plus tôt. Ils le forçaient à avancer, et Thomas regardait derrière lui, comme s'il ne voulait pas quitter la cour. À travers la fenêtre, son regard croisa celui d'Alice, qui lui fit au revoir de la main. Et il disparut.

Marie, qui n'avait pas cessé de pleurer, s'approcha d'Alice et lui demanda :

– Où il va Thomas ?

– Je ne sais pas.

– Pourquoi ils l'ont emmené ?

Alice chercha une réponse, mais tout ce qui lui vint fut :

– Parce que c'est la guerre.

Les élèves attendaient dans la salle de classe. Mme Jeanson leur dit qu'elles pouvaient faire ce qu'elles voulaient, mais elles ne voulaient rien. Puis la directrice vint leur parler. Elle leur dit qu'elle était désolée, qu'elle aurait voulu empêcher ça. Elle était toute rouge, et elle essuyait régulièrement de petites larmes qui apparaissaient aux coins de ses yeux.

– Votre ami Thomas a été emmené, comme vous avez pu le voir.

Plusieurs élèves demandèrent pourquoi, mais la directrice ne semblait pas vouloir répondre. Soudain, quelqu'un dit :

– Parce qu'il est juif.

Prise au dépourvu, la directrice se redressa et confirma :

– Oui, Thomas est juif. Dans quelques minutes, vous pourrez rentrer chez vous. Je suis désolée, mes enfants.

*

Alice raccompagna Marie chez elle. C'était trop dur pour son amie de faire le chemin seule. Bien sûr, ça ne changeait rien à ce qui venait de se passer, Alice avait toujours aussi mal au ventre quand elle fermait les yeux et que le visage de Thomas apparaissait, mais ça la soulageait de servir à quelque chose. Arrivées devant la porte de chez le docteur, Marie enlaça Alice et la remercia.

– À demain.

– Tu crois qu'on peut retourner à l'école ?

– Oui. Ils ne viendront pas tous les jours, dit Alice avant de se mettre en chemin.

Elle était pressée de retrouver Jeanne, Crème, sa maison, son lit. Elle se demandait où était Thomas à cette heure-ci. Si les Allemands lui faisaient du mal. Elle ne le connaissait pas bien. Tout ce qu'elle savait, c'était qu'il était très bon en mathématiques, qu'il ne souriait pas beaucoup et qu'une fois il l'avait prévenue que son lacet était défait, qu'il fallait qu'elle fasse attention de ne pas tomber. On l'avait arrêté parce qu'il était juif. Elle n'avait rien osé dire en classe, mais elle ignorait totalement ce que cela signifiait. Était-ce une maladie, comme quand on est asthmatique ? Mais pourquoi le punir d'être malade ? Ça n'avait pas de sens cette histoire, et elle était fatiguée de toutes ces choses insensées.

En rentrant, elle sauta dans les bras de Jeanne, qui était déjà au courant :

– Les Michelac sont venus me raconter, ce genre de chose, ça ne tarde pas à se savoir... Et toi, ils ne t'ont pas posé de questions ?

– Non. Ils ont juste appelé mon nom.

– Dieu soit loué.

– Tu crois qu'ils vont le libérer quand, Thomas ?

– Je ne sais pas, mon lapin.

– C'est quoi juif ? Ils ont dit que Thomas était juif.

– C'est une religion, comme on est catholique par exemple.

– Moi j'en connais pas des juifs ?

– Tu en connais au moins deux !

Alice la regarda, étonnée.

– Thomas et Jésus. Jésus aussi était juif.

Alice n'en revenait pas. Puis elle fut prise de doutes :

– Mais les Allemands, ils sont de quelle religion ?

– Souvent catholiques, protestants...

– Alors ils croient en Jésus ?

– Pour beaucoup, oui.

– Alors pourquoi ils n'aiment pas les juifs ?

– C'est compliqué.

Alice essaya de comprendre, et encore une fois, la seule explication qui lui vint la découragea.

– Parce que c'est la guerre ?

– Oui… Et celle-là, elle a commencé il y a bien longtemps…

4.

Salies-de-Béarn, juillet 1946

La guerre était finie depuis des mois. Chaque samedi, c'était la fête au village. Des lampions illuminaient les arbres, des bougies et des rubans habillaient les tables, des musiciens se relayaient pour jouer des airs entraînants, des couples valsaient dans la rue principale… Alice adorait ça. Des soldats américains se joignaient aux habitants de Salies et des environs, pour s'amuser, rire et danser aussi. Alice les aimait bien parce qu'ils lui donnaient des bonbons appelés Juicy Fruit Chewing Gum, qu'on pouvait garder très longtemps dans la bouche, mais qu'on ne devait pas avaler.

Ils lui avaient également fait goûter une boisson très sucrée et pétillante, appelée Coca-Cola. La première fois qu'elle en avait avalé, elle avait eu l'impression que des milliers de fourmis marchaient sur sa langue. Elle avait ouvert de grands yeux et les soldats avaient ri. Ils l'avaient taquinée un peu et avaient tapé sur son épaule. Elle était devenue toute rouge, et avait eu envie de partir se cacher. Pour autant, le goût était délicieux, et la sensation plutôt agréable finalement, alors elle en avait redemandé, ce qui avait fait rire les soldats de plus belle.

Pendant les fêtes, on faisait souvent rôtir des cochons à la broche, et les adultes buvaient du vin. Une fois, le père de Marie avait même fait un discours où il avait prononcé quelques mots en anglais : il était le seul à en connaître. Les Américains avaient applaudi. Ça avait dû leur faire plaisir. Alice aimait danser, elle adorait le cochon à la broche, mais au fond d'elle-même, plus les mois passaient, plus elle était triste : sa mère n'était toujours pas venue la chercher. Deux élèves de son école avaient été appelés par la directrice en pleine classe, parce que leurs parents étaient là. Ils étaient tellement heureux qu'ils étaient partis en laissant leurs crayons et leurs cahiers. Dans les villages voisins, sept enfants avaient quitté la région. Ils avaient été cachés aussi.

Alice n'en revenait pas. Pendant toutes ces années, elle n'avait jamais soupçonné que ces camarades étaient dans la même situation qu'elle. Pourtant, elle les connaissait bien. Ils ne lui avaient rien dit.

À présent, elle était la seule enfant à ne pas être vraiment d'ici. Elle était épuisée de chercher sa mère à tous les coins de rue. Chaque jour, elle prenait sa layette, et elle arpentait le village. Une fois par semaine, elle marchait jusqu'à la gare, au cas où sa mère aurait oublié le chemin de chez Jeanne. Elle posait des questions à tous les étrangers : avaient-ils vu une femme qui s'appelait

Diane, élégante et forte ? Mais on lui répondait invariablement par la négative.

Tous les soirs avant de dormir, elle ouvrait le magazine *Regards* trouvé dans sa valise. Peut-être contenait-il un indice ? Un rendez-vous caché ? Cette page 22 que Diane avait cornée, ça voulait bien dire qu'elle l'avait lue, et qu'elle voulait la lui montrer... Mais Alice avait beau chercher, elle ne décryptait aucun message. En plus, elle n'y comprenait rien. C'était plein de mots compliqués : profasciste, gouvernement rouge, parti communiste, révolution populaire, démocratie bourgeoise... Et ça continuait comme ça sur des lignes et des lignes. Même le titre était étrange : «No pasarán ! ou l'Espagne, terre des manipulations.»

Il y avait une dizaine de photos, chacune occupait une page. Il n'y avait pas de légende, juste écrit : « Vago » en bas à droite. Autant dire rien d'intéressant. Si ça se trouvait, c'était juste un magazine que sa mère avait lu dans le train en l'accompagnant, et qu'elle avait rangé dans la valise sans raison particulière.

Parfois, Alice en venait à penser que Diane était morte. Mais alors, elle aurait reçu une lettre officielle, une preuve, un témoignage, quelque chose... On était toujours au courant de la mort, elle avait pu le vérifier des dizaines de fois, à commencer par le père de Claudine, qui avait été tué en Normandie. Depuis, Claudine était plus douce, comme si la méchanceté en elle avait été cassée. Alice et Marie la raccompagnaient chez elle chaque soir, et Marie lui avait même donné une de ses poupées. Mais le matin, Claudine arrivait quand même avec un air abattu. Alice en était sûre, sa mère n'était pas morte. Peut-être simplement qu'elle ne voulait plus d'elle. Peut-être avait-elle rencontré un soldat américain, et qu'elle l'embrassait comme faisaient certaines filles du village ? Peut-être qu'être maman ne lui disait plus rien ?

– Arrête de broyer du noir. Il faut être patiente, je suis sûre que ta mère sera bientôt là, lui répétait Jeanne.

Mais Alice voyait bien qu'elle ne pensait pas ce qu'elle disait. Pire, Alice en était sûre, Jeanne n'avait pas vraiment envie que Diane revienne. Que ferait-elle seule à la ferme ? Elle n'aurait plus que les souvenirs de ses fils morts et des années de guerre avec Alice pour s'occuper. Chaque fois qu'Alice y pensait, elle ressentait un pincement au cœur. Elle ne voulait pas faire de peine à Jeanne. Sa nourrice avait été si gentille. En fait, c'était la personne qu'elle aimait le plus sur cette terre. Pourquoi espérait-elle tant partir ? Un jour, elle décida que c'en était trop.

– Tu sais, Jeanne, je crois que je n'aime plus ma mère. Je veux rester ici avec toi toute la vie.

La nourrice lui sourit, ses yeux brillaient. Elle ramena une mèche de cheveux derrière son oreille, et se racla la gorge avant de répondre :

– Ne dis pas de bêtises, trésor. Ta place est avec ta famille.

– Mais c'est toi ma famille.

Jeanne s'approcha d'Alice et la prit dans ses bras. Alice ne pouvait pas voir son visage, elle sentit juste de l'eau sur sa nuque. Jeanne pleurait. Alice n'aimait pas qu'on la serre trop fort, elle avait toujours l'impression d'étouffer, pourtant cette fois-ci, elle se laissa faire. Jeanne en avait besoin.

– Tu seras toujours dans mon cœur, et je serai toujours dans le tien, mais un jour, tu rentreras chez toi, et ce sera normal.

Alice se mit à pleurer aussi et serra Jeanne en retour. Elles restèrent blotties l'une contre l'autre jusqu'à la tombée de la nuit. Jeanne chanta un air de Joséphine Baker, dont elle aimait changer les paroles : « J'ai deux amours, mon pays, mon Alice… », et Crème vint ronronner sur les genoux de sa maîtresse, profitant aussi du bercement.

Le lendemain, Alice entendit Jeanne se lever plus tôt que d'habitude, et la rejoignit dans la cuisine.

– J'ai bien réfléchi, mon lapin. Je pense qu'il est temps que je t'en dise plus.

– Sur quoi ?

– Sur ta mère. Pourquoi elle t'a conduite ici.

– C'est pas à cause de la guerre ?

– Si. Mais surtout à cause de son rôle dans cette guerre. Ta mère a fait de grandes choses tu sais…

– Non, je sais pas. Et je veux pas savoir, se renfrogna Alice.

– Enfin, mon lapin, c'est important.

– Je veux rien savoir d'elle. Je m'en fiche, la coupa Alice.

Puis elle quitta la table, prit Crème dans ses bras et sortit se promener. Elle avait besoin de respirer l'air frais du matin, laisser la rosée déposée sur l'herbe rafraîchir ses chevilles. Connaître sa mère ne l'intéressait plus. Cela faisait des mois qu'elle aurait dû venir. À présent c'était trop tard, elle ne voulait plus l'aimer, ni la retrouver. Elle voulait rester ici, avec Jeanne et ses amis. Elle vivrait à Salies. Au diable Paris, les robes, et la tour Eiffel.

Elle décrocha la layette de son cartable, prit son acte de naissance, sa cuillère en argent et remonta le tout au grenier. Elle ferma la petite valise et la cacha derrière la malle, avec les tableaux retournés de Jeanne. Au cours de la semaine, sa nourrice essaya plusieurs fois d'aborder de nouveau le sujet, mais la réponse d'Alice demeura la même : elle n'avait pas de mère.

*

Quelques semaines plus tard, un mercredi, en rentrant de l'école, tandis qu'elle arrivait au deuxième grand sapin, Alice aperçut une voiture garée devant la ferme. Pourquoi ? Jeanne avait-elle eu un problème ?

Son sang ne fit qu'un tour et elle se mit à courir. Essoufflée, elle s'y reprit à trois fois avant de réussir à ouvrir la porte : la poignée glissait dans ses mains. Elle s'essuyait, mais la transpiration revenait. Elle tapa dessus, et enfin, la poignée céda. Sans savoir à qui elle s'adressait, elle cria :

– Qu'est-ce qui se passe ? Où est Jeanne ?

Stupéfaite, elle s'immobilisa : deux femmes étaient assises et parlaient avec sa nourrice. La première avait l'air sévère, engoncée dans une jupe et une veste trop ajustées, et l'autre ressemblait à un fantôme. Alice n'avait jamais vu quelqu'un de si maigre et si pâle. La femme se tenait voûtée et mit un temps fou à lever la tête pour regarder Alice. Jeanne posa une assiette sur la table.

– Mon lapin, viens t'asseoir avec nous.

Alice avait envie de partir vite, aussi vite qu'elle était arrivée. Elle le sentait, il n'y avait rien de bon là-dedans. Jeanne comprit son hésitation. Elle déposa un morceau de gâteau dans l'assiette.

– Viens prendre ton goûter.

Alice s'approcha timidement et s'assit. La dame toute maigre l'observait. Elle avait des yeux si durs qu'elle aurait pu couper une tranche de pain rien qu'en la regardant. Alice en eut des frissons.

– Bonjour, Alice, dit-elle d'une voix fatiguée, comme si elle était très vieille.

– Alice, je suis Mme Bajon, assistante sociale, ajouta l'autre dame.

Et elle lui tendit la main. Alice la serra. Elle trouva le geste curieux, d'habitude on ne serrait jamais la main des enfants. Elle chercha du regard le soutien de Jeanne, mais sa nourrice baissa la tête. Mme Bajon commença une phrase, et s'interrompit. On aurait dit qu'elle avait envie de dire quelque chose, mais qu'elle n'y arrivait pas. Elle regardait sans arrêt la dame maigre à côté. À un moment, elle tira sur sa veste, comme si ça allait l'aider, et reprit :

– Tu n'es pas sans savoir que Madame Jeanne ici présente t'a recueillie... Elle s'est occupée de toi pendant toute cette guerre...

Pourquoi lui racontait-elle ces choses-là ? Alice savait tout ça, elle n'avait pas besoin qu'on le lui répète. Ou alors peut-être que cette Mme Bajon avait des doutes sur Jeanne ?

– Jeanne est la plus gentille personne que je connaisse, assura Alice.

Elle ne voulait pas que quiconque puisse s'en prendre à sa nourrice.

Mme Bajon tira à nouveau sur sa veste.

– Je n'en doute pas.

Il y eut un long silence, pendant lequel l'assistante sociale remit sa coiffure en place. La dame maigre à côté ne bougeait toujours pas. On aurait dit une statue. Mme Bajon reprit :

– Alice, aujourd'hui la guerre est finie et…

Elle adressa un signe de tête à la dame maigre qui murmura :

– Je suis venue te chercher.

Qu'est-ce que ça voulait dire ? Où allait-on l'emmener ? Pourquoi ? Elle sentit l'angoisse monter en elle.

– Mais je peux pas partir, je dois attendre ici que ma mère revienne.

Les deux femmes échangèrent un regard gêné et la dame maigre dit :

– Alice, c'est moi. Je suis Diane.

Le sang d'Alice se glaça. Impossible. Où était la femme forte, élégante ? Comment cette vieille toute rabougrie pouvait être sa mère ? Un simple coup de vent l'emporterait en Russie ! Non, elle refusait d'avaler ces couleuvres, sa mère était belle, elle portait de jolies robes, elle… Jeanne posa sa main sur la sienne :

– Ta maman a beaucoup souffert pendant la guerre, mon lapin, il va falloir être très gentille avec elle.

Alors c'était vrai ?

– Comment ça, gentille ? Vous allez rester ici ? demanda Alice.

Mme Bajon la regarda, étonnée.

– Non, Alice, tu vas rentrer à Paris avec nous. Nous partons demain matin.

– Viens, mon lapin, on va faire ta valise, conclut Jeanne, en retenant un sanglot.

Presque un an que la guerre était finie, et voilà le

résultat ! Cette insupportable attente pour repartir avec un mort-vivant ! Alice était furieuse ! Pourquoi devait-elle quitter Salies et tous ceux qu'elle aimait ? Cette nouvelle vie ne lui plairait pas, elle en était sûre. Avec cette femme affreuse, qui faisait peur ! Et il fallait qu'elle soit gentille en plus ! C'était trop injuste ! Elle ne l'accepterait pas !

– Je comprends que tu aies peur, trésor, mais tu verras, ça ira, tenta de la rassurer Jeanne.

– Je veux pas partir, dis-leur que je reste avec toi. Elles pourront venir me voir si elles veulent.

– Non, trésor, tu sais bien que ça ne marche pas comme ça. Si tu veux, va dire au revoir à tes amies, je prépare ton sac.

Alice obéit, mais sur le pas de la porte, elle se retourna :

– Et Crème ? Je peux l'emmener ?

– J'ai déjà demandé. Ce n'est pas possible. Ta mère n'a pas une maison pour un chat. Je m'en occuperai bien, je te le promets.

Alice soupira. Elle descendit les escaliers, et sans un regard aux deux visiteuses, sortit de la maison. Elle alla voir Marie en premier, puis Claudine, Giselle, Jeannette, Lison et toutes les autres. Plus ses amies se réjouissaient pour elle, plus elle était triste. Elle n'osait pas leur dire à quel point sa mère était moche, alors elle décrivit une Parisienne telle qu'elles aimaient les imaginer quand elles rêvassaient, avec une robe cintrée à la taille, rouge, et un petit chapeau incliné sur le côté. Mais ce mensonge lui faisait mal. Elle avait envie de crier, de taper des pieds, de griffer Mme Bajon. Que le train déraille, que le contrôleur la retienne ! Elle avait envie que la guerre recommence, même si cette idée lui faisait honte, surtout devant Claudine.

Puis elle alla frapper à la porte de la maison de son ancienne maîtresse, Mme Jeanson. Elle avait de la peine parce que depuis quelques mois Mme Jeanson n'avait plus le droit de leur faire la classe. Quand Alice était venue la voir pour comprendre pourquoi, elle avait été choquée de constater que Mme Jeanson n'avait plus de cheveux. Elle lui avait demandé ce qui s'était passé, et son institutrice lui avait dit dans un sanglot :

– Je n'ai pas aimé la bonne personne. Mais ce n'est pas une histoire pour une petite fille.

Mme Jeanson l'accueillit avec un grand sourire. Ses cheveux avaient un peu repoussé, mais sa coupe était affreuse. On aurait dit qu'un chou-fleur était posé sur sa tête.

– Les coiffeurs du coin ne veulent pas de moi dans leur salon, se justifia-t-elle.

– Madame Jeanson, je vais partir demain.

– Mais c'est merveilleux ça ! Ta maman est enfin revenue ?

– Oui…

– Ça n'a pas l'air de te rendre heureuse.

– Non…

Mme Jeanson sembla comprendre, et d'une voix posée elle dit :

– Dans la vie, rien n'est jamais complètement bon ou mauvais. Accroche-toi, ça ira, tu verras.

– Vous croyez ? Jeanne dit pareil.

– Oui, je le crois. Et à Paris tout est possible ! Moi-même, je crois bien qu'un de ces jours, je recommencerai tout là-bas.

– Vous viendrez me voir ?

– Bien sûr.

Elle se leva et prit un livre dans sa bibliothèque, qu'elle tendit à Alice :

– Ça s'appelle *Les Fleurs du mal*. Ce sont mes poèmes préférés. Je te l'offre.

Alice remercia sa maîtresse.

– Continue à lire comme tu le fais, c'est le meilleur remède.

Alice prit le livre et le plaqua sur son cœur. Elle avait encore envie de pleurer. Jamais elle n'aurait pensé que partir serait si dur, elle qui l'avait tant espéré toutes ces années.

Lorsqu'elle arriva à la ferme, sa mère et Mme Bajon étaient parties, sa petite valise était dans l'entrée, devant la porte, avec un baluchon posé à côté. Elle n'avait pas envie de veiller, ça lui faisait trop mal de rester avec Jeanne en sachant qu'elle allait partir dans quelques heures. De sa chambre, elle entendit sa nourrice déplacer les bûches : elle avait sûrement envie de boire. Alice avait mal au ventre. Tout ça, c'était de sa faute. Elle soupira. Au bout d'un moment, elle sortit une layette et le magazine *Regards* qu'elle avait caché sous son matelas, et les jeta. Ça ne lui servirait plus à rien maintenant. Épuisée, elle s'allongea pour attendre le lendemain.

À huit heures, on vint la chercher en voiture. Jeanne la serra dans ses bras et lui dit au revoir, comme si elles allaient se retrouver le soir. Alice fit de même. Elle avait envie de dire à sa mère qu'elle ne partirait pas avec elle, elle aurait voulu serrer Jeanne encore, très fort, aller chercher les œufs avec elle, s'occuper du potager, couper des légumes pour faire une soupe. Toutes ces petites choses lui semblaient alors si formidables.

Elle aurait aimé emmener sa nourrice danser au bal, lui trouver une nouvelle amie. Elle regardait cette ferme, trop grande pour une personne toute seule, et la douleur reprenait dans son ventre. Qu'est-ce que Jeanne allait devenir ? Et s'il lui arrivait quelque chose, qui serait là pour la sauver ? Tout cela était insupportable, mais elle ne pouvait pas en parler.

– À bientôt, Jeanne.

C'était tout ce qu'elle pouvait dire. Et là aussi, elle avait la désagréable sensation de mentir.

– Peut-être, oui, répondit sa nourrice en hochant la tête.

Alice embrassa Crème et monta dans l'auto. En quelques minutes, ils dépassèrent le sapin, et la ferme devint minuscule, jusqu'à disparaître complètement.

Puis la route, puis la gare, puis le train. Les lieux se succédaient sans qu'Alice ait de pouvoir sur rien.

Dans le wagon, elle s'assit à côté de sa mère. En accrochant son sac, Diane découvrit ses avant-bras, et Alice remarqua quelque chose d'écrit, une sorte de code tatoué, comme pour les vaches.

– C'est quoi ? demanda-t-elle.

Sa mère sursauta et rajusta sa manche :

– Rien.

Puis elle s'assit. Sa bouche devint toute petite, et elle regarda le sol. Mme Bajon sortit un livre, et le train se mit en marche. À plusieurs reprises, Alice tenta d'engager la conversation avec sa mère. Elle voulait savoir où elles allaient habiter. Qu'est-ce que sa mère avait fait toutes ces années ? Est-ce que son père était vraiment un inconnu ? Il y avait tant de questions… Mais à la moindre tentative, Diane battait en retraite, se contentant d'un « Oui », « Non », « Plus tard ». Et elle se tassait davantage encore sur son siège. Alice était sûre qu'à ce rythme, elle aurait disparu avant d'arriver à Paris.

Elle entendit des gloussements venir des sièges derrière elle. Elle se retourna et surprit un couple d'amoureux en train de s'embrasser. C'était dégoûtant, on aurait dit qu'ils se léchaient la bouche. La femme caressait le visage de l'homme, et il l'embrassait encore. Puis ils riaient et se disaient des secrets à l'oreille, qui les amusaient davantage. Alice les observa un bon moment. De toute façon, ils ne la voyaient pas, rien ne semblait avoir d'importance autour d'eux. Une grosse dame leur demanda plusieurs fois de se taire. Une autre leur ordonna de se tenir correctement, mais ils ne réagissaient pas. Ils étaient dans leur monde, et Alice les enviait...

Elle aurait tant aimé s'abriter dans une bulle comme ça, avec la mère dont elle avait rêvé... Quand elle se retourna, Diane dormait, et Mme Bajon était sortie dans le couloir. Elle se sentit seule.

*

Le train arriva gare de Lyon dans l'après-midi. Une foule dense s'agitait sur les quais. Ça résonnait de partout. Dans la rue, le bruit s'accentua encore, c'était terrible. Il y avait des voitures, des dizaines de gens pressés, des restaurants avec des terrasses bondées, où des clients parlaient et trinquaient. Toute cette agitation, c'était trop.

Mme Bajon leur dit au revoir et précisa à Alice qu'elle lui donnerait rendez-vous bientôt, pour être sûre que tout se passait bien.

– Nous allons y aller à pied, lui dit alors sa mère, ce n'est pas très loin.

Puis Diane lui expliqua qu'il ne faudrait pas faire n'importe quoi à la maison, parce que c'était un appartement qui faisait aussi atelier de couture. Elle le partageait avec un ami, Monsieur Marcel, qui travaillait avec elle. Alice ne devrait pas avoir l'air gêné par son accent, un accent yiddish, précisa-t-elle, sans expliquer ce que ça voulait dire. Elles dormiraient ensemble dans le même lit. Puis sa mère se tut, et elles se mirent en route.

L'appartement était au quatrième étage d'un immeuble vétuste. Il était petit, et il ne sentait pas très bon. Les toilettes étaient sur le palier. Et Alice ne vit pas d'endroit où se laver, à part un petit évier dans un coin du salon. Partout, il y avait des vêtements et des machines. Elle posa ses affaires dans un coin que sa mère lui indiqua, et alla saluer Monsieur Marcel. Ce qui la frappa, c'était qu'elle était incapable de lui donner un âge. Comme pour sa mère. Il était très maigre lui aussi. On aurait dit qu'il était vieux, mais quand on le regardait de plus près, il ne semblait pas si âgé que ça.

Au dîner, sa mère et Monsieur Marcel se jetèrent sur leur soupe, comme s'ils n'avaient pas mangé depuis des semaines. Sa mère lécha même son assiette. Si Alice avait fait ça à la ferme, Jeanne l'aurait punie... Mais elle ne dit rien. Simplement, les voir comme ça lui coupa l'appétit. Au lieu de la forcer à finir, sa mère s'empara de sa part et la termina. Toujours sans rien dire, Diane et Monsieur Marcel débarrassèrent, et ce fut l'heure d'aller au lit. Alice devait dormir dans le même lit que sa mère. Intimidée, elle se coucha au bord du matelas. Diane éteignit la lumière.

– Bonne nuit, lui dit Alice.

– Oui. À demain.

Alice avait du mal à avaler sa salive. La vie ne pouvait pas devenir ça. Elle se sentait étrangère à cet endroit, à ces gens. Elle les trouvait bizarres, dégoûtants, on aurait dit des animaux. Elle sentit des larmes glisser sur ses joues et retint sa respiration pour ne pas faire de bruit en pleurant. Alors elle repensa aux paroles de Jeanne et de Mme Jeanson. Ça irait mieux demain.

II

Un endroit sans pourquoi

5.

Paris, septembre 1946

Au beau milieu de sa première nuit, un cri tira Alice du sommeil.

– Qu'est-ce qui se passe ? demanda-t-elle, effrayée.

C'était sa mère à côté d'elle qui s'agitait en dormant. Alice se demanda quoi faire. Elle la secoua d'une main hésitante. Diane était trempée de sueur, tout comme le drap autour d'elle.

– Maman ! Calme-toi !

Dans un sursaut, sa mère se redressa. Elle se débattait, agitant ses bras en tous sens, et au passage lui donna un coup de poing dans la bouche. La langue d'Alice prit un goût de métal : sa lèvre saignait à l'intérieur. Ça la piquait, mais elle ne dit rien. Sa mère se réveilla et grommela :

– Quoi ? Quoi ? Qu'est-ce qu'il y a ?

– Tu as fait un cauchemar. Enfin je crois.

– Ah. Rendors-toi.

– Quand j'étais à Salies, moi aussi je faisais des cauchemars…

– Chut, la coupa Diane.

Et elle se retourna dans le lit.

Alice se sentait seule. Elle partageait le lit de sa mère, mais c'était comme si elle dérangeait. La ferme lui manquait. Elle se demandait si Jeanne dormait, et si elle pensait à elle aussi. Elle revoyait le sapin sur lequel elle aimait tant grimper pour observer la montagne au loin, Crème, Marie, les poules. Elle essaya de se souvenir de l'odeur du poulailler, du trajet vers l'école… Elle pouvait presque cueillir un coquelicot, presque sentir un feu de mauvaises herbes… Et elle se rendormit.

Le lendemain matin, elle se réveilla tôt. Il faisait encore nuit dehors. Mais elle n'osait pas bouger du lit. Pour aller où de toute façon ? Elle ne savait pas où se trouvaient les bols, ni comment faire chauffer de l'eau ici. Fallait-il aller en chercher dans un puits ? Puis elle s'en voulut de se poser tant de questions inutiles, qui trouveraient réponse tôt ou tard. Depuis la veille, elle s'était comportée comme une petite fille capricieuse. Jeanne avait raison, sa mère avait l'air d'avoir beaucoup souffert, normal qu'elle ne soit pas commode. C'était à Alice de faire les premiers pas et tout irait bien. Elle était à Paris, avec sa véritable famille, c'était ce qui comptait. Elle pouvait bien rester immobile plusieurs heures dans le lit, si c'était le prix à payer pour son bonheur futur. Elle n'avait plus besoin de mentir, plus besoin d'imaginer. La vie allait enfin commencer.

Elle espérait qu'aujourd'hui, sa mère et elle pourraient discuter toutes les deux. Elles iraient peut-être se promener. On lui avait parlé de la tour Eiffel. Elle se demandait à quoi ça ressemblait pour de vrai. Elle avait envie de regarder Diane de plus près. La veille, quand elle avait essayé de l'observer dans le train, elle avait senti que sa mère était gênée qu'on la dévisage. À présent elle dormait, Alice pourrait la détailler à loisir… Comme Diane lui tournait le dos, Alice roula sur elle-même, sans faire de bruit.

Incroyable, sa mère n'était plus là. Où avait-elle bien pu passer ? Inquiète, Alice se redressa et l'aperçut allongée sur le sol. Elle dormait sur une couverture. Pourquoi était-elle sortie du lit ? Le sol devait être dur et froid, alors que le matelas était tendre.

Sa mère finit par se lever.

– Tu es réveillée depuis longtemps ? lui demanda-t-elle, en faisant comme si tout était normal.

– Non, je viens de me réveiller, répondit Alice. Pourquoi tu as dormi par terre ?

– L'habitude.

Sa mère enfila une robe de chambre et partit dans l'autre pièce. Elle était encore plus maigre en chemise de nuit. Elle ressemblait à une enfant qui aurait enfilé une tenue d'adulte. Jeanne avait dit qu'elle avait été forte et élégante, comment pouvait-elle avoir autant changé ?

– Lève-toi, Alice, Madame Léa va arriver, il faut ranger, dit-elle depuis l'autre pièce.

Alice obéit à sa mère. Monsieur Marcel était dans le

coin cuisine, il buvait un café. Diane s'en servit une tasse.

– Tu veux du café ?

Alice n'en avait jamais bu. C'était les adultes qui buvaient du café. Le matin, Jeanne lui servait du lait frais, avec du pain et de la crème. Alice observa la table, il y avait un pain noir, et des fruits secs. Autant cesser d'espérer, ses habitudes étaient à oublier d'urgence. Tant pis, elle s'adapterait.

– Oui, je veux bien.

Sa voix était enrouée. Elle but une gorgée et eut un haut-le-cœur. Elle n'avait jamais rien goûté de si amer. Mais elle ne pouvait pas recracher, sa mère le prendrait mal. Elle garda le liquide dans sa bouche le plus longtemps possible. Peut-être le goût changerait-il à force ? Elle inspira un grand coup et avala. Le café était devenu tiède. Elle ne put s'empêcher de grimacer. Pourtant, ni sa mère ni Monsieur Marcel ne le remarquèrent.

Tandis qu'ils buvaient tous les trois en silence, elle remarqua que Monsieur Marcel avait aussi un numéro sur le bras. Presque le même que celui de sa mère, qu'elle avait vu dans le train. Faisaient-ils partie d'un groupe secret ? Ce tatouage était-il un signe de reconnaissance ? Elle brûlait de poser la question, mais sans savoir pourquoi, elle sentait qu'il valait mieux attendre.

Diane posa sa tasse dans le petit évier et dit :

– Quand tu te lèves, tu peux venir ici, préparer du café, ou tu peux descendre dans la cour de l'immeuble.

– Je peux aller dans la rue ?

– Oui, mais pas trop loin. Tu ne dépasses pas la boulangerie à l'angle, et le kiosque à journaux de l'autre côté.

Puis Diane disparut dans l'autre pièce.

On frappa à la porte. Une petite dame avec des cheveux blancs relevés en chignon entra dans l'appartement.

– Bonjour ! Bonjour !

– Bonjour, Madame Lia, répondit Monsieur Marcel.

Ils avaient tous les deux le même accent yiddish. Alice ne savait toujours pas dans quel pays on parlait comme ça.

– Alors voici la pétite Alice !

La dame s'approcha d'Alice et lui pinça les joues.

– Mais qu'est-ce qu'elle est mégnonne !

Elle pinçait fort ! Alice avait mal, mais elle était tellement surprise qu'elle ne trouva rien à dire. Quand la dame la libéra, ses joues étaient brûlantes. Elle y porta sa main, et resta ainsi un moment, stupéfaite. Comment une si petite dame pouvait avoir autant de force ?

– Madame Lia, nous n'avons pas besoin di savon, nous sommes disolés, lui dit Monsieur Marcel.

– Mais j'ay aussi des draps aujourd'vi ! Et... et... et... di la mousse à raser !

– Mais c'est di savon !

– *Voy !* Mais di savon pour se raser ! Comme di la mousse !

– Bonjour, Madame Léa, les interrompit Diane en entrant dans la pièce.

– Elle est bien mégnonne la pétite Alice.

– Merci. J'espère que vous allez bien.

– *Voy !* Toujours mal au dos, mais quand on a mal, c'est qu'on n'est pas encore morte ! dit-elle en riant.

Sauf que personne ne réagit à sa blague.

– Voulez-vous un café ? proposa Diane.

– Non, merci. Jé réviens dé l'atélier de Monsieur Albert, ils m'ont offert des gâteaux.

– Des nouvelles de sa femme ?

– Non. Rion.

La dame baissa les yeux, Diane et Monsieur Marcel firent de même. Après un court silence, la dame annonça qu'elle partait.

– Jé réviendrai cette semaine.

Quand elle fut sortie, Diane et Monsieur Marcel parlèrent de listes. Alice ne comprit pas ce que cela voulait dire. Monsieur Marcel dit qu'il irait vers seize heures, comme d'habitude.

– Après lé rendez-vous avec M. Kaminski.

Puis ils se mirent au travail. Diane s'installa derrière une machine à coudre, et Monsieur Marcel saisit un gros fer, qu'il passa sur des chemises, rassemblées dans un panier. Alice se sentit vite de trop. Elle fit une brève toilette dans l'évier et descendit dans la cour.

C'était une petite cour grise, cernée d'immeubles. Une dizaine de mètres à peine de long et quatre peut-être de large. À quoi pourrait-elle bien jouer dans un espace si restreint ? Et avec qui ? Bientôt elle irait à l'école, mais en attendant ? Elle décida de sortir dans la rue. Le bruit de la ville la saisit plus encore que la veille. Des klaxons, des passants par dizaines qui parlaient fort, des talons et de grosses chaussures qui claquaient sur le trottoir. Par là on criait pour vendre un journal, par ici pour cirer des souliers. Elle ne s'habituerait jamais à ça…

Une main tapota son épaule.

– C'est toi la fille de Diane ?

Alice se retourna. Un garçon à l'allure étrange lui sourit. Il n'était pas beaucoup plus grand qu'elle, son visage était rond, de grosses plaques rouges marquaient son front et ses joues. Quelque chose clochait dans son visage, mais Alice ne comprenait pas quoi. Elle fronça les yeux pour l'observer et soudain, ce fut plus clair : il avait d'épais sourcils noirs, et des cheveux frisés d'un blond étrange, on aurait dit qu'ils avaient des reflets verts.

– Ils sont bizarres tes cheveux, dit-elle.

– C'est ma mère… Au cas où les Allemands reviennent.

Alice le regarda d'un air dubitatif.

– Les Allemands, ils aiment les blonds, alors elle me fait devenir blond. Toutes les semaines.

Alice s'approcha pour toucher cette chevelure qui semblait irréelle.

– Non, faut pas toucher, ça fait mal au crâne.

Alice n'insista pas.

– Je m'appelle Alice, et toi ?

– Jean. Enfin Joseph.

Alice fronça de nouveau les sourcils.

– Pendant la guerre, je m'appelais Jean, mais en vrai, je m'appelle Joseph. Ma mère dit qu'il vaut mieux pas le dire.

– Alors pourquoi tu me le dis ?

– Je sais pas.

Jean-Joseph lui adressa un grand sourire.

– Moi aussi, j'ai connu quelqu'un, Thomas, mais qui ne s'appelait pas vraiment Thomas. Des Allemands l'ont emmené.

– Oui. Il paraît que c'est arrivé. On est les deux seuls enfants dans l'immeuble tu sais ?

– Non, je savais pas. Tu vas à l'école toi ?

– Non, mais bientôt. Ma mère a dit que dans quelques mois, ce serait plus sûr. Mais je vais quand même y aller avant. Je veux devenir docteur ! Et toi ?

– Je sais pas.

Puis une dame ouvrit une fenêtre donnant sur la cour, et elle appela Jean-Joseph.

– C'est ma mère, il faut que je remonte. À plus tard ?

– D'accord.

Alice resta un moment seule dans la cour. Qu'allait-elle faire ici ? Aimerait-elle Paris plus que Salies ? Retournerait-elle d'ailleurs à Salies un jour ? Elle avait envie de parler à Jeanne, mais si ça faisait de la peine à sa mère ?

Pour se changer les idées, elle se décida à sortir dans la rue, tira la lourde porte en bois et sauta sur le trottoir. Il y avait toujours autant de bruit, mais cette fois, elle finit par s'y habituer. Elle marcha en direction de la boulangerie, et fut surprise par un son : c'était un morceau de musique. Quelqu'un jouait de la flûte dans la rue, à quelques mètres de là. Alice fut troublée par l'incroyable légèreté de la mélodie qui contrastait tant avec l'environnement. Curieuse, elle s'aventura sur le trottoir et regarda aux alentours.

Le musicien était en face, assis sur un petit tabouret de bois, avec une valise ouverte devant lui pour que les passants y jettent des pièces. Elle traversa en courant, elle avait trop peur de s'arrêter au milieu de cette grosse avenue, et elle se planta devant le musicien. Il tenait une flûte sur le côté, et dès que les notes s'en échappaient, on aurait dit qu'un oiseau chantait. Alice s'imagina d'abord au milieu d'une forêt, puis dans un château, vêtue d'une robe de princesse. Il y avait quelque chose de majestueux dans ce morceau. Le musicien était vêtu de guenilles, sa casquette était élimée, et ses semelles trouées, mais dès qu'il recommençait à jouer, on aurait dit qu'il était ailleurs. Il sourit à Alice, et elle eut l'impression qu'il jouait pour elle. À la fin du morceau, elle l'applaudit.

– Tu as aimé, petite ?

– Oui, beaucoup ! C'était quoi ?

– Une sonate de Bach.

– C'est bizarre comment vous tenez votre flûte.

– C'est une flûte traversière, ça se tient comme ça.

Il lui tendit l'instrument. Alice en aima immédiatement le contact, son poids, ni trop lourd ni trop léger, la couleur du métal sur lequel le soleil se reflétait.

– Il faut du temps pour savoir jouer une sonate de Bach à la flûte ?

– Qu'est-ce que le temps ? répondit l'homme en haussant les épaules.

Puis il rangea ses affaires, sans dire un mot, et partit. Au bout de quelques pas, il se retourna :

– À bientôt !

Alice lui fit signe de la main, elle rêvassait encore. Un jour, elle s'achèterait une flûte, et elle jouerait du matin au soir.

*

Des semaines durant, elle n'avait cessé de penser à la flûte. Il lui faudrait des sous. Trouver un magasin de musique… Elle ne connaissait pas Paris. Elle avait besoin d'aide. Elle alla retrouver Jean-Joseph dans la cour et lui expliqua la situation :

– Le problème, c'est pour la payer… Je sais pas comment faire moi ! Et je peux pas demander ça à ma mère…

– Y a plein de façons de gagner de l'argent dans le coin !

– Comment ?

– Mme Vilneuve au sixième, elle a toujours besoin qu'on fasse ses courses, elle n'aime pas monter les escaliers… Sinon, sa sœur, elle vit dans l'immeuble à côté, elle veut qu'on descende son matelas quatre fois par an. Y a aussi les gars qui retapissent et réparent les chaises, faut les aider à porter… En quatre mois, t'auras assez pour te payer ta clarinette, pas besoin de demander à ta mère !

– Une flûte traversière, pas une clarinette !

– Ouais, c'est pareil.

La réponse de Jean-Joseph amusait Alice. Plus le temps passait, plus elle aimait son humour. Elle était pressée de le retrouver chaque matin pour aller à l'école, et chaque soir pour jouer dans la cour, ou faire des blagues aux passants dans la rue. Qu'est-ce qu'ils pouvaient rire ! Une fois, ils s'étaient postés devant la porte de la boulangerie : ils avaient remarqué que les clients en sortaient en tenant leur baguette contre eux, comme s'ils étaient fiers de posséder un morceau de pain ! Plus encore quand la baguette était chaude. Ça leur avait donné une idée : quand le client aurait l'air trop prétentieux, ils arracheraient le croûton et partiraient en courant ! Ça avait marché ! Trois fois de suite ! Il fallait voir la tête des types ! On aurait dit que leur mâchoire allait se décrocher ! Une autre fois, ils avaient piqué des bonbons à l'épicerie du bout de la rue, en les cachant dans leurs chaussettes ! Un bonbon avait glissé sous le pied d'Alice, et elle s'était mise à boiter dans le magasin. Elle avait été obligée de marcher au ralenti, craignant tout le temps que le vendeur l'arrête et appelle la police. Mais il n'avait rien vu. Une fois à l'abri, Jean-Joseph et Alice s'en étaient amusés des heures.

Chaque fois que le flûtiste vagabond était là, Alice et Jean-Joseph allaient l'écouter. Le plus souvent, c'était du Bach. Les autres jours, ils jouaient aux billes, aux devinettes, à chat, ils faisaient la course, se racontaient des anecdotes sur leurs camarades de classe. Et puis, il fallait remonter. Jean-Joseph devait retrouver sa mère, qui pleurerait comme chaque soir, qui lui apprendrait l'allemand « au cas où », sans expliquer au cas où quoi, et Alice devait remonter à l'atelier, aider sa mère à installer le lit pour la nuit, et subir son silence. Elle le maudissait ce silence. Ce n'était pas possible que Diane et Monsieur Marcel ne soient pas eux aussi gênés par tous ces blancs à rallonge… Peut-être qu'ils ne savaient pas comment les briser ? La première semaine, dans le lit, Alice avait essayé d'entamer la conversation avec sa mère. Ce fut un échec. Comme toutes les tentatives qui suivirent.

Depuis deux mois qu'elle était à Paris, les seuls mots de sa mère pour elle se résumaient le matin à : « Tu as fait le café ? », puis le soir à : « Débarrassons la table, demain il faut se lever tôt ». Monsieur Marcel n'était pas plus bavard. Il buvait son café en silence, puis s'installait devant le fer, et s'y agrippait toute la journée. Il avait du mal à dormir lui aussi. Parfois, lorsque Alice se levait la nuit pour aller aux toilettes sur le palier, elle le trouvait assis devant la fenêtre, les yeux levés vers le ciel. Mais en fait, il regardait ailleurs, comme s'il cherchait quelque chose d'irréel. La seule qui parlait beaucoup était Madame Léa, la vendeuse de savon, qui venait une fois par semaine chez eux. Au début, Alice était triste pour elle, parce que personne ne lui achetait jamais rien, mais au fur et à mesure, elle comprit que Madame Léa s'en fichait. Elle passait surtout pour discuter. Elle racontait les aventures de M. Goldstein, d'un autre atelier, elle pensait qu'il était en train de tomber amoureux de sa finisseuse :

– Que voulay-vous qu'il fasse maintenont de toute façon ?

Elle parlait aussi de familles qui partaient. Elle disait chez Herzl, mais Alice ne savait pas ce que ça voulait dire. Madame Léa énumérait « ceux qui se remariaient quand même », Dina et Ruth qui étaient enceintes, et elle ne savait pas ce que ça donnerait. Alice aimait bien Madame Léa. Elle se demandait si elle avait des enfants, ou un mari, parce qu'elle avait l'air de ne pas être seule dans la vie, mais elle ne parlait jamais de quelqu'un à retrouver, d'une maison à entretenir ou d'un repas à cuisiner.

Un jour que le silence de sa mère et de Monsieur Marcel lui pesait trop, Alice courut pour rattraper

Madame Léa dans les escaliers, quelques minutes après qu'elle eut quitté leur appartement.

– *Oy !* Mais t'm'as fait une peur tva !

– Pardon, Madame Léa.

La vieille femme la regarda, soupira et lui pinça les joues, la deuxième fois ce jour-là.

– Comment t'en vouloir ! L'es bien trop jolie !

– Madame Léa, vous la connaissez depuis longtemps ma mère ?

– Non, *katzele*... Depuis qu'elle est revenue solment.

– Revenue d'où ?

Au moment de répondre, Madame Léa se mordit la lèvre et tapa du pied.

– Elle té racontera un jour.

– Et Monsieur Marcel ?

– *Voy*, jé lé connais depouis l'enfonce !

– Parfois on dirait qu'il cherche des gens.

Madame Léa regarda Alice avec tristesse et posa sa valise de savons. Elle mit une main dans sa poche, et de l'autre agrippa la rampe de l'escalier, comme si elle avait peur de tomber.

– *Voy*. Il espère qu'on va les rétrouver.

– Retrouver qui ?

Mais Madame Léa ne répondit pas.

– C'est quoi les listes ? Il dit toujours qu'il va aux listes l'après-midi.

La vieille femme commença une phrase, mais sa voix se cassa.

– *Voy. Voy.* Les listes… S'il doit les retrouver, c'est là-bas qu'il faut y aller.

*

Depuis qu'elle avait parlé à Madame Léa, Alice avait insisté pour accompagner Monsieur Marcel aux listes. Elle voulait comprendre. Elle en avait assez qu'on la prenne pour une petite fille, ou qu'on ne la croie pas capable de connaître les histoires des grands. Elle ne voyait pas d'autres raisons à ces mystères, alors elle avait décidé de prouver ce dont elle était capable.

Pendant une semaine, Monsieur Marcel avait répondu : « Non », sans plus d'explications, avait enfilé son anorak, vissé sa casquette de tweed sur sa tête, puis était parti. Il était rentré chaque soir, comme à son habitude, l'air abattu. Il s'était assis devant la fenêtre, et était resté comme ça, une heure ou deux.

Un mardi, tandis qu'Alice montait à l'atelier pour déposer son sac en rentrant de l'école, avant de rejoindre Jean-Joseph dans la cour, Monsieur Marcel la retint :

– S'ti veux, ti peux venir avec moi aujourd'hui.

Alice ne savait pas pourquoi. Qu'avait-elle fait, ou n'avait-elle pas fait, pour qu'il change d'avis ? Elle était contente que Monsieur Marcel l'accepte pour ce qui ressemblait à un pèlerinage quotidien, mais à la fois elle ressentait quelque chose d'étrange. Elle ne s'était jamais vraiment retrouvée seule, en dehors de la maison, avec Monsieur Marcel, et elle n'avait jamais quitté son quartier. Elle essayait de se raisonner, c'était sûrement la peur de la nouveauté… Mais plus elle y pensait, plus elle sentait que l'explication était ailleurs.

– On y vay dons dix minutes, la prévint Monsieur Marcel.

Tant pis, elle n'avait plus le choix. Elle acquiesça en esquissant un sourire. Monsieur Marcel hocha la tête en retour. Diane ne réagit pas.

Alice et Monsieur Marcel prirent le métro. Pour Alice, c'était la première fois, et elle en était ébahie : un train qui roulait sous terre ! Monsieur Marcel lui donna un ticket qu'elle tendit à un monsieur à l'entrée de la rame, un poinçonneur, lui précisa Monsieur Marcel. Il criait le nom des stations à mesure que les portes du métro s'ouvraient. À l'intérieur, il y avait des Parisiens de tous les âges, d'allures très variées, de grandes femmes en tailleur, avec des chapeaux, et d'autres en blouse de travail, des ouvriers et des hommes en costume, des enfants avec leurs parents, des adolescents se promenant main dans la main. Elle se colla à la fenêtre, fascinée par le spectacle des lumières que la vitesse déformait, les stations laissées derrière qui devenaient en quelques minutes des petits points lointains. Pour sûr, elle adorait le métro !

Ils descendirent à la station Odéon. Les listes se trouvaient à quelques pas, dans un grand hôtel du quartier de Saint-Germain-des-Prés, sur le boulevard Raspail. Ça s'appelait le Lutetia.

– Il est magnifique cet hôtel ! J'en avais jamais vu de si grand ! s'exclama Alice, encore enivrée par le trajet.

– *Voy !* Les nazis aiment les belles choses !

Alice sursauta. Se pourrait-il que les nazis soient encore là ? Elle repensa aussitôt à Thomas que les Allemands avaient emmené dans la cour de Salies, l'homme à la casquette qu'ils avaient tué dans le champ…

– Les nazis ?

– *Ach*, laisse tomber ! répondit Monsieur Marcel, en appuyant sa phrase d'un geste de la main.

Soudain, devant la grande porte d'entrée de l'hôtel, une vieille dame très frêle se mit à crier : une femme et un homme l'emmenaient de force à l'extérieur, vers une voiture.

– Jé veux ma soupe ! Jé veux ma soupe !

La femme qui tenait la vieille par le bras répondit :

– Maman, tu auras tout ce que tu veux à la maison, j'ai même pu acheter de la viande…

Au mot viande, la vieille arrêta de se débattre. Elle fixa celle qui devait donc être sa fille, avec des yeux pleins d'étoiles, comme si on venait de la nommer impératrice. Sans plus besoin d'aide, la vieille dame s'engouffra dans la voiture garée à quelques mètres.

– Vite ! Monte !

La jeune femme dit alors à l'homme avec elle :

– Je suis tellement heureuse. Tu te rends compte ?

Alice ne comprenait pas ce qui pouvait rendre cette femme heureuse. Elle était très mal à l'aise.

– Quand ils réviennent, ils sont fous, déplora Monsieur Marcel.

Puis il entraîna Alice dans un vaste hall où des dizaines de personnes attendaient. Certaines parlaient entre elles, d'autres allaient de groupe en groupe. Alice attrapa la main de Monsieur Marcel : elle n'était pas habituée à voir tant de monde dans un même endroit, et elle eut soudain peur de se perdre au milieu de la foule. Monsieur Marcel ne faisait plus attention à elle. Il hochait discrètement la tête face à des gens qu'il semblait connaître. D'un regard alerte, il observait la salle. Enfin, à pas lents, il se décida à s'approcher des listes. Il lâcha alors la main d'Alice, rajusta sa veste et sa chemise, prit une grande inspiration et avança vers le fond de la salle. D'énormes gouttes de sueur perlaient sur ses tempes, et bientôt des traces apparurent sur sa chemise. Alice n'osait pas rattraper sa main, elle aussi transpirait. Il y avait de la tristesse dans cette pièce. Elle ne savait pas pourquoi, mais elle avait envie de partir, vite et loin.

Soudain, Monsieur Marcel s'immobilisa et fixa quelque chose à une certaine distance devant lui. Alice regarda dans la même direction. Une jeune fille leur tournait le dos, avec de longs cheveux bruns et une chemise trop large pour elle. Elle était très mince, presque autant que Diane. Monsieur Marcel se hissa sur la pointe des pieds, en s'agitant de gauche à droite pour essayer d'apercevoir son visage, mais d'où ils étaient, c'était impossible.

– Rivka ? Oh, Rivka, tourne-tva.

La jeune fille s'avança vers le fond de la salle, elle parlait à un homme. Monsieur Marcel bouscula les personnes devant lui, en fit même tomber une. D'autres lui crièrent de se calmer et de regarder où il allait. Il n'entendait rien. Alice s'efforçait de le suivre dans sa course effrénée, mais elle était trop petite, et les gens lui barraient le passage sans s'en rendre compte. Elle eut envie de pleurer, mais comprit que personne ne la consolerait. Elle n'avait qu'une chose à faire, s'accrocher, et suivre la cadence.

– Rivka ! Rivka ! C'est moi ! criait Monsieur Marcel.

La jeune fille n'entendait toujours pas. Soudain, autour d'eux, le silence se fit, et les gens se mirent à les dévisager. Alice avait l'impression qu'ils enviaient Monsieur Marcel. Il fut bientôt à quelques mètres de la jeune fille, quelques centimètres, il pouvait presque la toucher. Enfin, le sourire aux lèvres, il posa la main sur son épaule. La jeune fille se retourna. Monsieur Marcel grimaça. Son visage était complètement déformé. À le voir comme ça, Alice sursauta.

– Z'êtes pas Rivka, dit Monsieur Marcel.

La jeune fille sembla comprendre la situation, et elle posa sa main sur celle de Monsieur Marcel. Il se dégagea aussitôt. Il jeta des coups d'œil autour de lui, dévisagea les gens et se mit à courir dans l'autre sens. Alice avait encore plus de mal à le suivre. En quelques secondes, il était dans la rue, avec dix bons mètres d'avance. Arrivé au métro, il s'engouffra sur le quai sans même lui donner un ticket.

Alice repéra une grosse dame qui attendait d'entrer dans le wagon et se cacha derrière elle, tandis qu'elle s'adressait au poinçonneur. À l'intérieur, Alice s'accrocha au sac d'un passager pour ne pas tomber. Elle eut un vertige. Elle se sentait inutile, fautive presque d'avoir assisté à cette scène. Le pire, c'était qu'elle n'était pas sûre d'avoir compris ce qui venait de se passer. Qui était Rivka ? Et si Monsieur Marcel ne voulait plus jamais se retrouver avec elle à la maison maintenant ? S'il racontait à sa mère qu'elle n'avait pas été sage, ou tout simplement qu'il ne l'aimait pas… que se passerait-il ? Jean-Joseph pourrait peut-être l'abriter en cachette quelques nuits, mais ça ne suffirait pas. Elle était fatiguée d'avance… Elle n'aurait jamais dû demander d'aller aux listes.

Ils arrivèrent à l'atelier. Monsieur Marcel se rua vers la fenêtre et s'arrêta. Diane s'approcha de lui. Mais sans la regarder, il lui fit signe de rester où elle était. Il serrait les poings, tandis que sa tête rentrait dans ses épaules. Il respirait bruyamment, ça faisait comme un cri qu'on étouffe. Alice avait l'impression qu'il allait exploser. Diane chuchota :

– Descends dans la cour, je m'en occupe.

Alice avait envie de vomir. Des deux mains, elle s'accrochait à la rampe de l'escalier, et descendre les trois étages restants lui semblait une épreuve bien au-delà de ses capacités.

– Qu'est-ce qui t'arrive ? lui demanda Jean-Joseph, qui avait dû la guetter. Tu es malade ?

– Tu sais qui c'est Rivka ?

– Ma mère dit que l'une des filles de Monsieur Marcel s'appelait comme ça. L'autre Dina.

– Ses filles ?

– Oui. Mais elles ne sont pas revenues.

Alice s'assit sur les marches et réfléchit un long moment. Puis elle dit :

– Je crois qu'en fait, la guerre n'est pas finie.

– Ma mère aussi pense ça. Elle dit qu'elle finira jamais vraiment.

6.

Paris, novembre 1946

Le vendredi, Diane venait chercher Alice à la sortie de l'école. Elles rentraient à la maison en marchant côte à côte. Parfois, Diane demandait à Alice si elle avait eu de bonnes notes, mais la plupart du temps, elle se taisait. Alice avait beau être contente de passer du temps avec sa mère, elle s'ennuyait, et le chemin paraissait plus long qu'avec Jean-Joseph. Une fois par mois, en arrivant dans le hall de l'immeuble, Diane récupérait le courrier. Parfois, elle le laissait s'entasser plus longtemps encore. Elle détestait passer devant les boîtes aux lettres. Elle avait dit à Alice qu'elle ne voyait pas d'un très bon œil que tant de gens connaissent son adresse. Alice ne comprenait pas. Elle se disait que derrière chaque lettre reçue, il y avait quelqu'un qui pensait à vous.

– Moi je trouve qu'une lettre, c'est une gentille attention.

– Alice, s'il te plaît, ne parle pas quand tu ne sais pas.

Ce jour-là, il y avait au moins une dizaine d'enveloppes. En silence, Diane s'assit à la table du salon, poussa les bobines de fil et les morceaux de tissu qui la gênaient et posa les lettres devant elle. Elle regardait le nom de l'expéditeur au dos de l'enveloppe avant d'ouvrir. Quand c'était un nom qu'elle n'aimait pas ou qu'elle ne connaissait pas, elle reléguait l'enveloppe au bas de la pile. Ce fut bientôt le tour d'une lettre bleu ciel, de forme allongée, avec un drapeau français dans le coin droit.

– Tiens ! dit-elle en plissant les yeux.

Diane la parcourut en marmonnant des bribes de phrases incompréhensibles. Puis elle s'adressa à Alice sans la regarder :

– Tu as rendez-vous chez Mme Bajon demain.

– Moi ?

– Oui. Tu te souviens de Mme Bajon ? L'assistante sociale qui est venue…

– Oui, oui, je m'en souviens. Mais pourquoi elle veut me voir ?

– Je ne sais pas.

– Tu vas venir avec moi ?

– Non, j'ai beaucoup trop de travail à l'atelier. Et puis c'est toi qu'elle veut voir.

Soudain, sa mère se mit à tousser, comme si elle avait avalé quelque chose de travers et qu'elle allait s'étouffer. Alice lui tapa dans le dos, mais Diane lui fit signe d'arrêter. Elle entoura sa gorge de ses mains et courut vers la fenêtre pour respirer l'air du dehors. Elle demanda à Alice de lui apporter de l'eau. Alice mit quelques secondes à réagir. Elle était très impressionnée par cette toux. Sa mère agita les bras. D'un coup, Alice se leva et gagna l'évier aussi rapidement que possible. Elle tendit le verre d'eau. Diane le but d'une traite. Apparemment, ça lui faisait du bien. Elle arrêta de tousser, mais elle avait du mal à reprendre son souffle. Elle s'éloigna de la fenêtre et s'accrocha au dossier de la chaise. Ces quelques pas l'avaient épuisée. Elle s'essuya la bouche avec sa manche et dit, comme si rien ne s'était passé :

– Je t'expliquerai comment y aller. Descends jouer, s'il te plaît, j'ai du travail à finir.

Alice obéit. Pourtant elle aurait préféré rester avec sa mère pour préparer ce rendez-vous avec Mme Bajon. Plus elle y pensait, plus elle avait peur. Et si elle devait prendre le métro seule et qu'elle ne descendait pas à la bonne station ? Elle pourrait demander à Jean-Joseph de l'accompagner, mais peut-être qu'il se moquerait d'elle… Elle en avait marre qu'on la traite comme une petite fille, mais elle redoutait d'affronter chaque nouvelle épreuve… comme une petite fille. Tout était si compliqué. Et puis pourquoi cette assistante voulait-elle la voir ? Alice n'avait rien à lui dire. Elle vivait à Paris, elle était là où elle devait être, il n'y avait rien à ajouter.

Elle avait du mal à se souvenir du visage de Mme Bajon. Elle se rappelait le tailleur très ajusté, les escarpins noirs qui avaient manqué de la faire tomber plusieurs fois dans l'allée en terre, devant la ferme de

Jeanne. Mme Bajon avait une voix désagréable, trop aiguë, trop nasillarde, si bien que lorsque Alice essayait de se remémorer les traits de son visage en fermant les yeux, une tête de corbeau apparaissait. Mme Bajon avait un long bec en guise de nez et des petits yeux perfides, une vraie sorcière ! Alice se rassura comme elle put : ce n'était pas possible, aucun être humain ne pouvait avoir une tête de corbeau…

Elle s'allongea sur le lit un moment. Elle avait besoin de faire le point. Devant l'armoire, son baluchon traînait encore. Depuis son arrivée de Salies, elle n'avait pas fini de déballer ses affaires. Comme si elle n'était pas complètement là, malgré les mois qui passaient. Il fallait ordonner les choses, autrement rien n'irait jamais. Les étagères de l'armoire étaient pleines, elle se mit à faire du rangement. Elle poussa une première pile de tissus. Ils étaient en coton, il y en avait des beiges, des blancs, des bleus. Elle observa l'armoire un moment et en arriva à la conclusion qu'elle ne trouverait pas de place supplémentaire : elle apporterait la prochaine pile dans le salon. Après tout, ce qui concernait l'atelier n'avait rien à faire dans sa chambre. En saisissant la deuxième pile, elle s'aperçut qu'elle était posée sur du papier. C'était un magazine. Elle reconnut aussitôt le titre : *Regards*.

Ce n'était pas le même numéro que celui que sa mère avait laissé dans la valise. Cette édition était plus ancienne, elle datait de 1934. Là aussi, une page était marquée. Il s'agissait d'un reportage sur des émeutes qui avaient eu lieu à Paris. Alice ne savait rien de cet événement. Cinq photos montraient des manifestants, et des gens avec des chemises noires qui se battaient. Au bas des photos, elle lut : « Vago ». La même signature que sur le *Regards* de Salies. Sur l'étagère du dessous, il y avait un autre numéro. Alice le feuilleta. Il contenait lui aussi un reportage signé Vago.

Elle réfléchit un moment. Vago, Vago… Et si c'était sa mère ? Elle écrivait dans des magazines politiques et ne voulait pas que ça se sache, c'était pour ça qu'elle était si discrète. C'était aussi pour ça qu'elle avait laissé le reportage sur l'Espagne dans sa valise. Alice se mit à rire. Elle avait percé un des mystères de sa mère ! Elle se souvenait d'une femme écrivain dont Mme Jeanson avait parlé à l'école, George Sand, elle aussi se donnait un nom d'homme pour écrire. La maîtresse avait dit que ça s'appelait un pseudonyme.

Ça alors ! Sa mère, un écrivain à pseudonyme ! Elle se dirigea dans le salon, le magazine en mains, prête à questionner Diane, mais sa mère était si concentrée sur la machine qu'elle ne la remarqua pas. Sur la table, la lettre bleue de Mme Bajon était encore dépliée. Alice repensa aussitôt au rendez-vous du lendemain, au trajet seule et sentit comme une boule dans sa gorge. Elle reposa le *Regards* et sortit de l'appartement.

*

Jean-Joseph rejoignit Alice dans la cour.

– Tu fais une sale tête !

– Non, t'inquiète pas.

– J'ai une bonne nouvelle pour toi.

– Quoi ?

– Tu veux toujours ta flûte ?

– Oh oui !

– Je connais quelqu'un qui connaît quelqu'un qui serait prêt à en vendre une en très bon état contre trente-cinq francs et huit kilos de pommes de terre.

– Mais j'ai rien de tout ça !

– T'en fais pas, on va se mettre au travail. L'hiver arrive, on va devoir trouver du bois et le monter chez les gens. Le gars des chaises vient la semaine prochaine, on va l'aider. Dans deux mois, tu as tes sous.

– Et pour les pommes de terre ?

– Avec ma mère, on connaît un coin pas loin de Montfermeil où il y a des champs. Y a qu'à se baisser, qu'elle dit ma mère. Si tu veux on ira tous les deux un samedi ou un dimanche.

– Mais c'est très loin !

– Et alors ? On prendra le train !

Alice, peu rassurée, acquiesça.

– T'as pas l'air contente ! Tu vas avoir ta flûte !

– Si, je suis très contente.

Ce n'était pas le moment de révéler sa peur d'aller seule chez Mme Bajon.

Jean-Joseph avait une autre bonne nouvelle. Il avait

réussi à troquer des poireaux contre un vieux livre d'anatomie, et ensemble ils inventèrent un jeu : Alice lui lisait le nom d'une maladie, et Jean-Joseph devait l'épeler. Dans quelque temps, quand il aurait lu le livre en entier, ils compliqueraient les règles : il faudrait ajouter les symptômes. Mais en attendant, l'orthographe, c'était déjà important. Un bon médecin ne pouvait pas écrire le nom d'une maladie sur une ordonnance en faisant des fautes.

– Alors, docteur Jean-Joseph, épelez-moi stratum germinativum.

Jean-Joseph, amusé de ce surnom qui ne lui déplaisait pas, avait-il avoué un jour, s'exécuta, sans fautes.

– Trichomonase.

Jean-Joseph hésita sur la présence d'un h et se décida dans le bon sens.

– Eh bien puisque c'est comme ça : spondylarthrite ankylosante, dit Alice en s'y reprenant à plusieurs fois pour prononcer ces deux mots.

Encore une fois, son ami épela comme c'était écrit.

– Tu feras vraiment un bon docteur !

– J'espère. Ma mère pense que je ferais mieux de gagner de l'argent vite, mais moi, je veux soigner les gens.

– Moi je crois que ta mère veut que tu la soignes elle et personne d'autre !

Ils éclatèrent de rire et comme si elle les avait entendus, la mère de Jean-Joseph apparut à la fenêtre pour qu'il remonte dîner.

Sa mère ne parlait pas bien le français et savait à peine le lire. Mais tous les mots qu'elle connaissait étaient des mots gentils. Jean-Joseph la trouvait collante, agaçante, étouffante. Souvent, il en avait honte et n'aimait pas se promener avec elle. Depuis quelque temps, ils se disputaient tous les dimanches, car il ne voulait plus qu'elle le teigne en blond.

– Les Allemands ne reviendront pas, maman ! Je m'appelle Joseph et je suis brun, c'est comme ça.

On l'entendait crier dans tout l'immeuble. Et sa mère se mettait à pleurer. Alice se disait qu'il avait en partie raison, c'était une personne difficile à supporter toute une journée, mais en même temps, Alice n'avait jamais vu quelqu'un montrer à ce point qu'elle aimait son enfant. Souvent, quand la mère de Jean-Joseph parlait de son fils, elle disait : « C'est ma vie. » Et quand elle s'adressait directement à lui, elle disait : « Tu es mon soleil. » Jean-Joseph détestait ça et l'énorme baiser baveux qui suivait. Mais Alice trouvait cette comparaison magnifique, et se demandait si un jour elle serait le soleil de quelqu'un.

Une fois seule dans la cour, l'image du corbeau lui revint. Elle n'avait plus le cœur à jouer. D'ordinaire, quand Jean-Joseph remontait, elle imaginait des histoires, inventait un abri dans un recoin, un prince sur le toit qui viendrait la délivrer d'une prison, des animaux invisibles à qui elle parlait. Elle avait inventé Créma, la sœur de Crème, qui, elle, vivait à Paris. Mais ce soir-là, elle n'arrivait pas à penser à autre chose qu'à ce trajet qu'elle devrait faire seule dans Paris. C'était étrange, quand elle vivait à Salies, les longues marches en solitaire ne l'effrayaient pas du tout. Au contraire. Mais à Paris, il y avait tant de monde qu'elle ne connaissait pas, tant de bruit et d'agitation qu'elle avait l'impression que la ville pouvait l'engloutir.

Le temps passait, et il faudrait remonter bientôt mais elle n'en avait pas envie. Depuis le début Diane ne disait rien de plus que : « On va manger », « Je vais travailler », « Il faut dormir », « Range la chambre ». Que s'était-il passé pendant la guerre ? Pourquoi avait-elle mis plus d'un an à venir la chercher ? Qu'est-ce que ça voulait dire A-21.352, sur son bras ? D'où étaient-ils revenus Monsieur Marcel et elle, comme disait Madame Léa ? Pourquoi sa mère ne répondait-elle jamais à ses questions ? Qu'est-ce qui l'empêchait de lui expliquer ? Chaque fois qu'on lui demandait quelque chose, Alice cherchait toujours la meilleure réponse. Sa mère se taisait, impassible. Alice trouvait ça insupportable. Il devait bien y avoir un moyen de faire réagir Diane ?

En apercevant quelques morceaux de charbon qui traînaient, elle eut une idée.

*

Alice enfila son gilet pour passer à table. En temps normal, elle rechignait à partager ce moment. Elle ne supportait plus la soupe insipide que sa mère préparait, ni le pain noir au goût si prononcé que Monsieur Marcel s'entêtait à acheter. Une fois par semainc ils avaient de la viande, une fois par mois du poisson. Sinon leur régime quotidien était à base de pommes de terre, de poireaux et de navets, la plupart du temps obtenus en les troquant contre du tissu ou un vieux livre. Sa mère et Monsieur Marcel devaient garder le plus d'argent possible pour le développement. Le développement de quoi, Alice l'ignorait. La guerre était finie depuis longtemps, mais ils étaient toujours rationnés pour certains aliments, et il était difficile de bien se nourrir. Alice, qui n'avait jamais connu autre chose que la guerre, essayait de comprendre pourquoi le boucher était si désolé de présenter sa vitrine. Elle se demandait à quoi ça pouvait ressembler de la vraie bouffe, comme il disait.

Mais ce soir-là, le repas avait peu d'importance et Alice avait du mal à contenir son excitation. Elle se moquait de la soupe et d'entendre sa mère et Monsieur Marcel aspirer trop fort le contenu de leur cuillère. Elle espérait qu'avec sa surprise, elle attirerait enfin leur attention.

Comme des automates, les adultes s'installèrent et se servirent un bol de potage. Alice retroussa ses manches au ralenti. Elle voulait qu'ils la regardent, mais ils étaient trop concentrés sur leur dîner. Elle tendit le bras et saisit la louche avec une lenteur anormale. Elle approcha son bol, et se servit une petite portion, puis une autre et encore une, déployant chaque fois son bras, avec une ampleur exagérée. Sa mère finit par lever les yeux et fit aussitôt tomber sa cuillère. Diane porta ses mains à sa bouche pour atténuer son cri, mais la terreur dans sa voix glaça le sang d'Alice. En quelques secondes, elle sut que la situation lui avait échappé.

– Qva ? Qu'est-ce qui sé passe ? demanda Monsieur Marcel, effrayé, de l'autre côté de la table.

Diane était incapable de répondre. Elle se leva, s'éloigna de la table et pointa du doigt le bras d'Alice.

– Qva ? Qu'est-ce qu'elle a ? interrogea-t-il en se tournant vers Alice.

Mais Diane, sidérée, se contentait d'agiter les mains comme si elle montrait un assassin à des policiers. Alice déglutit. Elle regarda la pièce autour d'elle. Bon sang ! Pourquoi avait-elle fait ça ? Elle voulait juste les surprendre pour qu'ils lui parlent enfin ! Mais là, sa mère avait la même expression que les poules au moment où Jeanne approchait son couteau de leur gorge pour les tuer.

Soudain Monsieur Marcel lui saisit le bras et le retourna. Ses sourcils se dressèrent, sa bouche se plissa et il resserra ses doigts. En lettres de charbon noir, Alice avait écrit A-534.276. Un mélange des tatouages de sa mère et de Monsieur Marcel.

– Pourqva ti l'as écrit ça ? cria-t-il.

Alice essayait de tirer son bras pour qu'il la lâche, mais il la serrait davantage. Elle pouvait sentir ses ongles pénétrer sa chair. Elle avait mal, et dans sa tête c'était le vide.

– Je sais pas..., répondit-elle.

– Mais ti l'es complètemont folle ! Pétite mauvaise ! Effrontaye ! Ti mériterais qué... qué...

Monsieur Marcel cherchait ses mots, mais plus il réfléchissait, moins il réussissait à formuler quoi que ce soit. Il regardait Diane, hébété, puis Alice, sans trouver de point d'accroche. Alice réussit à dégager son bras et le massa à l'endroit où Monsieur Marcel l'avait agrippée. Il était tout rouge, et des traces d'ongles marquaient sa peau. Alice lécha son doigt et effaça vite le numéro. Un nuage gris recouvrit les traces rouges.

Elle se sentait sale. Elle avait honte de leur avoir fait tant de mal à tous les deux. Le pire, c'était qu'elle ne comprenait même pas pourquoi. Qu'est-ce que ça voulait dire à la fin ces numéros ? Qu'avait-elle fait de si grave ? Elle sentit des larmes couler sur ses joues. Elle fixa ses chaussures et s'essuya le plus discrètement possible. Mais bientôt les sanglots furent plus forts. Elle céda aux pleurs. Son nez coulait, ses yeux piquaient, son bras lui faisait mal. Elle avait envie de voir Jeanne, elle voulait être à Salies, retourner en arrière, quand rien de tout cela n'était réel. Monsieur Marcel attrapa le col de son gilet et la secoua. Il s'approcha si près d'elle qu'elle fut saisie par son haleine chargée et des postillons giclèrent sur son visage quand il se mit à parler :

– Ti arrêtes tes caprices et ti vas dans ta chombre.

– J'ai pas sommeil.

– Qui parle dé sommeil ? Ti vas réfléchir !

Alice s'exécuta et claqua la porte. Elle ne prit pas le temps de défaire sa queue-de-cheval, ni de se déshabiller. Perdue, elle se coucha telle qu'elle était, serra fort son oreiller et ferma les yeux. Elle s'endormit aussitôt.

*

Un peu plus tard, elle fut réveillée par un mouvement dans le lit : sa mère se couchait à son tour. Alice la regarda dans les yeux. Elle aurait aimé lui parler, mais elle ne savait pas quoi dire. Diane s'en ficherait probablement, elle se tournerait vers l'armoire, comme d'habitude, et dans quelques minutes, quelques heures peut-être, elle se mettrait à crier. Le lendemain, tout recommencerait, exactement comme les autres jours. Alice avait envie que tout ce cirque s'arrête. Comment faire pour que les choses soient enfin simples ?

– Pardon.

À sa grande surprise, sa mère s'approcha et la prit dans ses bras.

– Maman, je…

– Chut, l'interrompit Diane.

Ce n'était pas le même « Chut » que d'habitude.

C'était un « Chut » qui voulait dire : « Ne t'inquiète pas, je te pardonne, je suis là. » Sa mère resta collée à elle un moment. Elle passa sa main sur le bras marqué d'Alice, et frotta doucement, comme pour effacer à sa manière ce qui venait de se passer. Pour la première fois, Alice l'embrassa sur la joue. Sa mère sursauta, puis elle sourit et lui caressa le front. Soudain, Diane se mit à tousser. Encore cette vilaine toux. On aurait dit que sa poitrine était écrasée, et qu'elle manquait d'air. Elle se leva et murmura :

– Je reviens. Rendors-toi.

Alice ne pouvait plus fermer les yeux. Sa mère l'aimait-elle alors ? Elle entendait Diane tousser derrière la porte. Monsieur Marcel essayait de la calmer. Il fit couler l'eau du robinet, probablement pour lui donner à boire. Et il dit :

– Il faudrait quond même voir lé docteur.

– Non, ça va passer. J'ai toujours été sensible aux changements de saison.

Puis Diane revint dans la chambre et s'allongea en tournant le dos à Alice. Sa mère ne l'aimait-elle déjà plus ?

– Je t'ai écrit l'adresse de Mme Bajon sur un papier, à côté de ton bol sur la table. Ce n'est pas loin d'ici, tu pourras y aller à pied, je t'ai tout expliqué sur le mot, tu verras.

Alice remercia sa mère. Au moins, elle n'avait pas à prendre le métro seule. Elle observa la chambre : la grande armoire, les bouts de tissu sur le sol, son baluchon vide. Elle se demanda ce que ferait Jeanne à sa place. Puis de pensée en pensée, elle se rappela leur dernier Noël ensemble. Jeanne avait réussi à obtenir une orange qu'elle lui avait offerte. Elles avaient chanté des comptines de fête, puis elles étaient allées à la messe de minuit. Alice se souvenait de la crèche, du petit Jésus dans les bras de Marie, Joseph, debout qui regardait au loin, les rois mages, elle aimait beaucoup le nom de Balthazar. Balthazar ! Quelle puissance. Balthazar. Et puis les animaux, l'âne, le bœuf, les moutons. Elle se dit que finalement, le petit Jésus aussi avait une famille compliquée. Peut-être qu'il suffisait de prier ?

Depuis qu'elle était arrivée à Paris, elle avait arrêté. Elle devait absolument recommencer. Jeanne serait furieuse sinon. Doucement, elle rapprocha ses mains, et dans sa tête elle s'adressa à Dieu : « S'il vous plaît, mon Dieu. Faites que tout aille bien. Faites que ma maman m'aime. Faites que Monsieur Marcel retrouve ses filles et sa femme. Faites que mon père revienne, qu'il ne soit plus inconnu. S'il vous plaît, mon Dieu, faites que l'on soit heureux et qu'on oublie la guerre. S'il vous plaît, mon Dieu, faites qu'on ait enfin une vie normale, que les choses arrêtent de changer tout le temps. »

Elle réfléchit un moment. Elle n'avait plus rien à demander. Alors elle récita « Je vous salue, Marie », comme Jeanne lui avait appris, et son bras cessa de lui faire mal. Elle se sentit apaisée. Dorénavant elle prierait chaque jour.

*

Le lendemain matin, Alice but son café puis partit à l'école. À la sortie des cours, elle irait directement chez Mme Bajon. Sa mère avait écrit sur la note : « Dos à l'école, prendre à gauche, à droite à la troisième rue, gauche droite gauche et tout droit jusqu'au numéro 58. » Ça semblait simple. Pourtant Alice y pensa toute la journée. Quand le moment fut venu, elle sortit la note de sa poche. Jean-Joseph vint à sa rencontre pour faire le trajet jusqu'à chez eux, et elle lui expliqua la situation.

– Si tu veux, je viens avec toi ! Je t'attendrai en bas, proposa-t-il.

Alice aurait tant donné pour qu'il lui dise ça la veille ! Si ça se trouvait, elle n'aurait pas eu cette idée stupide de s'écrire un numéro sur le bras, et elle aurait passé une soirée plus tranquille. Mais à présent, elle se sentait suffisamment forte pour affronter ce rendez-vous sans aide extérieure.

– Non, c'est gentil. Mais quand je reviens, je passe te chercher.

– Pas de problème. Et au fait, demain soir, on a du boulot, on va gagner deux francs chacun. Je t'explique tout à l'heure.

– D'accord.

Plus le temps passait, plus Alice s'attachait à Jean-Joseph. Elle avait déjà eu des amis jusque-là, plutôt des filles. Quand elle vivait à Salies, elle aimait beaucoup Marie, mais il y avait toujours une distance. Elle sentait que les filles gardaient pour elles une partie de leur vie, et surtout, Alice craignait toujours que la situation change, qu'à l'image de Claudine et Giselle, les autres lui tournent le dos un jour, sans raison. Avec Jean-Joseph, c'était différent. Après Jeanne, il était la seule personne en qui elle avait confiance. À l'école, des élèves d'autres classes les avaient taquinés en leur criant : « Oh les amoureux ! »

– N'importe quoi ! avait répondu Jean-Joseph.

Alors Alice avait renchéri en haussant les épaules, l'air dédaigneux :

– Je suis pas amoureuse !

Jean-Joseph avait semblé déçu puis hoché la tête, comme pour dire que c'était évident, mais ses yeux étaient tristes. Il avait enfoui ses mains dans ses poches et était resté silencieux pendant tout le trajet du retour. Alice n'avait pas voulu lui faire de peine. Simplement, elle n'avait jamais réfléchi à ses sentiments. Qu'est-ce que ça voulait dire être amoureux ? Tout ce qu'elle savait, c'était qu'elle tenait beaucoup à Jean-Joseph, qu'il était son meilleur ami sur cette terre. Et pour elle, c'était déjà beaucoup.

– Bon alors à tout à l'heure, docteur Jean-Joseph ! lui dit-elle en lui faisant un clin d'œil.

Et son ami s'en alla en riant.

Alice serrait fort le morceau de papier dans sa main. À chaque fois qu'elle croisait une rue, elle vérifiait à plusieurs reprises qu'elle suivait le bon itinéraire, et comme si cela ne suffisait pas, elle arrêtait un nouveau passant tous les vingt mètres pour qu'il le lui confirme : elle voulait être tout à fait sûre de la rue où elle se trouvait et de la direction prise. En arrivant au numéro 58, elle constata que le morceau de papier était tout froissé. Elle le plia et le rangea dans son cartable.

Le bureau de Mme Bajon était au deuxième étage. Elle sonna à la porte et une secrétaire vint lui ouvrir.

– Alice, c'est bien ça ?

– Oui, madame.

– Tu es toute seule ? Ta mère n'est pas avec toi ?

– Non.

Au regard étonné que lui adressa la secrétaire, Alice comprit que l'absence de sa mère n'était pas normale, elle essaya de la justifier :

– Elle est désolée, elle a beaucoup de travail. Mais elle m'a bien expliqué comment venir.

D'un air dubitatif, la secrétaire hocha la tête.

– Va donc t'asseoir, Mme Bajon va te recevoir dans peu de temps.

*

Dans la salle d'attente, il y avait un autre enfant, avec ses deux parents, et une dame qui attendaient. Alice eut à peine le temps de les observer que Mme Bajon apparut dans l'embrasure de la porte.

– Bonjour, Alice. Tu viens avec moi ?

Ce n'était pas vraiment une question, pensa Alice, puisqu'elle n'avait pas le choix. Elle suivit docilement l'assistante sociale dans une petite pièce. Des piles impressionnantes de dossiers étaient éparpillées sur le bureau. Derrière, des étagères encombrées de caisses et de fichiers empêchaient la lumière du dehors d'éclairer suffisamment.

– Nous venons d'emménager dans ces locaux… je ne sais pas encore pour combien de temps. Comme tu peux le voir, beaucoup d'enfants sont dans des situations difficiles.

Alice acquiesça.

– Et si tu me racontais comment se passe la vie avec ta maman ?

Alice était surprise de cette question.

– Bien.

– Bien, c'est tout ?

– Très bien, affirma Alice avec un sourire.

– Vous faites quoi par exemple toutes les deux ? Qu'est-ce que tu manges le soir ? Comment se passe l'école ?

Mme Bajon posait ces questions d'une voix la plus neutre possible, mais Alice avait l'impression que d'autres questions se cachaient derrière, et elle n'aimait pas ça. Il fallait qu'elle soit vigilante. Si elle ne répondait pas ce que l'assistante sociale voulait entendre, il y aurait des conséquences. Et pas des bonnes, elle en était certaine. Elle cherchait des anecdotes à raconter, un moment joyeux sur lequel appuyer son récit, mais n'en trouvait pas. Elle ne pouvait pas parler des silences, de la soupe, du café le matin, ni raconter le Lutetia, ou les numéros. Repenser à tout ça lui fit de nouveau mal au ventre, et elle eut envie de pleurer. Heureusement, cette fois, elle réussit à se calmer. Elle repensa à sa prière de la veille, et se sentit plus forte. Elle fixa Mme Bajon droit dans les yeux et lui dit :

– Ma mère m'a cousu une robe, et Monsieur Marcel l'a repassée. Tous les dimanches, nous allons nous promener, et nous sommes même allées une fois à la tour Eiffel. Ma mère fait toujours attention à ce que je mange correctement le matin, le midi et le soir. Dans nos repas, il y a des légumes, de la viande et même du poisson, chaque semaine. Ma mère travaille beaucoup pour ça.

Elle se tut quelques secondes, et ajouta, comme un argument décisif :

– L'autre jour, elle m'a même dit que j'étais son soleil.

Alice déglutit. Dire tous ces mensonges la perturbait. C'était comme raconter ses vœux à quelqu'un d'autre qu'à Dieu. Pourraient-ils quand même se réaliser ? Elle espérait que oui.

– Je vois. Donc tu es heureuse depuis que tu vis à Paris ? lui demanda enfin Mme Bajon.

– Oui. Très heureuse.

– Parfait. À présent déshabille-toi, le médecin va t'examiner.

D'un coup, Alice se mit à transpirer et s'agita sur sa chaise.

– Pourquoi ? Pourquoi m'examiner ? Je savais pas...

– Ne t'inquiète pas, c'est une visite médicale de principe, simple formalité. Enlève tes vêtements mais garde ta culotte. Je reviens après.

Mme Bajon sortit de la pièce. Alice avait envie de s'enfuir. Elle hésita. Si elle partait maintenant, peut-être que personne ne s'en rendrait compte. Mais ils renverraient une lettre et elle serait obligée de revenir. Elle eut beau chercher, aucune idée ne lui vint. Elle était coincée. Qu'est-ce que le médecin allait lui faire ? Elle espérait qu'il n'y aurait pas de piqûre. Elle détestait ça. On lui en avait fait une, une fois, à Salies, et elle en gardait un souvenir effroyable.

On frappa à la porte, et avant même qu'elle puisse répondre, une dame en blouse blanche entra :

– Eh bien, jeune fille, pourquoi êtes-vous toujours habillée ?

La dame n'avait pas l'air méchant. Au contraire, elle la faisait un peu penser à Jeanne. Partiellement soulagée, Alice ôta ses chaussures, ses chaussettes, puis sa tenue. Le médecin écouta son cœur. Elle lui demanda de respirer fort, puis de tousser. Avec un petit marteau en bois, elle donna un léger coup indolore sur ses genoux. Elle lui demanda de toucher ses orteils avec ses doigts, puis d'ouvrir la bouche et de dire : « Ahhhh » quelques secondes.

– C'est parfait ! Tu peux te rhabiller, déclara-t-elle.

Mais au moment où Alice attrapait sa chaussette, le médecin l'interrompit et pointa son bras :

– Qu'est-ce que c'est que ces marques ?

Depuis la veille, la rougeur s'était transformée en un gros bleu, et il y avait encore des traces d'ongles.

– C'est rien, répondit-elle, paniquée, en cachant sa blessure de sa main.

– Comment tu t'es fait ça ?

– Je... je... je ne sais plus.

Le médecin la regarda d'un air bizarre. Elle ne la croyait pas, Alice le voyait bien, mais elle ne savait pas quoi dire, ne trouvait pas d'excuse. Les images de la veille envahissaient son esprit, impossible de s'en détacher.

– Quelqu'un t'a frappée, Alice ?

– Non...

– Mmm. Je vois. Reste là un instant.

Le médecin sortit et Mme Bajon réapparut.

– On m'a dit que tu t'étais fait mal au bras récemment, et que tu ne te souvenais plus de ce qui s'était passé ?

Voilà, elle avait tout raté. Mme Bajon allait mettre sa

mère en prison. Monsieur Marcel aussi peut-être. Et elle serait envoyée dans un orphelinat rempli de Mme Bajon. Non, elle ne pouvait pas laisser faire ça. Elle devait trouver quelque chose, les rassurer. Alice se ressaisit, et d'une voix aussi ferme que possible, elle répondit :

– Si ! Je suis tombée à l'école. C'était dans la cour.

Mme Bajon la dévisagea un moment. Alice se balançait d'une jambe sur l'autre, elle avait envie d'être dehors, n'importe où sauf ici.

– Très bien. Mais si tu as le moindre problème à la maison, Alice, tu peux revenir, nous sommes là pour toi.

Mme Bajon avait l'air de croire à ce qu'elle disait. Elle y avait mis beaucoup de conviction et de solennité. Alice la remercia, termina de se rhabiller et s'en alla. Une fois dehors, elle s'assit sur un banc. Elle avait besoin de respirer.

7.

Paris, février 1947

Deux fois par semaine, Alice et Jean-Joseph effectuaient de petits travaux qui leur rapportaient généralement un franc, parfois deux. La plupart du temps, ils montaient les courses des personnes âgées à leur domicile. Ils livraient les baguettes de la boulangerie aux brasseries du quartier. Parfois, ils descendaient les matelas des voisins dans la cour, quand le vendeur ambulant venait dans le coin et criait : « Rembourrez vos matelas ! Jusqu'à demain en bas de chez vous ! »

Descendre un matelas dans les escaliers n'était pas une mince affaire, le remonter encore moins. C'était lourd, difficile à saisir. Lorsqu'on attrapait un côté, l'autre se courbait et Alice et Jean-Joseph manquaient de tomber. Il leur était impossible d'attraper à la fois le haut et le bas, parce qu'ils étaient trop petits. Alors ils devaient alterner une prise en bas, une prise sur le côté, et dans les virages, l'un d'eux se mettait au centre du matelas pour le supporter sur son dos, le temps de tourner, et que l'autre le relaie. Il fallait se contorsionner, se dépêcher pour ne pas gêner les gens de l'immeuble, et ne pas se faire prendre la place par d'autres porteurs dans les appartements voisins. Une fois en bas, le marchand rembourrait le matelas, et les formes creuses disparaissaient. Il recousait soigneusement les côtés, et le matelas était comme neuf. Alors, il fallait le remonter.

Il était plus lourd qu'à l'aller, et l'effort pour gravir les escaliers beaucoup plus dur. Les bras, les mains, les épaules d'Alice tiraient, comme si ses muscles se déchiraient de l'intérieur, ses jambes la brûlaient à force de supporter tout ce poids en montant des marches. C'était comme d'aller chercher de l'eau au puits de Salies, mais avec un chaudron immense en guise de seau.

À bout de souffle, Alice et Jean-Joseph marquaient une pause à chaque palier, et repartaient, découragés par le nombre de marches qui leur restait. Le soir, ils étaient si épuisés qu'ils n'avaient même pas faim et allaient directement se coucher. Le lendemain, ils avaient des douleurs partout. Jean-Joseph appelait ça des courbatures, il l'avait lu dans le livre de médecine. Ils souffraient à des endroits où ils n'auraient jamais cru avoir des muscles ! Impossible de jouer, ils s'asseyaient dans un coin de la cour, et regardaient dans le vide, jusqu'à l'heure du dîner.

Mais ça en valait la peine : descendre et remonter un matelas leur rapportait quatre francs chacun ! Au bout de deux mois et demi, Alice avait déjà rassemblé vingt-sept francs. Elle n'en revenait pas. Chaque soir, en rentrant de l'école, elle se précipitait chez elle pour ouvrir le petit porte-monnaie en tissu que Monsieur Marcel lui avait cousu. Elle étalait tous ses sous sur le lit, puis c'était le moment qu'elle préférait : elle les comptait, pièce par pièce, en faisant des petits tas de cinq. Vingt-cinq. Vingt-six. Vingt-sept. Plus que huit francs et huit kilos de pommes de terre, et elle aurait sa flûte. Elle l'avait dit au vagabond, qui continuait de venir une fois toutes les deux semaines à présent. Il lui avait promis qu'il lui apprendrait comment jouer les notes de base, et comment déchiffrer. Pour le reste, elle devrait se débrouiller et s'entraîner seule. Il lui avait dit aussi que si elle était sérieuse, en quelques mois, elle pourrait jouer un morceau de Bach dont il lui procurerait la partition pour pas cher. Elle aurait le temps d'ici là de gagner de nouveaux sous.

Elle s'imaginait déjà emportée par la mélodie. Elle fermerait les yeux et se laisserait transporter. Elle serait partout à la fois. Sa douce musique lui ferait survoler le monde et le temps. Il n'y aurait plus jamais aucun silence, puisqu'elle l'habiterait de ses notes. Huit sous, et elle remplacerait le vide par la beauté. Huit sous, et il n'y aurait plus de noir chez elle. Elle avait hâte !

Alice avait tout prévu. Elle savait qu'elle n'aurait pas le droit de répéter chez elle, ça dérangerait sûrement sa mère et Monsieur Marcel. Alors elle avait cherché des solutions. Elle en avait trouvé deux, l'une seule et l'autre avec l'aide de Jean-Joseph. À l'école, il y avait une salle dans laquelle avait lieu le cours d'éducation musicale. La plupart du temps, on ne faisait qu'y apprendre des chansons, et Alice trouvait ça ennuyeux. Mais elle avait remarqué que le soir, la salle était vide après la fin des classes et de l'étude. Elle avait donc demandé à sa maîtresse s'il lui serait possible de venir répéter une à deux fois par semaine au moins, dès qu'elle aurait sa flûte. La maîtresse avait promis de se renseigner auprès de la directrice, et à la grande joie d'Alice, la directrice avait accepté, à condition que tout soit en place le lendemain matin. Alice avait promis qu'elle ne toucherait à rien dans la salle, et elle était très fière d'avoir osé demander une telle faveur.

La deuxième solution se trouvait en sous-sol. Jean-Joseph avait réussi à ouvrir une trappe dans la cour, qui menait directement aux caves de l'immeuble, pour la plupart inutilisées. Dans l'une d'entre elles, il avait installé son cabinet. Il avait dessiné un squelette sur un carton, qu'il avait accroché au mur, rassemblait des emballages de médicaments, et tous les livres de médecine qu'il pouvait trouver. C'était pour s'entraîner en attendant le vrai cabinet, avait-il expliqué. La cave était partiellement éclairée, et Jean-Joseph avait proposé à Alice de lui prêter son lieu secret pour ses répétitions.

– Tant que ce n'est pas pendant les heures de consultation ! avait-il ajouté en riant.

Le monsieur des matelas devait revenir deux semaines plus tard. Elle avait calculé qu'avec les tâches habituelles, elle aurait le total de la somme espérée dans dix-sept jours, patates comprises, puisqu'elle irait le week-end suivant à Montfermeil avec Jean-Joseph. Il lui tardait que le temps passe, et de tenir enfin sa flûte traversière entre ses mains !

*

Quand Alice rentra chez elle, Diane lui demanda :

– Voudrais-tu aller au cinéma avec moi ?

Alice se figea. Elle prit quelques secondes pour être sûre d'avoir bien compris ce qu'elle venait d'entendre. Sa mère lui proposait de passer un moment avec elle. Aller au cinéma ! Elle en rêvait depuis des mois ! Mais elle n'avait pas l'âge d'y aller seule. Jean-Joseph lui avait déjà dit que c'était facile de resquiller, mais elle préférait se concentrer sur la flûte. Ils iraient plus tard. Du coup, la double surprise était de taille. Alice fit un grand sourire et sautilla sur place. Évidemment qu'elle voulait !

– Ils projettent de nouveau *Citizen Kane* au Grand Rex. Tu es encore un peu jeune, mais c'est un film très intéressant et j'aimerais que tu le voies.

– D'accord ! Quel jour on ira ?

– Tout de suite !

Alice pensa immédiatement à la livraison de pain qu'elle devait faire aux brasseries quelques minutes plus tard. Elle n'osait pas demander à sa mère d'attendre, encore moins de reporter leur sortie. Et si elle ne lui proposait plus jamais rien ? En même temps, elle perdait une journée pour ses économies… Elle n'était jamais allée au cinéma. *Citizen Kane*. Elle aimait la sonorité de ce titre. Quand on le prononçait, il était puissant et il coulait dans la bouche.

Soudain sa mère enfila sa veste et lui sourit. Alice était transportée : sa mère lui souriait, elle lui proposait une sortie. Peut-être achèteraient-elles des friandises ? Elle avait entendu dire qu'au cinéma, on vendait des bonbons… Peut-être même qu'après le film, elles iraient à la tour Eiffel ? Aujourd'hui, elle ne livrerait pas le pain. Tant pis, un franc en moins. Elle se rattraperait. Elle enfila son manteau et rejoignit sa mère qui l'attendait déjà sur le palier.

Elles marchaient depuis une vingtaine de minutes, quand un homme les interpella :

– Diane ! C'est toi ?

Alice observa sa mère. Elle semblait très surprise de voir ce monsieur.

– Georges ! Mais je croyais que tu vivais à Nice maintenant.

– Oui, je suis là pour… affaires.

– Je vois.

Ils se souriaient en disant ça. Alice ne comprenait pas vraiment ce qu'il y avait de drôle.

– Je suis si heureux de te voir. Je n'osais pas te contacter. Avec tout ce qui s'est passé…

– Ne t'en fais pas.

Comme s'il venait de s'apercevoir de sa présence, l'homme posa sa main sur l'épaule d'Alice.

– Mon Dieu ! C'est la fille de Vago ?

Diane blêmit.

– Non… Heu… C'est Alice.

Elle semblait très gênée :

– Nous devons y aller, nous allons au cinéma.

– Excuse-moi, je…

L'homme essayait de retenir Diane, mais elle avait recommencé à marcher. Elle fit signe à Alice de la suivre. Sa main tremblait.

– Diane, on pourrait se revoir ?

Sans se retourner, Diane répondit :

– Oui, je te contacterai.

Elles traversèrent. Alice jeta un coup d'œil derrière elle. L'homme les observait. On aurait dit une statue.

Il avait pensé qu'Alice était la fille de Vago. Ce n'était donc pas le pseudonyme de Diane ? Si sa mère n'était pas comme George Sand, alors qui était ce Vago ? Un homme que sa mère avait connu au point qu'un ancien ami s'imagine qu'Alice était sa fille… Au lieu d'une réponse, elle avait récolté de nouvelles questions. Ça ne finirait donc jamais ?

*

Alice et sa mère restèrent silencieuses jusqu'à l'arrivée au cinéma. Là, elles firent la queue devant un immense bâtiment situé sur un boulevard très bruyant et très large.

– On appelle ça les Grands Boulevards, précisa sa mère. Ils t'emmènent de la République à l'Opéra.

– Je ne suis jamais allée à l'Opéra.

– Moi non plus !

– Mais tu es déjà allée au cinéma ?

Diane parut soudain songeuse.

– Oui, j'aimais beaucoup ça, finit-elle par répondre.

Alice sentit que sa mère pensait à autre chose, mais elle ne posa pas de questions. Elle devait être encore sous le choc de cette rencontre inattendue. Ce n'était pas le moment de creuser même si elle en mourait d'envie. Elles donnèrent leurs tickets à l'ouvreuse. Comme Alice en avait rêvé, Diane lui acheta un bonbon. Ils étaient très chers, mais sa mère ne fit aucune remarque sur le prix. Elle paya et tendit la friandise, comme si c'était normal, qu'elle faisait ça souvent. Elles entrèrent dans une salle sans lumière. En chuchotant, sa mère lui indiqua deux sièges libres dans les rangs du fond.

– Mais il y en a devant aussi.

– Au cinéma, on est mieux derrière, tu verras.

Alice suivit sa mère et elles s'installèrent dans de larges fauteuils rouges. Un immense écran leur faisait face. On y voyait un homme avec une chemise très sale, qui rentrait chez lui, sous le regard désabusé de sa femme. Une voix disait alors : « Ne laissez pas votre mari salir votre réputation de bonne épouse. Utilisez Vedette, votre alliée pour du linge propre. »

Alice était embêtée.

– On est en retard, le film a commencé.

– Non, c'est la réclame. Ils présentent des produits que l'on peut acheter. Après il y aura les actualités, et après, le film commencera.

Alice, rassurée, glissa le bonbon sur sa langue. Elle aimait le coller sur son palais, et le lécher. Sa bouche entière se parfumait du goût sucré. Elle avait l'impression que plus elle suçait le bonbon, meilleur encore il devenait. Une musique sérieuse annonça le journal, et au même moment, une personne s'assit juste devant elle, et lui cacha l'écran. Elle se dandina de gauche à droite, mais cette grosse tête restait au cœur de son champ de vision.

Sa mère ôta sa veste, la plia pour former une petite boule et la lui tendit.

– Assieds-toi dessus.

Alice obéit et put de nouveau voir l'écran. Elle ne savait pas ce qui lui faisait le plus plaisir : que sa mère l'ait aidée ou que sa vue soit dégagée. Les informations commencèrent par des nouvelles qui se passaient en France. Alice ne comprit pas tout. On parlait d'économie, comme quoi la situation allait bientôt s'arranger. Il y eut ensuite quelques mots sur l'Angleterre où on vivait moins bien qu'en Allemagne tant les rationnements étaient terribles. Diane soupirait et faisait non de la tête.

– Quelle honte.

Alice ne commentait pas, elle sentait que sa mère ne s'adressait pas vraiment à elle. Puis il y eut une autre musique, encore plus sérieuse, et Alice lut sur l'écran : « Flash spécial ». La photographie d'un homme fut projetée et une voix, très grave, annonça : « Dans quelques jours, ouverture du procès d'Auschwitz par le Tribunal suprême de Pologne. Rudolf Höss, ancien commandant du camp, sera jugé et probablement condamné. Rappelons que Höss a été arrêté par les troupes britanniques le 11 mars 1946. Il a témoigné lors du procès de Nuremberg. » Soudain Alice sentit sa mère se crisper. Pourquoi réagissait-elle ainsi ? Connaissait-elle ce Rudolf Höss ? Elle voulut le demander, mais Diane se mit à suffoquer et une quinte de toux la paralysa.

C'était la pire de toutes celles auxquelles Alice avait assisté. Des larmes coulaient sur les joues de sa mère, et ses lèvres se tordaient en une grimace horrible. Elle appuyait sur sa poitrine avec une main, et plaquait l'autre sur sa bouche. Des spectateurs, agacés, se retournèrent, d'autres lui dirent de se taire ou de sortir. Alice ne comprenait pas pourquoi ils ne les aidaient pas au lieu de les disputer. Que pouvait-elle faire ? Il n'y avait pas de verre d'eau ici...

Sa mère lui fit signe de se lever, et elles quittèrent la salle. Diane avait beaucoup de difficulté à marcher, elle n'arrivait pas à reprendre son souffle. Elle s'assit sur un banc dans la rue. Elle toussait tellement qu'elle se pliait en deux, la tête sur les genoux. Alice paniqua, comment allaient-elles faire pour rentrer ? Elle ne se souvenait pas du chemin. Comment trouverait-elle un docteur ici ? Elle tournait autour du banc, à la recherche d'une solution, d'une idée... Mais rien ne venait, elle avait trop peur.

Soudain, un garçon de café s'approcha d'elles et tendit à Diane un verre d'eau.

– Tenez, madame.

– Merci beaucoup, répondit Diane, de façon à peine audible.

– Un de nos clients s'est proposé de vous reconduire chez vous avec votre fille. Il est en voiture.

– Non, ça va aller.

Mais Alice coupa la parole à sa mère :

– Merci beaucoup, monsieur, nous acceptons.

Diane regarda Alice, étonnée par son aplomb. Alice ne se laissa pas déstabiliser et fixa le serveur jusqu'à ce qu'il fasse signe à l'homme en question. C'était un monsieur assez âgé. Plus vieux que Monsieur Marcel en tout cas.

– Eh bien, ma bonne dame ! Vous avez pris froid. Je vais vous reconduire, leur dit-il tandis qu'il s'avançait vers elles.

– Merci, monsieur, nous habitons rue Pavée, répondit Alice, d'un ton à la fois pressant et gêné.

– Très bien, ma chère.

L'homme semblait surpris de devoir s'adresser à une enfant.

– Attendez-moi là, je vais chercher ma voiture.

Le véhicule traversa les rues de Paris mais le charme avait disparu. Alice ne retrouvait plus la beauté des immeubles qui l'avait fascinée quelques heures plus tôt en venant. Le silence était pesant, et l'homme au volant avait vite cessé de poser des questions. En bas de la maison, il avait ouvert la porte à Diane. Elle avait commencé à lui tendre la main, mais la toux avait repris et elle s'était précipitée à l'intérieur. Alice l'avait suivie. Une fois à l'appartement, sa mère se coucha sur-le-champ et s'endormit. Alice posa un verre d'eau sur sa table de chevet et s'allongea à son tour. Elle n'avait pas faim. Elle était contrariée de ne pas avoir vu le film, et de n'avoir pas gagné d'argent avec les baguettes. Elle n'avait même pas pu parler avec sa mère. Cette soirée, c'était vraiment du gâchis.

*

Depuis une semaine déjà, Diane avait des crises presque tous les jours. Plus elle toussait, plus Alice se concentrait sur sa flûte pour se changer les idées. Elle y consacrait tous ses moments libres. Ce matin-là, elle se dépêchait de boire son café. Elle avait rendez-vous avec Jean-Joseph en bas de l'immeuble. Le réparateur de chaises était là, et avait besoin de mains fortes pour aller chercher les chaises des voisins, ainsi que pour ses livraisons.

Au moment où Alice posa sa tasse dans l'évier, elle entendit le « Bonjour ! Bonjour ! » de Madame Léa. Ses joues se crispèrent avant même que Madame Léa ne les ait pincées. Mais pourquoi continuait-elle de le faire alors qu'elle voyait bien qu'Alice détestait ça ? Même Diane l'avait remarqué, et souriait chaque fois qu'elle assistait au pénible rituel. Alice souffla fort, leva les yeux au ciel, on ne savait jamais, peut-être que cette fois Dieu lui viendrait en aide… Mais non. Comme d'habitude, Madame Léa lui pinça la joue et la secoua en disant dans un grand sourire :

– *Oy !* Ci joues ! On en mongerait ! Pétit *katzele* !

Alice se dégagea.

– Bonjour, Madame Léa. Je dois y aller.

– Et où ti vas ?

– Je vais travailler !

– Travailler ? Mais quel âge qué ti as ?

– Bientôt dix !

– À dix ans, on s'amise ! On joue !

– Je veux m'acheter une flûte, dit Alice, très fière.

– *Oy !* Dix ans et déjà prisonnière di travail !

Madame Léa avait l'air navré. Diane ne semblait pas partager son point de vue, mais elle ne dit rien.

– La mère de Jean-Joseph, elle travaille pas et c'est comme si elle était prisonnière chez elle. Alors que quand on travaille, on peut faire ce qu'on veut, dit Alice.

– Pas toujours, *katzele*.

Madame Léa semblait soudain songeuse.

– Si ! Le travail, ça rend libre.

Madame Léa et Diane regardèrent Alice avec de grands yeux désemparés.

– Quoi ? demanda Alice, étonnée de cette réaction.

Ni l'une ni l'autre ne répondit.

– Quoi ? Qu'est-ce que j'ai dit ? Maman, toi aussi tu travailles ! Vous aussi, Madame Léa ! Alors quoi ?

– Rien, *katzele*. Rien.

Après un bref silence, Madame Léa ajouta :

– Bon. Jé vais y aller.

Diane hocha la tête et s'installa devant sa machine, sans pour autant la mettre en marche. Les yeux perdus dans le vague, elle semblait fixer quelque chose qui n'était pas dans la pièce. Alice détestait quand sa mère avait ce regard. Plus rien autour ne semblait exister. Elle avait l'air à la fois vidée et remplie de dégoût. Madame Léa prit sa valise et sortit en saluant discrètement. Alice n'avait pas envie de rester seule avec sa mère. Cette ambiance lui donnait des frissons.

Elle rattrapa Madame Léa dans les escaliers.

– Madame Léa !

– *Oy !* Ti m'as fait peur, *katzele*.

– Qu'est-ce qu'elle a ma mère ?

– Il a rion ta mère !

– Elle répond jamais. Chaque fois que je lui demande quelque chose, ou pourquoi elle est comme ça, elle se tait.

– Tss, tss, soupira Madame Léa, en faisant non de la tête.

Alice la vit hésiter. La vieille dame descendit une marche et se retourna.

– *Katzele*, ta mère a passé di tomps dans un endroit où y avait pli dé pourqva. C'était interdite. *Kein Warum*. Alors aujourd'vi, elle sait plis comment ripondre aux pourqva.

Comme si c'était une explication suffisante, Madame Léa haussa les épaules en adressant un sourire triste à Alice et s'en alla.

– Bah alors ! Qu'est-ce que tu fais ! Je t'attends depuis tout à l'heure ! On a déjà quatre chaises à aller chercher ! cria Jean-Joseph du bas des escaliers.

Alice sursauta et descendit. Pas de pourquoi. Dans quel endroit pouvait-il ne plus y avoir de pourquoi ? Alice ne comprenait pas. Mais ce n'était pas le moment. Elle réfléchirait plus tard à tout cela. Quatre chaises. Déjà quatre sous. Peut-être bien qu'à la fin de la journée, elle aurait ses huit francs manquants !

*

Le départ pour Montfermeil était pour bientôt. Alice avait promis à sa mère et à Monsieur Marcel qu'elle leur rapporterait des pommes de terre. Et même si son sac était trop lourd, elle tiendrait parole. Elle n'en revenait pas d'avoir amassé tant de sous en si peu de temps. Il était même possible qu'elle ait sa flûte le soir même, si elle n'était pas trop fatiguée pour se rendre chez le vendeur à son retour. Huit kilos de patates et c'était bon ! Huit kilos de patates… Elle se demandait à quel volume cela pouvait bien correspondre. Quand elle avait passé la visite médicale chez Mme Bajon, on lui avait dit qu'elle pesait vingt-cinq kilos. Donc presque quatre fois plus.

Malgré son excitation, Alice était tiraillée. Elle ne savait pas pour quelle raison. Elle passait tout en revue : elle avait son gros sac en toile pour y mettre les patates qu'elle déterrerait, elle avait bien rangé ses affaires, ses devoirs étaient à jour. Non, elle ne voyait pas ce qui la gênait. Pourtant elle avait du mal à se concentrer et surtout à se réjouir de cette journée qu'elle avait tant attendue.

Tant pis, il était trop tard pour y réfléchir davantage, Jean-Joseph lui avait donné rendez-vous dans le hall de l'immeuble un quart d'heure plus tard. Il fallait qu'elle se prépare. Il lui avait dit de mettre un pantalon, de bien se couvrir et de prendre des gants. Ils iraient en métro jusqu'à la gare, puis le train les conduirait à Montfermeil. Là, il y aurait vingt minutes de marche pour atteindre le champ. Alice aurait été incapable de faire ce voyage seule, mais la simple présence de son ami suffisait à la rassurer. Après tout, il s'était rendu là-bas très souvent, il connaissait le chemin par cœur.

– On était cachés là pendant la guerre, avec mon père et ma mère.

– Ton père ? avait répondu Alice, étonnée.

Jean-Joseph avait hoché la tête, mais il avait signifié à Alice, d'un geste de la main, qu'il ne voulait pas en dire plus. Au bout d'un moment, il avait quand même fini par lui expliquer que son père était mort. Il n'avait pas respecté le couvre-feu et s'était fait arrêter. Puis il s'était fait tuer.

– On lui avait dit des dizaines de fois de rentrer à l'heure, mais il ne voulait pas y croire.

– Croire à quoi ?

– Qu'on pouvait mourir pour être rentré dix minutes trop tard.

Alice avait repensé à l'homme à la casquette, elle savait que la guerre était insensée. Elle avait raconté à son tour sa vie à Salies, et la Libération. Jean-Joseph n'en revenait pas qu'elle ait vu des Américains. Il disait Ricains. Il était fasciné par eux. Quand Alice lui avait dit pour les Juicy Fruit, il l'avait regardée, ébahi :

– Ils t'ont donné des chewing-gums ? La chance !

Puis ils avaient décidé de ne plus parler d'avant, sauf si bien sûr ils en avaient vraiment besoin.

*

Elle regardait les paysages défiler à travers la vitre du train. La grande ville laissait place à des zones urbaines plus disparates, et enfin à de la verdure. Des arbres, des champs, des maisons encore, puis de nouveau du vert. La dernière fois qu'elle avait pris le train, c'était pour se rendre à Paris… Elle avait l'impression que cela faisait une éternité qu'elle avait quitté Salies.

Elle sursauta. Ce fut comme un choc. Voilà ce qu'elle avait oublié : la veille, c'était l'anniversaire de Jeanne. Comment avait-elle pu… ? C'était affreux ! Il fallait à tout prix qu'elle trouve un moyen de contacter son ancienne nourrice. Ce train lui donna soudain l'impression d'une prison qui l'empêchait d'agir. Il fallait qu'elle sorte de là. Mais comment joindre Jeanne ? Sa nourrice n'avait pas le téléphone. Elle pourrait appeler le café, sur la place du marché… Ou contacter le père de Marie ? Un docteur, ça se trouve facilement…

Mais elle n'avait pas envie de parler à Marie. Ce serait trop d'un coup. Une lourde tristesse s'abattit sur elle, comme si des tonnes de larmes remplissaient son corps. Elle n'avait pas la force de renouer avec cette partie de sa vie. Parler à Marie, ce serait comme retrouver une période qu'elle avait dû laisser derrière elle, sans le vouloir vraiment. Non, le café serait mieux. Encore faudrait-il que Jeanne se rende au marché… Et si elle n'avait plus rien à vendre ? Si elle avait été tellement peinée du départ d'Alice qu'elle avait arrêté de travailler à la ferme pour se laisser mourir au grenier, au milieu des photos des disparus de sa vie ? Alice avait du mal à respirer. Elle essayait de se cacher le visage pour ne pas avoir à expliquer tout ça à Jean-Joseph. Mais ça ne servit à rien. Il posa sa main sur la sienne et lui demanda :

– Qu'est-ce que tu as ?

Il avait l'air inquiet.

– Rien. J'ai juste... J'ai oublié quelque chose.

– J'ai pris de quoi déjeuner si c'est ça.

L'attention de son ami la toucha. Elle n'était vraiment pas à la hauteur des gens qui l'aimaient. Elle eut encore plus de remords d'avoir oublié Jeanne. Quand ils descendirent du train, ils passèrent devant un restaurant déjà ouvert, où quelques hommes prenaient un petit déjeuner. Alice pensa à s'y arrêter pour téléphoner. Elle chercherait le numéro du café de Salies et laisserait son message pour Jeanne... Mais... si ce message lui faisait plus de peine que de bien ? Si pour Jeanne aussi bien que pour Alice se rappeler les souvenirs de ces dernières années était une épreuve, comme une blessure mal cicatrisée ?

Alice ne voulait pas faire souffrir Jeanne davantage... Elle en était convaincue, à peine sa nourrice aurait-elle terminé de lire le message qu'elle se sentirait plus seule encore, abandonnée une seconde fois. Tant pis. Alice laisserait Jeanne croire qu'elle avait oublié son anniversaire. Ça lui faisait mal, mais c'était mieux comme ça.

*

Pour déterrer les patates, il fallait biner la terre afin de repérer la moindre petite forme irrégulière. Si une pomme de terre apparaissait, Alice devait gratter la surface et la saisir. Elle terminait toujours par souffler dessus, pour enlever les derniers grains de terre détachables, puis la mettait dans son sac. En une heure à peine, elle en avait trouvé une dizaine. Mais ce qui était plus formidable encore, c'était que lorsqu'elle se penchait vers la terre, le regard en alerte, ou quand elle s'acharnait sur sa pelle, elle oubliait tout. Elle était totalement aspirée par sa tâche. Chaque fois qu'elle en trouvait une, elle la brandissait fièrement et appelait Jean-Joseph pour la lui montrer. Son ami la félicitait, et ils comparaient leurs trouvailles, les formes, les poids.

Vers midi, ils s'assirent sur une barrière en bois, à quelques centimètres du sol : la terre était trop humide pour qu'ils puissent pique-niquer dessus. Ils dégustèrent leurs sandwichs sans se parler. Ils regardaient la plaine au loin. À côté d'eux gisaient deux sacs pleins. Ils en avaient suffisamment pour rentrer, mais ils décidèrent de continuer un peu.

– Si tu veux, on pourra aller voir la maison où tu étais caché avant de rentrer ? proposa Alice.

Jean-Joseph parut étonné puis répondit, l'air absent :

– Oui, pourquoi pas.

Quand ils eurent complètement quadrillé la parcelle qu'ils s'étaient attribuée, ils se mirent en route vers la gare. Alice mentionna la maison, mais Jean-Joseph coupa court :

– Je préfère pas.

Elle n'insista pas. Ils continuèrent en silence, quand Jean-Joseph s'immobilisa.

– Oh ! Regarde !

Un petit chat les observait, installé sur une branche. Il bondit sur le sol et se frotta contre la jambe de Jean-Joseph.

– Il te reste rien à manger ? Il doit avoir faim, dit-il.

Alice eut une soudaine envie de pleurer. Et Crème, où était-il ? Avait-il faim lui aussi ? Se souvenait-il d'elle ?

– J'aimerais trop en avoir un comme ça, pas toi ? insista Jean-Joseph.

– Non, répondit-elle sèchement. J'aime pas les chats.

Surpris, Jean-Joseph la dévisagea.

– Ça va pas ? T'es toute rouge.

– Si. Viens, on va être en retard.

Son ami caressa une dernière fois le chat et ils s'éloignèrent.

Ils n'avaient aucune idée du poids qu'ils avaient récolté, mais le compte y était sûrement. De toute façon, ils ne pouvaient pas porter plus. Leurs sacs étaient terriblement lourds et leur blessaient les doigts. Jean-Joseph proposa à Alice de prendre une de ses anses, mais elle refusa. Elle voulait mériter sa flûte. Déjà que Jean-Joseph y était pour beaucoup, il était hors de question qu'il lui facilite davantage la tâche. Ses mains blessées compliqueraient sûrement son initiation musicale, mais tant pis. Sa flûte serait à elle pour toujours, gagnée par ses propres moyens, alors quelques égratignures, ça ne faisait rien.

Alice était pressée de rentrer chez elle pour compter une dernière fois ses sous. Elle se voyait déjà rassemblant sa cagnotte et ses patates pour les apporter au vendeur. Elle les contemplerait un moment, compterait son argent une dernière fois et mettrait tout dans un sac qu'elle glisserait sous son manteau. Peut-être demanderait-elle à Jean-Joseph de l'accompagner ? Elle verrait tout à l'heure. Elle repensait au vagabond du quartier… Dès qu'il viendrait, elle descendrait avec sa flûte, et il lui montrerait les bases, comme il le lui avait promis. Elle espérait qu'il lui donnerait une partition, mais elle en doutait. C'était tout de même un homme très pauvre, il n'avait aucune raison de se laisser déposséder de ce qui lui tenait visiblement le plus à cœur : sa musique.

*

Quand Alice entra dans l'appartement, les rideaux étaient tirés, et le salon plongé dans l'obscurité. Elle s'en étonna.

– Y a quelqu'un ?

Personne ne répondit. Si Monsieur Marcel n'était pas dans le salon, c'était qu'il n'était pas là, car il ne venait jamais dans la pièce où Alice dormait avec Diane. Pourtant il était un peu tard pour aller aux listes, et le dimanche, il préférait rester dans le quartier. Alice fut prise d'angoisse. Et s'il y avait eu un accident ? Ou si on les avait attaqués ? À l'école, elle avait entendu une histoire de voleurs qui s'étaient introduits dans un appartement, et qui avaient agressé les propriétaires jusqu'à les faire saigner. Un papier sur la table attira son attention. C'était un mot de Monsieur Marcel pour elle, il disait : « Je reviens de suite. » Elle fut aussitôt rassurée.

Alice ouvrit alors la commode du salon, mais son porte-monnaie n'était plus là. Elle fronça les sourcils. Avait-elle changé de cachette sans s'en souvenir ? Elle essaya de réfléchir. Non, le matin même, elle avait encore compté son argent et avait remis la pochette en tissu dans le tiroir. Elle chercha dans celui du dessus, puis du dessous. Toujours rien. Une boule se forma dans son ventre. Elle leva la tête, observa la pièce et constata que tout était en place : les vêtements étaient aux mêmes endroits que d'habitude, la table rangée, le fer, tout était là... Étrange.

Soudain, son sang se glaça. Sa pochette était posée sur la machine à coudre. Elle était ouverte et bien trop plate. Alice haleta et courut s'en emparer, espérant encore se tromper. Elle la retourna, la secoua, mais il ne restait plus un sou. Alice était furieuse, elle avait envie de renverser la machine par terre, de casser les assiettes comme l'avait fait Monsieur Marcel une fois, pourtant elle était incapable de bouger, comme si ses muscles étaient endormis. Tous ces efforts après l'école, ces kilos de patates, ces matelas, ces chaises, ces baguettes, ces courses à livrer… Tout ça pour rien… La pochette était vide. Mais qui… ? Qui avait bien pu prendre ses sous ? Pourquoi ? Se pouvait-il qu'il existe des gens si méchants dans son entourage ? Elle n'arrivait pas à admettre que le choix était simple : c'était soit Monsieur Marcel, soit sa mère… Pourquoi des voleurs auraient-ils juste pris son argent à elle et rien d'autre ? Comment avaient-ils osé ? Elle voulait rentrer à Salies. Mais avec quel argent maintenant ? Elle se sentit soudain épuisée. Il fallait qu'elle s'allonge.

Elle entra dans la chambre et s'immobilisa. Sa mère dormait dans le noir. Alice fut d'autant plus énervée, elle ne pouvait même pas se reposer seule. Elle recommença à ruminer quand elle fut frappée par un détail : de nombreux médicaments étaient posés sur la table de chevet. Ça l'inquiéta. Elle s'approcha sur la pointe des pieds et ouvrit de grands yeux : sur la taie d'oreiller, il y avait une grosse tache. Qu'est-ce que ça pouvait être ? Pourquoi sa mère s'était couchée sur une tache ? Comme Diane tournait le dos à la fenêtre, Alice écarta légèrement les lourds rideaux pour laisser passer un filet de lumière. Puis elle retourna près du lit. C'était du sang ! Et si les voleurs avaient agressé sa mère ? Si ça se trouvait, Diane avait même essayé de les empêcher de prendre ses sous. Comment avait-elle pu imaginer que sa mère l'avait volée ? Elle l'appela doucement :

– Maman ! Maman, tu es blessée ? Où est-ce qu'ils sont partis ?

La porte d'entrée claqua, et des pas rapides approchèrent de la chambre. Monsieur Marcel lui fit signe de se taire et de le suivre.

– Ferme la porte derrière tva.

– Mais maman saigne…

– Tsst.

Alice ne comprenait décidément rien. Pourquoi Monsieur Marcel refusait-il de porter secours à sa mère ?

– Jé suis désolay pour tes sous, mais jé dévais payer le docteur, et jé n'avais pas assez.

Les jambes d'Alice se raidirent. C'était donc bien Monsieur Marcel qui avait volé ses économies, et il l'avouait sans honte.

– Mes sous ?

– *Voy.* Alice, ta maman est trés malade. Jé né sais pas commont on va faire.

– Comment ça très malade ? Elle va rester combien de temps au lit ?

– On ne sait pas.

Qu'est-ce que c'était que cette histoire ? Une plaisanterie ? Vu la mine défaite de Monsieur Marcel, il y avait peu de chances.

– Elle va guérir ?

– Jé né pense pas.

Alice secoua la tête, incapable de prononcer un mot. Le sol s'effondrait sous ses jambes, la pièce tournoyait autour d'elle. Sa mère. Malade. Pas de guérison. Ça tournait, plus fort. Si sa mère ne guérissait pas, alors… Alors quoi ? Elle allait mour… Non, ce n'était pas possible, sa mère ne pouvait pas mourir. Elle n'avait pas le droit. Et elle, que deviendrait-elle ? Elle ne pouvait pas rentrer à Salies, elle n'avait même pas appelé Jeanne pour son anniversaire… Une autre pensée lui fit peur :

– Elle a mal ?

– Elle né lé dira pas, mais jé crois qu'elle souffre, *voy*.

Alice n'était plus rien, un petit point dans l'univers, dans cette vie. Elle devait trouver un moyen. Elle chercha une solution de toutes ses forces, elle en avait mal à la tête. Enfin elle eut une idée :

– Il faut aller à l'église pour prier.

– Arrête un peu avec tes bêtises. Dieu c'est des conneries !

– Vous ne croyez pas en Dieu ?

– Non ! Il est resté là-bas aussi.

Alice ne comprit pas ce qu'il voulait dire, mais elle n'avait pas le courage d'en entendre davantage. Malgré son envie de pleurer, elle demanda :

– Qu'est-ce qu'elle a ?

– Qui ?

– Maman. C'est quoi sa maladie ?

– La tiberculose.

Tuberculose. Elle avait déjà entendu ce nom. Mais elle était incapable de savoir ce que ça faisait, ce que ça attaquait, comment, et en combien de temps. Jean-Joseph ! Il fallait qu'elle le voie ! Il lui expliquerait. Il lui dirait la vérité.

Elle dévala les marches et frappa à la porte.

– Alors on y va ? Prête pour la flûte ?

Alice ne comprit pas immédiatement, puis se souvint de ses économies. Tout cela lui paraissait incroyablement loin, alors qu'ils étaient rentrés de Montfermeil à peine trente minutes plus tôt.

– C'est quoi la tuberculose ?

Jean-Joseph la fixa, l'air surpris. Il fronça les sourcils :

– Pourquoi tu me demandes ça ?

Alice l'attira sur le palier et lui raconta. Jean-Joseph lui prit la main, et ils descendirent dans le cabinet.

– Je crois que c'est très grave, mais je vais te lire exactement ce qu'ils disent dans le livre. Tu es prête ? Je peux attendre si tu veux.

– Non, vas-y, je suis prête.

– La tuberculose est une maladie infectieuse contagieuse et non immunisante, avec des signes cliniques variables. Elle est provoquée par une mycobactérie du complexe tuberculosis correspondant à différents germes et principalement à Mycobacterium tuberculosis. Elle n'est pas guérissable. Les soins consistent en des séjours en sanatorium, ou en cures de soleil et de plein air. La tuberculose pulmonaire est de loin la plus fréquente et la plus répandue, mais il existe des atteintes osseuses, rénales, intestinales, génitales, méningées, surrénaliennes et cutanées.

Jean-Joseph se racla la gorge avant de poursuivre :

– Elle entraîne de fortes toux, elle…

Il n'arrivait plus à lire. Il regarda Alice dans les yeux et lui dit :

– Ils disent que ta mère va cracher du sang et qu'elle va beaucoup tousser. Ça risque de lui faire mal. Elle aura beaucoup de fièvre aussi, et la maladie atteindra sûrement d'autres organes.

– Ça va la tuer ?

Jean-Joseph se balançait d'une jambe sur l'autre. Ses lèvres s'ouvraient puis se refermaient sans lâcher un mot. D'un coup, il se redressa et dit d'une traite :

– Sûrement. Ils disent aussi que différentes pistes de traitements sont testées, mais aucune jusqu'ici n'a pu obtenir de résultats satisfaisants.

Il s'assit à côté d'Alice. Ils restèrent comme ça un moment, immobiles, et silencieux.

– Je suis désolé, finit-il par dire.

Alice marqua un temps, puis répondit :

– J'ai peur.

– Je sais.

8.

Paris, mars 1947

Toute la semaine n'avait été qu'une succession d'événements tragiques.

Le lundi, après les listes, Monsieur Marcel n'était pas rentré. Alice s'était inquiétée, mais elle avait tant à faire avec Diane que très vite elle n'y avait plus prêté attention. En quelques jours, l'état de sa mère s'était dégradé. Chaque nuit, il fallait ajuster son oreiller, lui apporter de l'eau, lui donner un médicament qui ne semblait pas avoir d'effet. Alice avait si peur qu'en se réveillant sa mère soit morte qu'elle restait à ses côtés pour surveiller qu'elle respirait toujours. Dans la journée, Diane toussait tout autant. Elle n'arrivait plus à se lever, mais elle tenait quand même, dans son lit, à faire les finitions des chemises. Alice aurait préféré qu'elle se repose, mais elle n'osait rien dire. Sa mère toussait plus encore quand on la contrariait.

Ce jour-là, sa quinte de toux était spectaculaire et Alice avait récupéré deux mouchoirs imbibés de sang sur son chevet. Elle détestait ça. Les prendre dans sa main pour aller les nettoyer dans l'évier lui déchirait le cœur. Il restait toujours des marques rouges sur ses doigts, et elle fermait les yeux pour ne pas les voir. Elle n'acceptait pas que ce sang soit celui de sa mère. Pourquoi n'y avait-il rien pour soulager sa souffrance ? Personne n'avait de solution, ni les médecins ni Jean-Joseph. Tout ce qu'Alice pouvait faire, c'était lui donner des mouchoirs propres, qui sentaient bon, et être là le plus possible. Alors elle frottait et veillait sur Diane.

Madame Léa lui avait offert un savon à la lavande qu'elle faisait mousser, en espérant que le parfum résisterait à l'odeur de la maladie. Alice n'avait plus envie de descendre dans la cour, et elle avait définitivement renoncé à la flûte. Chaque fois que le vagabond jouait, elle repensait au médecin que Monsieur Marcel avait payé avec son argent. Elle s'en voulait d'avoir été en colère. Elle avait décidé de ne plus aimer la musique, ça lui rappelait trop cette horrible journée où elle avait appris pour la tuberculose.

Vers minuit, quand sa mère fut enfin endormie, elle prit conscience que Monsieur Marcel n'était toujours pas rentré. C'était étrange. Il lui arrivait parfois de prendre son temps pour revenir des listes, mais jamais à ce point. Alice tournait en rond dans la maison. Elle allait dans la chambre vérifier que sa mère dormait, puis retournait au salon. Régulièrement, elle ouvrait la porte d'entrée pour écouter les bruits dans la cage d'escalier. Rien. Elle se mit à ranger le coin cuisine, nettoya des tasses, tria les vêtements terminés, jeta les tissus inutilisables. Les premiers rayons de soleil apparurent bientôt dans le ciel, mais toujours pas de Monsieur Marcel. Chaque fois qu'Alice se demandait où il était, elle imaginait les pires explications. Au bout d'un moment, elle ouvrit de nouveau la porte d'entrée, et sursauta. Il était là, endormi sur les marches. Elle le tira par la manche, il la repoussa brusquement et se mit à râler :

– Laissé-moi tranquille !

Soudain, Alice entendit sa mère suffoquer. Elle ne savait plus quoi faire. Elle devait aller à l'école, et ne pouvait pas les laisser comme ça, ni l'un ni l'autre… Comme s'il avait entendu son inquiétude, Monsieur Marcel se leva et entra dans l'appartement en titubant.

– Vas-y, jé m'en occupe.

Peu rassurée, Alice obéit malgré tout.

– Qu'est-ce qui t'arrive ? T'es toute noire sous les yeux, lui dit Jean-Joseph, quand elle le rejoignit en bas de l'immeuble.

– C'est rien, je n'ai pas beaucoup dormi.

Quand elle rentra de l'école, Monsieur Marcel partit aux listes, et il ne rentra pas pour le dîner.

*

Le mardi après l'école, Alice fit le tour des ateliers du quartier pour trouver Madame Léa. Elle saurait sans doute ce qui avait bien pu arriver à Monsieur Marcel la veille pour être dans un tel état. Au bout d'un moment, elle la croisa qui marchait, agrippant sa petite valise comme si on allait la lui voler.

– *Oy !* Mais qu'est-ce qué tu fais là, *katzele* ?

Alice n'avait pas de temps à perdre, elle alla droit au but :

– Madame Léa, qu'est-ce qu'il a Monsieur Marcel ?

– Pourqva tu mé demandes ça ?

– Ça ne va pas. Hier il n'est pas rentré, et depuis, il n'est pas comme d'habitude. J'ai besoin de lui, maman aussi…

Madame Léa hocha la tête.

– Jé sais. Ta pauvre maman…

– Qu'est-ce qu'il a Monsieur Marcel ? insista-t-elle.

– Ti es pétite pour comprendre ces choses-là…

– Je suis assez grande, je vous jure. Qu'est-ce qu'il a ?

Madame Léa sembla peser le pour et le contre. Son visage se fit grave.

– Quelqu'un lui a dit une phrase qué personne ne veut l'entendre dans sa vie, et il est très en colère.

– C'est Monsieur Marcel qui vous l'a raconté ?

– Non, dis gens. Au Litétia.

– Quoi comme phrase ?

– Un homme sait qui les a dinoncés.

– Dénoncés ?

Madame Léa soupira :

– *Voy !* Ti mé fais parler plis qué jé devrais…

– Dites-moi, répondit Alice sur un ton qu'elle espérait convaincant.

Madame Léa acquiesça et expliqua que quand les filles et la femme de Monsieur Marcel avaient été emmenées, personne n'avait compris ce qui avait pu se passer. C'était très étrange parce qu'ils étaient bien cachés. Ce jour-là, Monsieur Marcel était au bout de la rue, et avait assisté à toute la scène. Il s'était mis à courir pour les rattraper, mais il était tombé par terre. Sa femme l'avait aperçu et lui avait fait signe de rester à sa place. C'était la dernière fois qu'il les avait vues.

– Et en fait, quelqu'un les avait dinoncés…

Alice n'était pas sûre de tout comprendre, mais elle ne voulait surtout pas interrompre Madame Léa.

– Ti té rends compte, *katzele* ? Lis gens, ils sont fous.

Madame Léa caressa la joue d'Alice et posa sa valise. Elle s'assit dessus et reprit :

– Il paraît qué c'était Mme Déville…

– C'est qui Mme Deville ?

– Son ancienne voisine ! *Oy !* Jé mé souviens, Marcel gardait ses chiens quand elle partait à la compagne. En échange, elle sirveillait parfois les pétites. Marcel l'avait beaucoup aidée aussi quand son mari était mort…

– Alors pourquoi elle a fait ça ?

– On m'a dit qu'après, Marcel il était allé à son oncien immeuble. Il y avait dé la lumière dans l'appartement où il vivay avant, alors il a demanday à ine voisine : « Qui habité là ? » Et la voisine l'a dit : « Mme Déville. » Alors

Marcel a ripondu: « Non, l'autre appartement à côté… » Et la voisine a dit qué il y avait qu'un seul grond appartément au quatrième étage.

– Qu'est-ce que ça veut dire ?

– Qué Mme Déville voulait un plus grond appartement.

Un plus grand appartement. Ce qu'Alice comprit lui fit peur. Monsieur Marcel avait perdu sa femme et ses filles pour qu'une dame ait quelques pièces en plus. C'était insensé ! Elle essayait de se raisonner, mais aucun argument, aucune justification valable ne lui vint. Elle laissa Madame Léa lui pincer la joue et s'en alla. Elle marchait dans la rue, sans réfléchir. Droit devant. Les gros titres de journaux affichés sur un kiosque l'attirèrent : « Revendications du Kominform, la déchirure s'intensifie », « Bloc de l'Est, la menace », « Révoltes en Inde, vers une nouvelle guerre », « Année zéro et conséquences, le peuple est en colère ». Elle leva les yeux vers le ciel. Elle en voulait au bon Dieu. Y avait-il un endroit sur terre où les choses n'allaient pas de travers ?

*

Monsieur Marcel devint de plus en plus étrange. Il marmonnait sans cesse des phrases impossibles à comprendre. Il regardait dans le vide, même lorsqu'on s'adressait à lui. Et puis d'un coup, pour une raison quelconque, un bol trop à droite d'une cuillère, une bobine mal rangée, il entrait dans une terrible colère. Alice avait l'impression que les murs tremblaient sous l'effet de sa grosse voix. Une fois, Jean-Joseph était même monté, il avait eu peur qu'il leur soit arrivé quelque chose.

– Tout va bien, ça va passer, lui avait dit Alice pour qu'il rentre chez lui.

– Tu es sûre ?

– Oui, oui, à plus tard.

Et elle avait fermé la porte. Elle aurait préféré partir avec son ami, mais elle ne voulait pas laisser sa mère seule avec Monsieur Marcel dans cet état. C'était sûrement cette histoire d'appartement qui le rendait dingue. Même si elle comprenait, il fallait que ça s'arrête. Comment ? Alice n'en avait aucune idée. Elle aurait voulu parler de Mme Deville avec lui, lui dire qu'elle savait, cependant elle craignait trop sa réaction. Et s'il se mettait à crier encore plus ? S'il disparaissait pour de bon et les laissait seules, sa mère et elle, sans argent ni travail ? Elles finiraient à la rue. Pire, elles ne pourraient plus payer le médecin. Un tel risque n'était pas envisageable, mais c'en était aussi un de vivre sous le même toit que quelqu'un de si instable.

Elle ne reconnaissait plus Monsieur Marcel, comme si un étranger avait pris le contrôle de son cerveau. Madame Léa avait raison, les gens étaient fous, et Monsieur Marcel l'était devenu. Pour autant, il était nécessaire à sa vie, et elle ne pouvait pas le laisser se perdre complètement.

Le jeudi, Alice l'entendit déambuler dans le salon. Il devait être cinq heures du matin, le soleil n'était pas levé. Sur la pointe des pieds, elle s'approcha de la porte et l'entrouvrit. Monsieur Marcel enfilait un grand manteau et glissa quelque chose dans la poche intérieure. D'où elle était, Alice avait du mal à voir ce que c'était. Ou plutôt elle ne voulait pas y croire. Elle se frotta les yeux et se concentra. Son cœur s'arrêta de battre quelques secondes : elle ne s'était pas trompée, c'était bien un marteau. Que manigançait-il ? Rien de bon sans doute. Elle pensa aussitôt à Mme Deville. Et s'il la tuait ? Elle ne pouvait pas le laisser faire. « Mon Dieu, s'il vous plaît. » Aussi vite que possible, elle s'habilla. Sa mère se réveilla.

– Rendors-toi, maman, je vais juste aux toilettes.

Heureusement, Diane la crut. Alice sortit de la chambre, se précipita dans les escaliers. Une fois en bas, elle aperçut Monsieur Marcel sur le trottoir d'en face et le suivit à quelques mètres de distance. Il marchait d'une façon bizarre, se dirigeant tantôt vers la droite, puis vers la gauche. Parfois, il s'arrêtait brusquement, tâtait son manteau et repartait. « Mon Dieu, aidez-moi. » Alice espérait qu'il ne la remarquerait pas, et puis très vite, elle reconnut avec tristesse qu'il n'y avait aucune chance, il était ailleurs.

Une fois, à l'église de Salies, quelques semaines avant

sa première communion, le prêtre avait parlé de Satan, et des comportements étranges qu'adoptaient les malheureux dont le démon volait l'âme. Leur corps ne leur appartenait plus, ils devenaient agressifs, grimaçaient sans arrêt. Alice se demandait si ce n'était pas Satan qui avait dit la phrase à Monsieur Marcel, comme l'avait raconté Madame Léa. En tout cas, depuis ce jour-là, il était possédé, c'était sûr.

Au bout d'un temps qui parut très long, Monsieur Marcel s'arrêta enfin devant un immeuble, le 50 de la rue Pascal. Puis il attendit. Alice, cachée derrière un arbre à quelques mètres, ne le lâchait pas des yeux. Ils restèrent ainsi une heure, peut-être deux. Plusieurs personnes entraient et sortaient, mais à en croire l'expression déçue de Monsieur Marcel, ce n'était jamais Mme Deville. Les gens lui jetaient des coups d'œil méfiants. Alice les comprenait. Monsieur Marcel était tout ébouriffé, agité, et il portait sans arrêt sa main à sa poche où se dessinait une curieuse bosse. Soudain, un homme sortit et lui adressa un grand sourire en se dirigeant vers lui :

– Mais nous croyions que vous étiez mort ! Je suis bien heureux de vous revoir ! L'immeuble a beaucoup changé, il n'y a presque plus aucun ancien…

– Jé cherche Mme Déville.

– Je ne l'ai pas encore vue aujourd'hui, dit-il, l'air soudain gêné. Venez prendre le thé un de ces jours !

L'homme s'éloigna avant que Monsieur Marcel ne

réponde. Au bout d'un long moment, la porte s'ouvrit lentement. Une vieille dame sortit, un panier à la main. Monsieur Marcel se figea. Son visage devint aussi blanc que du coton. Alice comprit qu'il s'agissait de Mme Deville. Devait-elle s'approcher ?

Monsieur Marcel sortit son marteau et s'y cramponna. La vieille dame sursauta. Alice se balançait d'une jambe sur l'autre. Elle cherchait un passant, quelqu'un qui aurait pu l'aider, mais la rue était déserte. Monsieur Marcel et Mme Deville se dévisageaient, tétanisés. Un bruit de klaxon retentit au loin, et la dame baissa les yeux. Elle retourna sur ses pas, et referma la porte, laissant Monsieur Marcel là, hébété, son marteau à la main. Au bout d'un moment, il le jeta dans le caniveau et s'en alla. Alice était si stupéfaite qu'elle mit quelques secondes à réagir. Devant elle, Monsieur Marcel semblait ne plus savoir où aller.

Il descendit dans une bouche de métro. Alice l'y suivit. Il ne l'avait toujours pas remarquée, pourtant ils étaient quasiment seuls sur le quai, à l'exception d'un homme et d'un clochard. Bientôt, le bruit d'un train parvint du tunnel. Monsieur Marcel, blême, s'approcha des rails. Alice ne pouvait pas y croire. Il n'allait quand même pas… Le train était presque là. Monsieur Marcel leva une jambe, et ferma les yeux. Puis il sauta et Alice se mit à hurler. Mais les wagons passèrent. Les portes du métro s'ouvrirent et le poinçonneur demanda les tickets. Monsieur Marcel était toujours là. L'homme sur le quai l'avait rattrapé par la veste. Les jambes d'Alice se mirent à trembler. Elle s'assit par terre pour reprendre son souffle et regarda le métro partir. Elle entendit l'homme dire à Monsieur Marcel :

– Je suis là, monsieur ! Je suis là.

Il mit son bras autour de ses épaules et l'entraîna vers le banc. Il le fit asseoir, et s'installa près de lui.

– Qu'est-ce qui ne va pas, mon brave ?

– Rion. Rion ne va. Et ça n'ira plis jamais.

– Je comprends. C'est la période qui veut ça. Finalement, l'après-guerre, c'est encore plus dur que la guerre !

– Jé né pé pas en parler…

– Je sais… Moi aussi, j'ai du mal… C'est absurde ! Les héros et les traîtres doivent cohabiter. C'est dur quelqu'un qui revient, parce que plus personne n'est pareil qu'avant. Mais c'est encore plus dur quelqu'un qui ne revient pas. C'est dur d'avoir moins souffert que d'autres, d'être encore là, et c'est dur d'avoir souffert… Tant de choses nous séparent en ce moment. Il faut se concentrer sur ce qui nous rapproche…

Monsieur Marcel hochait la tête sans conviction. On aurait dit qu'il était vidé de son âme. Il fixait les rails. Et quand un nouveau train arriva, il le regarda avec envie. Alice en eut un haut-le-cœur. C'en était trop. Elle se leva et se dirigea vers lui. Quand Monsieur Marcel l'aperçut, il ouvrit de grands yeux. L'homme, qui n'avait rien remarqué, continuait son monologue :

– Vaincre le Reich, démolir ces salauds de Boches, tout de même ! Rien que pour ça, il faut vivre !

– La guerre, ci quond même la victoire d'Hitler. Li monde né sera plis jamais pareil.

Puis Monsieur Marcel se leva à son tour et s'approcha d'Alice. Sans rien se dire, ils se mirent en route vers l'appartement.

*

Quand ils arrivèrent, Jean-Joseph les attendait devant la porte. Alice comprit aussitôt que quelque chose n'allait pas. Elle se précipita à l'intérieur, mais son ami la retint.

– Alice, attends, t'inquiète pas, je vais t'expliquer.

Comme elle n'était pas au rendez-vous habituel pour aller à l'école, Jean-Joseph avait commencé à se mettre en route sans elle, mais au bout de quelques mètres, il avait fait demi-tour. Ce n'était pas normal cette absence, il y avait forcément une raison, et il voulait comprendre. Il avait sonné plusieurs fois, mais personne n'était venu lui ouvrir, et puis il avait entendu Diane…

– Elle n'avait jamais toussé comme ça… Alors j'ai ouvert la porte et je suis entré. Elle était tombée par terre, et elle… Enfin… J'ai dit à ma mère de rester avec elle pendant que j'allais chercher le médecin, et quand il l'a vue, il a décidé de l'emmener à l'hôpital.

– Quel hôpital ?

– Tenon.

– Et… comment elle va ?

– Mieux je crois. On pourra y aller un peu plus tard.

Alice se mit à pleurer. Sa mère avait failli mourir et elle n'était même pas là… Et si Jean-Joseph était parti à l'école ? Monsieur Marcel posa sa main sur son épaule, mais elle se dégagea et courut dans la chambre. Sur le sol, il y avait des taches de sang. Elle s'assit par terre, et les frotta avec ses mains. Ses larmes tombaient au milieu, se mélangeaient au sang séché. Malgré ses efforts, il restait toujours des traces. Elle cogna de toutes ses forces sur le parquet. Des bras la retinrent. C'était Jean-Joseph, qui l'enlaça.

– Elle va mourir ? lui demanda-t-elle.

Jean-Joseph mit quelques secondes à répondre :

– Je n'espère pas…

– Dis-moi la vérité.

Elle n'obtint pour réponse qu'un silence pesant.

– Quand ?

– Je ne sais pas. Mais je ne pense pas qu'elle sortira de l'hôpital.

Et il la serra contre lui. Alice arrêta de pleurer. Elle n'y croyait tout simplement pas. Bien sûr, elle savait depuis le départ qu'on ne guérissait pas de cette tuberculose… Mais sa mère ne pouvait pas en être déjà là… Elles n'avaient rien eu le temps de faire ensemble, n'avaient pas acheté de robes ni regardé un film jusqu'au bout. Et elles n'avaient jamais vraiment parlé. Finalement, que savait-elle de son histoire ? Non, Diane n'avait pas le droit de la laisser maintenant, avec toutes ces questions sans réponses, et ces choses pas vécues. On n'abandonne pas les gens comme ça. « Mon Dieu, je t'en supplie. Je te promets, je ne désobéirai plus jamais, je travaillerai bien à l'école, mais s'il te plaît, fais qu'elle ne meure pas. »

*

Le lendemain, en début d'après-midi, Mme Bajon arriva à l'appartement. Elle s'assit à la table du salon, tirant sur sa veste, comme lorsqu'elle était venue chez Jeanne à Salies, puis elle joignit les mains.

– Alice, nous avons retrouvé ton père.

Son père ?

– Il s'appelle Paul d'Arny.

Paul d'Arny. Son père. Ces quelques mots lui firent l'effet d'un coup de massue. Le choc était si grand qu'Alice en était encore assommée. Elle n'avait pas mal, elle ne ressentait plus rien. Elle ne parvenait pas à entendre le reste de la conversation. Elle comprenait quelques mots, comme le fait qu'il était français, mais qu'il vivait depuis des années à New York, en Amérique, avec le reste de sa famille. Apparemment son père était riche. Jean-Joseph n'en reviendrait pas…

– Il est marié à Ellen Hartfield, la fille d'un célèbre industriel spécialisé dans les boîtes de conserve. Il n'aura aucun problème pour t'accueillir.

Puis les paroles de Mme Bajon devinrent une sorte de masse informe, jusqu'à :

– C'est moi qui t'accompagnerai là-bas. Il y a un bateau pour New York dans trois semaines, je vais réserver des billets.

Alice était paralysée. Comme si elle s'enfonçait dans le sol. En Amérique ? Ce n'était pas possible ! Elle allait se réveiller. Partir. Vite. Trouver un abri. Elle courut dans la chambre, et s'enferma dans l'armoire. Mme Bajon la rejoignit. Elle essayait de la calmer à travers la porte, mais Alice collait ses mains sur ses oreilles pour ne rien entendre. Au bout d'un moment, l'assistante sociale s'emporta :

– Alice, sors de là voyons !

Mme Bajon tirait sur la poignée de l'armoire. De l'autre côté de la porte, Alice lui résistait. Elle serrait de toutes ses forces, jusqu'à s'écorcher le bout des doigts. Elle était bien décidée à ne pas lâcher. Tant qu'elle n'aurait pas trouvé de solution, elle resterait là. Elle avait besoin de réfléchir. Tout était allé beaucoup trop vite. En une semaine à peine, sa vie avait basculé. Ses anciennes peurs lui paraissaient tellement ridicules comparées à celles qui l'habitaient à présent. Pourquoi Mme Bajon ne se taisait-elle pas ? Dans le silence, Alice avait l'impression de disparaître un peu. Le temps s'arrêtait. Et elle devenait inatteignable.

Pourtant, elle détestait cette cachette, il faisait noir, elle distinguait à peine ses mains. L'odeur de renfermé était si forte que quelque chose de pourri avait dû être oublié là, des mois auparavant. Et surtout, elle avait terriblement faim. Elle mourait d'envie de croquer dans une bonne cuisse de poulet rôti à la peau croustillante, à la chair tendre et juteuse, comme celles qu'elle mangeait à Salies. Chaque fois qu'elle repensait à ses doigts luisants qu'elle léchait une fois la viande terminée, son estomac gargouillait davantage, et sa gorge se nouait.

– Alice, ne m'oblige pas à forcer la porte !

Une nouvelle vie demandait du courage. Alice n'en avait pas assez. Elle avait besoin que sa mère revienne de l'hôpital, que Monsieur Marcel retrouve la raison, et surtout, elle voulait rester à Paris. Recroquevillée sur elle-même, elle priait de toutes ses forces, fermait les yeux en plissant les paupières, pressait ses mains l'une contre l'autre et répétait : « S'il vous plaît, mon Dieu, aidez-moi. »

– Alice, tu sais bien qu'il n'y a pas d'autre possibilité. À neuf ans, on ne peut pas vivre seule, lança finalement Mme Bajon.

– Je pourrais retourner chez Jeanne ?

– C'était la guerre, Alice. C'est fini. On t'avait placée chez Jeanne parce que tes parents n'étaient pas là.

– Jeanne m'aime comme une fille, elle me l'a dit.

– Mais ton père t'aimera aussi, comme sa vraie fille, lui.

Mme Bajon marqua un temps et reprit :

– Alice, je te l'ai expliqué, j'ai beaucoup parlé avec ta

mère à l'hôpital, et nous pensons que c'est la meilleure solution.

Son père ! On lui avait toujours dit qu'il était inconnu ! Et voilà qu'elle devait vivre avec lui !

– Je comprends que cela te perturbe, Alice, reprit Mme Bajon. Nous faisons ce qu'il y a de mieux pour toi, pour ton avenir.

– Je veux rester avec ma mère.

– C'est impossible. Elle est à l'hôpital, et tu ne peux pas vivre ici sans elle.

– Monsieur Marcel est là.

– Alice, s'il te plaît. Cesse de tout compliquer et ouvre cette porte. Tu n'es pas la seule enfant dont je dois m'occuper aujourd'hui.

Paul d'Arny. Son père. « S'il vous plaît, mon Dieu. » Partir à New York. Trois semaines. « S'il vous plaît, mon Dieu. »

– Très bien, Alice. Tu as gagné pour aujourd'hui. Je m'en vais. Mais je reviens dans deux jours. D'ici là, commence à préparer tes affaires.

Alice entendit des pas s'éloigner et la porte claquer. Elle était enfin seule. Malgré tout, elle resta dans l'armoire. Elle n'avait pas envie de se lever, de marcher ou de voir la lumière. La faim était passée, laissant place à un goût amer. Comment allait-elle se sortir de là ?

*

Durant trois semaines, Mme Bajon fit son inspection hebdomadaire pour vérifier qu'Alice préparait correctement le voyage. Il fallait des affaires de toilette, des vêtements propres et les moins élimés possible. Les chaussures devaient briller, les cheveux et les ongles être coupés. L'assistante sociale était persuadée qu'une allure soignée faciliterait les choses. Elle était ravie de dispenser ses conseils en la matière. Alice ne la supportait plus. On aurait dit que Mme Bajon était ravie de ce qu'elle appelait une aventure.

– L'Amérique ! Enfin, Alice, tu ne te rends pas compte de ta chance ! Qui sait, tu épouseras peut-être un riche Américain ?

Mme Bajon avait trente-cinq ans et pas de mari. Jean-Joseph avait expliqué à Alice qu'à cet âge, les femmes devaient être mariées, alors ça obsédait celles qui ne l'étaient pas. Selon lui, Mme Bajon était tellement moche que même l'excitation de l'après-guerre n'avait pas suffi à faire oublier sa tête de corbeau aux hommes célibataires ! Ça faisait sourire Alice. Mais ce n'était pas pour ça qu'elle la détestait le plus : Mme Bajon refusait de reporter le départ.

– Je voudrais rester auprès de ma mère encore un peu, lui avait demandé Alice.

– La maladie peut durer encore des mois, et qui va s'occuper de toi ?

– Mais si elle ne dure pas des mois ? Je ne veux pas être loin si elle meurt.

– Alice, tu ne peux pas rester seule chez toi. Si tu ne pars pas en Amérique, je devrai te trouver une famille d'accueil ou te placer dans un foyer. Et en ce moment, ils sont pleins. Crois-moi, je connais beaucoup d'enfants qui seraient vraiment contents d'être à ta place…

La loi et la logique étaient contre elle. La belle excuse ! Comme si la loi et la logique avaient toujours fait le bien ! Et les résistants alors ? Ils étaient hors la loi et il n'y avait rien de logique dans les risques qu'ils prenaient. Pourtant, on disait partout qu'ils étaient des héros et qu'ils avaient sauvé la France.

Mais Alice finit par accepter son sort pour une autre raison : c'était peut-être elle qui tuait sa mère. Finalement, avant qu'elles ne soient réunies, Diane allait bien. Elle était fatiguée par la guerre, mais elle n'était pas malade. Ce n'était qu'après son arrivée que tout s'était déclenché. Et si Alice n'avait pas été assez gentille et que c'était ça qui avait causé la maladie ? En partant loin, peut-être que sa mère guérirait. Cette conclusion lui faisait mal, pourtant elle n'avait pas le choix. Mais qui veillerait sur Diane ? Depuis l'histoire du métro, Monsieur Marcel essayait d'être un peu plus normal, mais Alice sentait bien que quelque chose s'était cassé, et elle n'avait plus confiance en lui. Elle craignait toujours qu'il recommence, qu'il s'en aille un jour tuer Mme Deville, puis se jeter sous le métro.

*

Le bateau partait le lendemain matin. Monsieur Marcel lui avait demandé de le suivre jusqu'à son armoire. Il en avait sorti une vieille boîte en carton, qu'il lui avait tendue. Alice l'avait ouverte en silence, elle sentait que c'était un moment important. À l'intérieur, elle souleva plusieurs étoffes. Au-dessous de la dernière se trouvaient une dizaine de livres. Des romans. C'était ceux de Dina, la fille aînée de Monsieur Marcel.

– Pronds-les. Ti m'en laisses jiste un.

Alice n'en revenait pas. Il lui donnait ce qu'il avait de plus cher. Elle comprenait l'effort que cela représentait pour Monsieur Marcel de se séparer d'un tel souvenir. Elle osait à peine les toucher.

– Vas-y jé té dis. Avec toi, ils vivront. Mieux qué dons la boîte.

Alors Alice les avait pris et soigneusement rangés dans une valise à part, enroulés dans des torchons. Monsieur Marcel était fou, oui, mais il était gentil.

Avant d'aller se coucher, elle alla voir Jean-Joseph pour lui dire une dernière fois au revoir. Il n'était pas dans la cour. Elle descendit au cabinet. Il était en train de déchirer son dessin de squelette, et tous ses livres de médecine étaient par terre.

– Mais qu'est-ce que tu fais ?

Jean-Joseph sursauta, il ne l'avait pas vue entrer.

– Rien, laisse-moi tranquille, répondit-il en se détournant.

– Je pars demain…

Alice s'approcha de son ami, et s'aperçut qu'il avait les yeux rouges.

– Qu'est-ce qui se passe ?

– Rien.

– Pourquoi tu casses tout ?

– Parce que. De toute façon, tu t'en vas, alors qu'est-ce que ça peut te faire ?

Alice eut envie de le pousser pour qu'il tombe sur ses livres. C'était tellement injuste de lui dire ça ! Elle soupira et tourna les talons. Jean-Joseph la rattrapa.

– Excuse-moi.

Alice soutint son regard.

– Je ne serai pas médecin.

– Comment ça ?

– Ma mère n'a pas rempli mon dossier scolaire. Je savais même pas que ça existait, moi ! Et maintenant, c'est trop tard, je pourrai pas passer mon certificat d'études, et la directrice a dit que l'école, c'était fini pour moi.

– C'est pas possible, il y a bien un moyen ?

– Non, j'ai tout essayé…

– Mais pourquoi ta mère a fait ça ?

– Elle ne sait pas lire. Elle a vu un drapeau sur une enveloppe et elle a eu peur, elle a tout jeté.

– Et tu ne peux pas y aller l'année d'après ?

– Non, Alice. C'est trop tard. Je serai pas médecin, c'est tout.

Il serrait les poings. Alice voyait bien qu'il se retenait de pleurer.

– Et tu vas faire quoi ?

– Je sais pas. Je vais peut-être partir. L'armée américaine recrute des secrétaires dans des bases en Allemagne, et un peu partout en Europe. Si je suis pas médecin, je travaillerai pour les Ricains.

– Et ta mère ?

– Je lui enverrai de l'argent. Un jour, il faut bien s'en aller.

Alice acquiesça. Ils restèrent un moment ensemble, puis l'heure de remonter arriva. Quand Alice s'approcha de la porte de la cave, Jean-Joseph lui dit :

– Tu es ma meilleure amie. Je ne t'oublierai jamais.

Alice hocha la tête et ferma la porte. Elle pleurait.

Elle remonta dans son appartement. Il n'y avait personne. Monsieur Marcel lui avait laissé de quoi dîner sur la table, mais elle n'y toucha pas. Elle alla se coucher. Deux heures plus tard, elle n'avait toujours pas trouvé le sommeil. Et si Diane mourait seule ? Et si Jean-Joseph devenait soldat et qu'une guerre éclatait ? Elle ne pourrait rien y faire. Elle serait loin. Sa mère, Monsieur Marcel, Jean-Joseph… Tous finiraient par l'oublier, ils continueraient leur vie, tant bien que mal. Demain, elle partait.

III

Rien ne dure toujours

9.

Paris, avril 1947

Alice n'avait jamais vu de bateau si grand. La coque était immense, piquée de hublots dans lesquels se reflétait la lumière du soleil. L'énorme cheminée semblait toucher le ciel. La passerelle, les cordages, tout était beaucoup plus imposant qu'elle ne l'avait imaginé. Elle avait l'impression d'être une fourmi. Le quai grouillait de voyageurs qui parlaient dans des langues qu'elle ne comprenait pas, certaines chantantes, d'autres presque agressives. Autour d'elle, ça courait, ça se bousculait. On se disait au revoir, on se serrait dans les bras.

Une fois en haut, Alice tourna le dos à toute cette agitation, et s'agrippa à la rambarde du pont. Elle se sentait dépassée par les yeux brillants et pleins d'espoir des passagers, les mains vissées à de maigres valises. Elle avait du mal à croire que le bonheur puisse être un endroit. Toutes ses terres promises n'avaient été que déception ! Elle repensait à ses derniers instants à Paris. « Sois heureuse », lui avait dit sa mère à travers une vitre. Les médecins leur avaient interdit tout contact, Diane était devenue trop contagieuse. Elles n'avaient pu se revoir qu'une seule fois depuis son entrée à l'hôpital. Sois heureuse... Cette phrase qui se voulait gentille sonnait comme un ordre, une mission dont Alice ne se sentait pas à la hauteur. Après tout, cela ne dépendait pas uniquement d'elle.

Bientôt les membres d'équipage échangèrent des instructions, le moteur retentit et le navire se mit en branle. Elle partait.

Alice passait des heures sur le pont. Le vent giflait son visage, s'infiltrait dans ses cheveux. Elle était si proche de l'eau qu'elle pouvait en sentir quelques gouttes, lorsque les vagues étaient hautes. C'était dans le vacarme de la foule et des hélices qu'elle parvenait à oublier. Elle chassait les images de sa mère, Jean-Joseph, Monsieur Marcel, Jeanne, tous ces fantômes qu'elle ne devait plus revoir puisque la loi en avait décidé ainsi. Mais chaque fois qu'un détail lui revenait, une sensation de vide l'envahissait, comme si elle devenait une poupée de chiffon. Pourtant, elle refusait de se laisser envahir par le chagrin. Pleurer, c'était abandonner. Mme Bajon avait beau lui répéter qu'elle avait vécu beaucoup de choses, et qu'elle avait le droit de pleurer, Alice avait décidé d'être forte. Et puis, elle n'était pas la moins bien lotie. Sa mère souffrait, Jean-Joseph ne serait jamais médecin, Monsieur Marcel devenait fou, Jeanne était seule. Elle, au moins, allait quelque part.

En fait, plus que de la tristesse, elle éprouvait de la

colère et surtout de la peur. Elle enrageait d'avance d'avoir à vivre les prochaines étapes de son périple. Et si elle n'aimait pas son père ? Ou si lui ne l'aimait pas ? Et si sa mère mourait sans elle ? Le problème, c'était qu'elle détestait avoir peur. Avec Jean-Joseph, ils se moquaient des trouillards. Plus elle avait peur, plus elle avait honte. Une boucle infernale. Elle avait l'impression d'être une mouche qui butait inlassablement sur une vitre en espérant sortir.

Quand la houle était trop forte et qu'il fallait rentrer dans la cabine, Alice se plongeait dans ses romans. « Les âmes grandes sont toujours disposées à faire une vertu d'un malheur. » Cette phrase trouvée dans un roman de Balzac avait résonné en elle. Elle l'avait notée au dos de sa main pour la relire plusieurs fois par jour. Mme Bajon, qui ne s'intéressait qu'aux magazines, semblait très étonnée du goût d'Alice pour la lecture.

– Mais enfin, tu n'es pas un peu jeune ? Balzac, Flaubert, Maupassant… c'est quand même pour les grands. Tu devrais lire des choses de ton âge !

Alice ne savait pas quoi répondre. Elle avait toujours aimé lire, et n'avait jamais songé à faire de choix selon son âge. Elle se laissait guider par un titre, une couverture, les premières lignes… Parfois, elle sentait que quelque chose lui échappait, elle se disait qu'elle y reviendrait plus tard. Ce qu'elle aimait dans ces histoires, c'était qu'elles étaient évidentes, logiques, et l'évidence la calmait. Il y avait un début, un milieu, une fin. Les méchants étaient souvent punis, par les autres ou par eux-mêmes, ceux qui péchaient finissaient par le payer, les bonnes personnes étaient tôt ou tard récompensées. Il y avait un sens, et de ce sens se dégageait l'espoir.

*

Une nuit, un rêve horrible la tira du sommeil. Elle était trempée de sueur, et son cœur battait à se rompre. Elle bondit de son lit et courut vers le pont pour regarder vers la France. Il n'y avait que le vide infini de l'océan. Face aux flots denses et noirs, son cauchemar la rattrapa : Diane était morte, et en quelques secondes, sa mère se transformait en squelette. Sa chair se flétrissait, ses muscles disparaissaient, sa peau se décomposait. Ses joues se désagrégeaient, ses yeux, sa bouche, pour laisser place à un crâne méconnaissable. Des vers sortaient de ses orbites, et il en serait ainsi pour l'éternité. À cette pensée, Alice entendit un sifflement au fond de son oreille, qui la fit vaciller, et elle se mit à pleurer. Elle avait beau essayer d'oublier, l'image la hantait.

Elle se souvenait que quand elle s'occupait de sa mère, l'odeur de la mort s'en dégageait déjà, à travers son haleine, les relents rances de sa transpiration. Pourquoi Dieu l'humiliait-il ainsi ? À demi consciente, Diane s'accrochait à la danse incessante de l'aiguille des secondes sur l'horloge accrochée au mur. D'un coup, elle se mettait à crier : « *Schnell.* Le bois. Plus vite. » Le médecin disait que c'était la fièvre qui la faisait délirer. « Ils sont là ! Ils sont là ! Cachez-vous », ordonnait-elle à des personnes invisibles. Alors Alice l'attrapait par les épaules, la fixait droit dans les yeux et lui disait :

– Maman, la guerre est finie.

Diane s'immobilisait et finissait par sourire pour masquer sa tristesse. Puis elle tortillait son drap entre ses mains.

– La guerre est finie... Oui.

Des bruits de pas résonnèrent. Alice se retourna. Mme Bajon courait vers elle sur le pont du bateau. Dès qu'elle fut assez proche, l'assistante sociale attrapa Alice par le col de sa chemise de nuit et l'attira en arrière. Mme Bajon hurlait, la bouche tremblante, les cheveux en pagaille, elle qui ne se montrait jamais sans chapeau ni maquillage.

– Tu n'as pas le droit de mourir, Alice. Je sais que tu trouves ce départ injuste, mais donne une chance à ton père, à cette famille qui t'attend. Tu vas être heureuse, crois-moi. Bien plus heureuse qu'à Paris.

Puis Mme Bajon se tut, et Alice se perdit un instant dans le silence. Comment l'assistante sociale avait-elle pu croire une chose pareille ? Alice n'avait pas pensé à mourir. Elle voulait juste crier sa colère, chasser l'image du cauchemar... Mais mourir ? Elle n'osa rien répondre. Mme Bajon semblait satisfaite. Elle devait être fière d'avoir sauvé une vie... Comment parvenait-elle à faire si peu d'efforts pour comprendre ? Depuis que ce projet de départ avait été abordé, elle n'avait cessé de répéter combien les stars américaines étaient magnifiques. « Bogart, Bette Davis, et puis le jazz, quelle chance de rejoindre ce pays. » Pas de discussion possible avec elle, autant abandonner.

L'assistante sociale continuait de tirer sur le col d'Alice, qui lâcha soudain la rambarde. Elles tombèrent ensemble sur le sol. Mme Bajon la prit dans ses bras. Alice ne se débattit pas.

*

Un sifflet réveilla Alice et Mme Bajon, puis le bruit de l'attroupement des voyageurs sur le pont les poussa à se lever. L'Amérique se dessinait enfin. Dans quelques minutes elles poseraient les pieds sur le continent. On leur proposa un petit déjeuner, mais Alice avait l'estomac noué. Ce qu'elle imaginait depuis des jours était à présent là. Impossible de l'éviter. Aujourd'hui, elle connaîtrait son père. Elle en était abasourdie. Elle n'avait pas beaucoup dormi pendant le voyage. Le manque de sommeil, ses craintes et toutes les émotions qu'elle traversait quotidiennement la rendaient sensible à l'extrême. Elle frissonnait au moindre coup de vent, distinguait parfaitement l'odeur du sel dans l'air, et sursautait au moindre contact, même accidentel, avec une autre personne. Mme Bajon n'y prêtait pas attention.

Quand le bateau ralentit, l'assistante sociale s'installa

devant le miroir de la cabine et entreprit de se maquiller, suivant les étapes auxquelles elle avait pris soin de se soumettre chaque jour jusque-là : d'abord l'hydratation, puis le teint, les yeux, la bouche, l'éclat général, les détails, la coiffure, le chapeau, et le parfum. Nul doute, c'était un grand jour pour elle.

À quai, l'équipage descendit la passerelle. Les voyageurs s'y bousculèrent. On aurait dit des affamés à qui l'on avait promis un repas chaud. Très vite, de longues files d'attente se formèrent, et des officiers posèrent des questions. Mme Bajon traduisit à Alice :

– Ils veulent savoir qui compte immigrer aux États-Unis et qui vient juste en voyage.

– Pourquoi ?

– Parce qu'ils ne laissent pas tout le monde entrer, pardi !

Des dizaines de personnes, l'air hébété, furent envoyées dans une sorte d'immense hangar.

– C'est quoi ?

– Ellis Island. Pour vérifier que les futurs migrants sont aptes.

– Mais qu'est-ce qu'on leur fait ?

– Une série de tests médicaux et mentaux. On leur pose des questions pour connaître leurs intentions…

– Et s'ils sont malades ?

– Ils rentreront chez eux.

– Après tout ce voyage ?

Mme Bajon sembla agacée par cette remarque. En

guise de réponse, elle sortit un peigne de son sac et coiffa Alice :

– On n'a pas idée de sortir ainsi débraillée ! C'est au soin que l'on s'accorde que vous gagnerez le respect, jeune fille !

Mais Alice ne l'écoutait plus, elle était absorbée par le spectacle de tous ces gens attroupés. Ce qui les unissait, au-delà de la peur, c'était la déception. Elle eut de la peine pour eux.

– Et moi, je vais devoir y aller à Ellis Island ?

– Non, ton père est américain, et de toute façon, pour l'instant, officiellement tu es en visite.

Bientôt, on leur indiqua un nouveau bateau, plus petit, grâce auquel elles pourraient enfin rejoindre Manhattan. Un groupe d'Américains prit place à côté d'elles. C'était la première fois qu'Alice entendait une conversation en anglais. Elle était fascinée, mais se sentait plus étrangère au monde que jamais. Elle prenait peu à peu conscience qu'elle devrait s'adapter à cette nouvelle vie, à sa nouvelle famille, à leurs habitudes. Plus ils approchaient de la rive, plus son sentiment de solitude s'intensifiait.

Voilà. Elle était en Amérique. Alice essayait de compter les étages des gigantesques immeubles devant elle, mais elle perdait le fil. Cinquante, peut-être cent… Comment avait-on pu construire de telles choses ? Elle se sentait si petite. À vrai dire, tous les gens autour d'elle semblaient minuscules comparés à la ville au-dessus d'eux, dans l'ombre des bâtiments et du métro aérien. Alice eut soudain très froid.

Mme Bajon peinait à se repérer sur son plan. Elles finirent par monter dans deux bus successifs, puis il fallut marcher un temps infini. Pourtant se perdre était encore l'option qu'Alice préférait. C'était un peu de temps gagné dans son ancienne vie : tant qu'elle n'était pas chez son père, elle était encore un peu avec sa mère.

*

Paul et Ellen d'Arny vivaient dans une magnifique résidence d'une avenue appelée Madison. Le hall était décoré dans un style qu'Alice ne connaissait pas.

– Très Art déco, précisa Mme Bajon avant de s'extasier. Non mais regarde un peu ce lustre, et ce marbre, tu as vu ça ?

Mais Alice n'arrivait plus à l'écouter. Dans douze étages, elle connaîtrait son père. Douze étages ! Il fallait prendre l'ascenseur, elle n'était jamais montée dans ce type de machine. Au moment d'entrer, ses genoux se dérobèrent et l'assistante sociale la rattrapa :

– Enfin, avance !

Puis tout alla très vite. Une dame leur ouvrit la porte. Elle parlait français et se présenta : c'était Armande, la gouvernante.

– Alice, je présume ? Enchantée. Monsieur et

madame sont à l'extérieur, ils avaient un déjeuner de la plus haute importance. Ils rentreront bientôt.

Quand Mme Bajon était-elle partie ? Alice ne s'en souvenait pas. L'assistante sociale avait insisté pour faire la connaissance de son père, mais ce n'était pas la peine, la gouvernante avait déjà fait signer tous les papiers demandés. Si elle voulait rencontrer les parents, elle pourrait revenir dans une semaine pour voir comment les choses se passaient. Mais malheureusement ce serait trop tard, Mme Bajon serait déjà rentrée à Paris. Est-ce que l'assistante sociale lui avait dit au revoir ? Alice ne savait plus.

Armande l'invita à la suivre dans ce qui allait être sa chambre. Elle lui expliqua que tous dans la maison parlaient français sauf la cuisinière et le domestique. Un domestique ! Une cuisinière ! Alice sentait son cœur battre à toute allure et se demanda si Armande l'entendait. La gouvernante était plutôt âgée et très imposante. Tandis qu'elle montait les escaliers, Alice pouvait voir des gouttes de sueur glisser sur l'arrière de sa nuque. Elles traversèrent un long couloir et s'arrêtèrent devant une porte blanche. Armande frappa, et une voix d'homme répondit :

– C'est occupé.

Pourtant la gouvernante entra quand même, refermant la porte derrière elle après avoir fait signe à Alice de rester à sa place. Malgré cette précaution, Alice entendit toute leur conversation :

– Mais vous avez tout dérangé ! En quarante ans de service chez les d'Arny, je n'ai jamais vu un enquiquineur pareil !

– Pourquoi on l'installerait ici ? C'est ma chambre ! cria l'homme.

– Monsieur Paul pense qu'un peu de compagnie vous fera du bien. De toute façon, vous savez bien qu'il n'a pas d'autre endroit.

– Et le bureau d'Ellen ?

Alice entendit Armande soupirer et l'homme insista :

– Enfin ! Elle ne travaille même pas !

– Monsieur Vadim, votre chambre est deux fois plus grande que la mienne et que celle de Beth… On ne peut pas dire que vous êtes à l'étroit.

– Et pourquoi pas dans la bibliothèque ?

– Moi, je fais ce qu'on me dit.

– Je vous préviens, je ne me laisserai pas faire ! Cette petite ne sait pas où elle met les pieds.

– Vous devriez vous calmer. Nous allons bientôt déjeuner.

Il y eut un silence, puis l'homme reprit, plus en colère encore :

– Où sont mes disques ? Je vous ai répété des centaines de fois de ne pas les déplacer !

– Ils n'ont pas bougé, monsieur.

– Où sont-ils ?

– Là ! Voilà !

Alice entendit quelque chose tomber.

– Sortez de cette chambre !

– Cessez de faire l'enfant.

Des bruits de pas résonnèrent et Armande ouvrit la porte.

– Alice, je te présente ton oncle, Vadim, le frère de ton père.

– Demi-frère.

– Tu vas partager sa chambre.

Alice fixa l'homme qui leur tournait le dos, devant la fenêtre. Il se tenait voûté, comme attiré par le sol. Il portait un pantalon marron, avachi, des chaussures de sport élimées, et une chemise sans forme, qui avait dû être blanche un jour, mais qui tirait sur le gris. Son allure semblait parler, elle disait : « Laissez-moi tranquille. » Autour de lui, des disques étaient éparpillés sur le sol. Voilà ce qui avait dû causer le bruit quelques minutes plus tôt.

Alice s'était attendue à beaucoup de choses mais pas à partager la chambre d'un inconnu, son oncle, qui ne semblait pas du tout apprécier cette idée. Sans bouger, l'homme dit :

– Alors voilà Alice.

Il renifla sans retenue. Alice lança un regard inquiet à Armande, qui lui fit signe d'attendre.

– On a fait un long voyage, et à en croire l'odeur, la douche, ce n'était pas pour tous les jours !

Alice se décomposa.

– Viens là, que je te regarde ! ajouta-t-il dans un rire cynique.

Alice était bloquée. Armande la poussa doucement. L'homme se retourna. Alice sursauta : une cicatrice lui barrait le visage. Cette affreuse marque l'hypnotisa, aucun autre de ses traits ne parvenait à dévier son attention. Les yeux fermés, l'homme lui toucha bientôt le nez. Du bout des doigts, il dessina le contour de son menton, de ses joues.

– Le portrait de ta mère !

– Vous avez connu ma mère ?

– Ici c'est moi qui pose les questions ! Armande, je suis fatigué, emmène-la.

La gouvernante indiqua rapidement à Alice la petite couchette aménagée pour elle dans un coin de la pièce.

– Je dois m'occuper du dîner, tu vas m'accompagner, ajouta-t-elle.

Quand Alice s'apprêta à poser sa valise, Armande l'interrompit :

– Non, il faut laver tes vêtements. Dieu sait où ils ont traîné ! En attendant, je vais te prêter une blouse.

Une fois sortie de la pièce, Alice comprit enfin. Elle hésita quelques secondes, mais le besoin d'être sûre était plus fort. Elle murmura :

– Il est aveugle ?

– Vadim ? Oui. Cadeau de la guerre… Mais il a eu la médaille du mérite ! lui répondit la gouvernante avant de disparaître dans le couloir.

Alice ôta la nouvelle chemise que Mme Bajon lui avait achetée et descendit. La cuisine était immense, tout comme les saladiers dans lesquels une très grosse dame à la peau toute noire cassait des œufs. Elle préparait un gâteau.

– Beth, lui dit-elle, en se tapant sur la poitrine.

Alice comprit que c'était son prénom. Beth lui indiqua la poubelle derrière, et lui donna des coquilles d'œufs. Alice les jeta.

– *Give me the butter please.*

De quoi s'agissait-il ? Beth fixait un ingrédient du regard, mais il y en avait tellement qu'Alice ne savait pas lequel choisir. Tout était écrit en anglais. Comment allait-elle faire pour suivre la recette sans rien comprendre ? Armande et la cuisinière se souriaient. Elles parlaient entre elles en anglais, comme si Alice n'était pas là. Elle se sentait seule. Ici, tout lui était étranger. Soudain, ce fut comme si son corps lui échappait. Un sablier qu'on renverse. Elle s'appuya sur le plan de travail pour reprendre son souffle et secoua la tête aussitôt. Il ne fallait pas flancher maintenant.

*

Plus tard dans l'après-midi, Armande donna pour consigne à Alice d'attendre à l'étage. Le dîner aurait lieu quelques heures plus tard.

– Tu peux te servir de la salle de bain, mais personne n'entre dans les bureaux de monsieur et madame.

Alice se demandait quoi faire. Il lui était impossible de rester dans sa chambre, avec Vadim. Cet oncle fraîchement découvert lui faisait peur. Il se dégageait de lui une agressivité à laquelle elle n'était pas habituée, comme s'il cherchait à pénétrer dans son cerveau pour s'en emparer. Mais où pouvait-elle aller ? Le long couloir de l'étage se terminait dans l'obscurité, et ne lui inspirait pas confiance non plus. Elle ne pouvait pas sortir, et de toute façon, elle n'en avait pas envie. Elle était épuisée. En passant devant la salle de bain, elle eut une idée : s'allonger dans la baignoire. Là, elle ne dérangerait personne et pourrait rester tranquille. Elle ne manquerait pas non plus l'appel du dîner. L'endroit était parfait, et elle s'y sentit aussitôt à l'aise.

Pourtant, à peine installée, elle se trouva ridicule. Elle se cachait plus en Amérique en temps de paix que pendant toute la guerre en France… Et si quelqu'un la découvrait dans la baignoire ? Comment le justifierait-elle ? Elle ne pourrait pas rester là indéfiniment. Plus le temps passait, plus elle se sentait oppressée. Elle chercha des arguments pour partir. Si une voiture klaxonnait… Si quelqu'un montait dans l'escalier… Si elle parvenait à retenir sa respiration plus d'une minute… Mais chaque fois, elle s'arrangeait avec la vérité et restait dans sa cachette.

Au bout d'un moment, quelque chose changea en

elle. Les battements de son cœur, son flot de pensées, le clignement de ses yeux, tout alla plus vite. Elle se demanda pourquoi. C'était pourtant une évidence : dans quelques minutes, une heure peut-être, elle connaîtrait son père. À quoi ressemblait-il ? Elle avait tenté de se l'imaginer depuis le jour où elle s'était enfermée dans l'armoire pour résister à l'annonce de Mme Bajon, mais elle s'était déjà tellement trompée. Pourquoi aurait-elle raison cette fois-ci ?

Voyons. L'appartement était grand, sur deux étages, avec de profonds fauteuils, de larges chaises. Dans la cuisine, des dizaines de casseroles en cuivre étaient accrochées au mur, et la cuisinière ne lésinait pas sur les quantités.

Peut-être que son père était obèse ? Sa voix était-elle aussi grave que celle de Vadim, ou s'exprimait-il avec les mains comme Monsieur Marcel ? Alice se leva et se dirigea vers le miroir. Elle se concentra sur son reflet, essayant d'y tracer mentalement des repères. Elle voulait être prête à identifier des ressemblances entre ses traits et ceux de Paul d'Arny. Mais tout ce qu'elle vit furent ses grands yeux qu'elle avait en commun avec sa mère. Son cœur se serra. Diane toussait-elle toujours autant ? Elle espérait que son séjour à l'hôpital produirait un miracle, ça arrivait parfois si on priait très fort. Elle se fit la promesse de lui écrire le soir même, et chaque jour qui suivrait.

Plus elle se posait de questions, plus elle fluctuait

entre excitation et anxiété. Il fallait qu'elle ait l'air sûr d'elle pour cette rencontre. Paul devait l'aimer pour l'adopter pour de vrai, même si elle était sa fille, et qu'en théorie elle n'était pas supposée faire des efforts. Mais ce qu'elle avait appris jusqu'ici, c'était qu'il valait toujours mieux prévoir. Les mauvaises surprises étaient plus fréquentes que les bonnes, et ça faisait moins mal quand on avait envisagé le pire.

Soudain, le tintement d'une clochette lui parvint. La porte de « sa » chambre claqua : son oncle s'apprêtait à descendre. Elle se faufila hors de la salle de bain.

– C'est le dîner, lui lança sèchement Vadim qui l'avait entendue.

Elle le suivit sans répondre.

Une jolie table était dressée. Vadim s'y reprit à trois fois pour s'asseoir, se cognant tantôt sur le rebord, tantôt sur la chaise. Trop énervé, il repoussa Armande qui proposait de lui porter secours. La gouvernante lui adressa un regard las, qu'Alice fit mine de ne pas remarquer.

– Monsieur et madame vont arriver, précisa-t-elle en s'éloignant.

– À la bonne heure ! s'exclama Vadim, d'un ton ironique.

Le monde sembla se pétrifier. Des bruits de pas résonnèrent. Le ventre d'Alice se noua, comme lorsqu'on freine d'un coup sur un vélo qui va trop vite. Un homme et une femme parlaient, elle pouvait distinguer leurs voix au fond du couloir. La pièce entière lui parut plus sombre, plus étroite que lorsqu'elle était arrivée le matin. Elle avait envie de partir, mais s'accrochait à la chaise, les mains sous la table. Il fallait qu'elle tienne bon. Elle ne parviendrait pas à dîner. Pourtant, ils voudraient sûrement qu'elle mange, qu'elle les remercie aussi. Soudain, elle se rendit compte qu'elle ne savait pas du tout ce que l'on attendait d'elle.

*

Un couple très élégant entra dans la pièce. Ils étaient si parfaitement assortis qu'Alice crut voir l'espace d'un instant un halo de lumière les entourer. L'homme n'était pas très grand, mais il avait de l'allure, et une démarche assurée. Alice était fière : ce monsieur, c'était son père. La femme était magnifique. Elle ressemblait à la mère dont elle avait souvent rêvé lorsqu'elle vivait à Salies. Les mains d'Alice se mirent à trembler : ils étaient si parfaits qu'elle n'y croyait tout simplement pas. Ils avançaient en se tenant bras dessus bras dessous jusqu'à la table. Quand ils furent à sa hauteur, la femme dit en français avec un accent américain prononcé :

– Voici donc la fameuse Alice ? Je suis Ellen.

– Bonjour, madame, lui répondit Alice en inclinant la tête.

Elle adressa ensuite un regard à l'homme.

– Je suis Paul. Il semble que nous ayons des choses en commun.

Paul prit soin de tirer la chaise pour Ellen et ils s'assirent, majestueux. Chacun de leurs mouvements était gracieux et maîtrisé. Armande poussa une petite table à roulettes sur laquelle des plats étaient disposés, et servit le repas : une soupe de légumes, accompagnée de croûtons faits maison, parfumés à l'ail, à la préparation desquels Alice avait participé, puis une pièce de bœuf par personne. Alice n'avait jamais vu autant de viande sur une table. Comment était-ce possible ? Son appétit avait beau être coupé, ne pas manger aurait été indécent… Elle laisserait la purée, mais cette viande… Les files d'attente, les tickets de rationnement étaient si proches. Aucune expression de surprise sur les visages de Paul, Ellen, Vadim ou Armande, pour eux ces quantités semblaient normales. Se rendaient-ils compte ?

– Bon appétit, murmura Alice.

Paul et Ellen se regardèrent, gênés.

– Voyons, ça ne se dit pas ! la reprit finalement son père.

Alice sentit ses joues chauffer. Que devait-on dire alors ? Jeanne commençait toujours ses repas comme ça…

Vadim plongea sa cuillère dans son assiette et Paul ne prononça plus un mot. Comme si Alice était transparente. Ellen découpait de petites portions, qu'elle portait délicatement à sa bouche. Elle mâchait si lentement que ses lèvres bougeaient à peine. Elle picora sa purée, but un peu de vin et en quelques minutes avait terminé de dîner. Toute cette nourriture délaissée dans son assiette… Alice n'en revenait pas. Elle fixait la viande comme si son regard pouvait suffire à l'empêcher de finir à la poubelle.

Les hommes entamèrent une discussion politique. Apparemment, son père désapprouvait le projet du plan Marshall. Il conclut sa longue démonstration par :

– Les Européens devraient s'estimer heureux que l'Amérique les ait sauvés !

– Imbécile ! Si tu les laisses, ces salauds de rouges vont tout rafler ! Ils posséderont l'Europe et nous largueront une bombe atomique dans le derrière, et toi tu n'auras rien vu venir ! À croire que je ne suis pas le plus aveugle ici ! hurla Vadim, s'empourprant au fur et à mesure.

– De toute façon, les Européens sont des rouges ! Regarde l'Angleterre ! Churchill les sauve, et ils élisent Attlee !

– Pauvre Paul. Mais tu ne comprends donc rien. Je te parle de Moscou là ! Des sauvages de bolchéviques qui violent tout sur leur passage et qui veulent notre peau !

Alice avait déjà entendu ce genre de discours à Paris : Jean-Joseph pensait qu'on devait tout aux Ricains, de la Libération au futur plan Marshall, Madame Léa n'avait pas confiance dans les Russes ni dans aucun pays de l'Est, et sa mère acquiesçait souvent, sans pour autant affirmer ses positions. Ce n'était donc pas tant le point de vue qui surprit Alice, que la façon dont son oncle s'animait. On aurait dit que sa vie en dépendait. Elle aimait qu'il soit en faveur d'une aide à l'Europe. D'une certaine façon, cela revenait à aider les siens.

Visiblement excédé par les propos de Paul, Vadim jeta sa serviette sur la table et bondit de sa chaise. Armande accourut pour l'aider à s'orienter et ils disparurent à l'étage. Alice se retrouva seule avec son père et Ellen. Personne ne fit de commentaire sur ce qui venait de se passer. Beth vint servir les desserts, que Paul et Ellen goûtèrent à peine. Le repas se terminait. Alice avait l'impression qu'un ver montait, de ses chevilles à son cœur, et réveillait tout l'énervement qu'elle avait contenu jusqu'ici : chaque partie de son corps était crispée. Comment pouvaient-ils être si indifférents à sa présence ? À la réaction de Vadim ? N'avaient-ils pas envie de la connaître ? Elle triturait machinalement la serviette entre ses mains, hantée par le souvenir des assiettes pleines, et le regard perdu sur le gâteau à peine touché. Quelle situation grotesque !

– *Are you done, Miss ?* l'interrompit le domestique.

Elle comprit que la table devait être débarrassée.

Se ressaisir. Se maîtriser. La situation changerait tôt ou tard. Rien ne durait toujours.

10.

New York, début mai 1947

Depuis qu'Alice était arrivée, chaque journée lui réservait son lot de déceptions. Elle en était furieuse. Elle ne se calmait que lorsqu'elle écrivait à sa mère le soir, avant de dormir. À la fin de chaque lettre, elle se relisait plusieurs fois, traquait les fautes, puis pliait le papier soigneusement. Elle fermait l'enveloppe, la respirait, comme si elle tenait un bout de France entre ses mains. Elle glissait ensuite la lettre sous son oreiller et fermait les yeux.

Le lendemain matin, les mains moites, elle confiait la précieuse enveloppe à Armande. Une partie d'elle s'en allait retrouver l'autre. Quand elle s'était adressée à son père pour savoir comment faire, il lui avait demandé de régler ces détails avec la gouvernante. Armande lui avait assuré qu'elle remettrait ses lettres à Ellen, en charge du courrier de la maison. Une chaîne un peu biscornue aux yeux d'Alice, mais l'important était que le lien avec Paris ne se rompe pas. Elle se souvenait de chaque mot qu'elle avait écrit, même des jours auparavant.

Le 24 avril 1947

Maman,

Ici tout va bien. Je suis arrivée il y a deux jours. J'ai pas encore visité New York, mais ce que j'ai aperçu sur le trajet m'a beaucoup plu. La maison de Paul est très belle, très grande et ils ont beaucoup à manger. J'aurais aimé que tu voies ça.

J'espère que tu n'as pas trop mal et que la maladie s'en va.

Et Monsieur Marcel, est-ce qu'il s'occupe de toi ? Est-ce que tu as vu Jean-Joseph ? Et Madame Léa ? Je sais que tu n'aimes pas beaucoup les questions, mais j'avais envie de savoir.

Je pense à toi et tu me manques.

Alice

Elle avait hésité à écrire la vérité, à se confier à sa mère. Mais elle s'était ravisée. Elles n'avaient jamais été assez intimes. Et puis, elle s'était dit qu'un malade ne devait pas apprendre de mauvaises nouvelles. À quoi bon ?

Il fallait pourtant bien qu'elle raconte ce qu'elle vivait à quelqu'un. Elle avait besoin d'un confident. Jeanne peut-être ? Mais pour la même raison qu'elle avait décidé de ne pas la contacter pour son anniversaire, elle y renonça. Sa nourrice aussi devait croire qu'Alice était heureuse. Elle s'était trop battue pour ça.

De toute façon, la seule personne à qui elle avait envie de parler, c'était Jean-Joseph. Elle hésitait. Juste avant qu'elle parte, son ami avait été tellement triste de ne pas pouvoir devenir médecin... Aurait-il du temps à lui consacrer ? Ne valait-il pas mieux le laisser surmonter sa déception ? En même temps, constater qu'Alice l'avait oublié lui ferait encore plus de peine... C'était évident, il était le seul à qui elle pouvait dire la vérité.

Le 25 avril 1947

Mon cher Jean-Joseph,

Tu me manques beaucoup. Tout le monde me manque. Je ne sais pas si tu es déjà parti en Allemagne dans la base américaine, mais j'espère que tu auras ma lettre.

Ici, tout est bizarre. Je sais pas s'ils ont vraiment envie que je sois là. Je dors dans la même chambre que mon oncle, Vadim, le frère de papa. Oui, j'ai un oncle mais il n'est pas très gentil. Il ronfle beaucoup et il fait des cauchemars toutes les nuits, on dirait maman. Je crois que c'est aussi à cause de la guerre. Enfin c'est ce que pense Armande, la gouvernante. Elle m'a dit qu'elle m'expliquerait plus tard. Apparemment, il est devenu aveugle là-bas. Mais parfois, j'ai l'impression qu'il me voit quand même.

Vadim était insomniaque, et selon lui, la présence d'Alice dans sa chambre l'empêchait de dormir plus encore que d'habitude. Alice se sentait tellement coupable qu'à présent, elle aussi avait du mal à trouver le sommeil. Dans son petit lit, elle n'osait pas bouger de peur que Vadim la gronde. Le lendemain de leur première nuit, il lui avait lancé :

– C'est pas possible qu'un p'tit machin comme ça fasse un tel boucan ! Je parie que t'as réveillé l'immeuble ! Nom de Dieu ! Un vrai camion !

C'était un comble car Vadim ronflait vraiment beaucoup… Depuis, elle prenait garde à respirer le plus faiblement possible, pour ne pas être entendue. Elle attendait qu'il dorme et ronfle pour pouvoir fermer les yeux. Mais son oncle veillait de plus en plus tard.

– Je sais que tu ne dors pas. Ça m'exaspère ! Je ne peux pas dormir si tu es là à me guetter.

Le problème était sans fin.

Mais ce qui me fait le plus de peine, c'est que je crois que mon père ne m'aime pas. C'est comme s'il ne voulait pas me connaître. Au début, je croyais que c'était mon imagination, mais plus le temps passe, plus je me demande ce que je fais ici. Il ne me parle jamais. Quand il est à la maison, ce qui est rare, il s'enferme dans son bureau ou il discute avec Ellen. Je me suis dit qu'il était peut-être timide, que je devrais essayer d'aller vers lui… Mais ça n'a servi à rien. Je ne sais pas ce que j'ai fait de mal.

Je pense fort à toi,

Alice

Alice plia la lettre et la glissa dans l'enveloppe. Elle avait beau s'être confiée à son ami, elle n'allait pas mieux. Cette situation avec son père la torturait chaque jour un peu plus. Ce n'était pas normal qu'un père ne veuille pas connaître sa fille. Peut-être qu'il avait été sous le choc d'apprendre son existence ? Mais tout de même… Maintenant qu'elle était là, à quoi cela servait-il de l'éviter ? Pourquoi avoir accepté qu'elle vienne si c'était pour faire comme si elle n'était pas là ?

Elle avait essayé d'aller le trouver dans son bureau. C'était deux jours après son arrivée. Il y travaillait depuis une heure déjà. Elle faisait les cent pas devant la porte. Devait-elle frapper ? Entrer directement ? Non, certainement pas. Serait-il en colère qu'elle le dérange ? Chaque fois qu'elle trouvait un argument encourageant, la porte fermée freinait son élan.

Elle fixait le tableau accroché au mur du couloir. C'était un bateau en pleine tempête. Les vagues étaient grises, plus hautes que la coque. Pour sûr, il finirait par sombrer. Ce bateau, c'était elle. Elle luttait contre les courants qui l'empêchaient de rejoindre son père sur l'autre rive. C'est en pensant à Jeanne qu'elle avait trouvé la force d'entrer. Elle s'était rappelé que sa nourrice lui avait dit : « Qui pourrait ne pas t'aimer ? » un soir où elle craignait que sa mère ne revienne pas. Elle avait confiance en ce que disait Jeanne. Son père l'aimerait tôt ou tard. Il fallait juste qu'il la connaisse. Elle avait fermé le poing, hésité encore quelques secondes et s'était lancée.

– Oui ?

Elle avait ouvert. Il semblait surpris de la voir.

– Tu as besoin de quelque chose ?

Son assurance s'était évaporée. Elle l'avait senti tout de suite, il n'était pas prêt à l'aider. Cette phrase, c'était une façon de lui montrer qu'elle était de trop.

– Tu sais, les enfants, je ne connais pas trop… J'ai beaucoup de travail, mais tu peux compter sur Armande, elle saura t'occuper.

Alice l'avait remercié. Elle avait pris soin de refermer la porte et elle s'était réfugiée dans les toilettes pour pleurer sans faire de bruit.

Le 26 avril 1947

Maman,

Tout le monde est très gentil avec moi. Même Vadim, le frère de papa. Tu l'as connu ?

Il fait très beau, et je sais déjà plein de choses en anglais. My name is Alice, I am nine years old. I come from Paris. *Ça veut dire : « Je m'appelle Alice, j'ai neuf ans (j'ai oublié comment on dit neuf ans trois quarts) et je viens de Paris. » C'est Sheila, mon professeur, qui m'a appris. Elle est étudiante dans une université. Demain elle va m'expliquer comment on compte jusqu'à 10.*

Hier, j'ai aidé Beth, la cuisinière. Elle aussi elle m'apprend beaucoup de mots. Ici tout le monde parle français sauf Beth et le domestique.

Sinon, je lis souvent. Tu vois, il faut pas s'inquiéter pour moi.

Je pense fort à toi. J'espère que tu vas mieux et que tu tousses moins.

Alice

Sheila était gentille, mais elle était toujours pressée. Dès qu'elle arrivait, elle posait sa montre sur la table pour vérifier qu'elle ne dépassait pas le temps de la leçon. En général, elle avait d'autres élèves à voir, ou un devoir à rendre. Elle refusait le thé que Beth proposait. Il n'y avait que le travail qui l'intéressait. On aurait dit que seuls les verbes irréguliers et les listes de mots comptaient dans sa vie. Alice aurait bien voulu discuter avec elle, savoir où elle était née, ce que ça faisait d'être américaine. Ses longues conversations avec Jean-Joseph lui manquaient. Décidément, ce n'était pas simple de trouver des amis.

Le 26 avril 1947

Cher Jean-Joseph,

Depuis que je suis arrivée, je suis enfermée à la maison. Personne n'est jamais libre pour se promener avec moi, et je n'ai pas le droit de sortir seule. Je trouvais ça injuste, alors tout à l'heure, je suis sortie. En cachette. J'ai pris l'ascenseur, du douzième étage, je suis arrivée dans le grand hall et j'ai ouvert la porte pour aller dehors. C'était terrible. Il y avait des voitures partout, qui klaxonnaient, freinaient brusquement, des passants qui marchaient vite, sans se regarder. Il faisait si chaud qu'une sorte de vapeur se dégageait du sol et déformait le bas des voitures. Je ne sais pas si c'était à cause des buildings, mais on aurait dit que le ciel avait disparu. J'ai fait demi-tour et j'ai couru jusqu'à l'appartement. J'aurais tant aimé que tu sois là. Toi tu n'aurais pas eu peur. Je suis nulle.

Que te dire d'autre ? Ellen, la femme de mon père, est magnifique. Si tu la voyais, tu n'en reviendrais pas. J'aimerais tellement être comme elle. Elle est élégante, grande. Je t'assure, elle pourrait faire la une des magazines. En plus, elle est très intelligente. Elle parle couramment le français, alors qu'elle est américaine. Il paraît qu'elle parle aussi italien.

Alice regardait les cheveux blonds d'Ellen avec envie. Longs, lisses, et aussi brillants que le soleil. Sa tignasse désordonnée, ses boucles brunes irrégulières la désespéraient. Comment faire pour devenir blonde aux cheveux raides ? Pas étonnant que son père ne voie qu'Ellen. C'était perdu d'avance. Si Alice avait été plus belle, tout aurait sûrement été plus simple. Elle trouvait son visage trop rond, son nez trop large, son front trop grand, ses lèvres trop épaisses, ses cheveux trop bruns et leur contraste avec sa peau trop blanche n'était pas harmonieux. Tant de trop… Elle ne faisait pas le poids.

Elle continua ses confidences à Jean-Joseph. Elle pensait que lui seul pouvait l'aider à se sentir moins coupable.

Il faut que je t'avoue que j'ai désobéi pour autre chose. Je suis entrée dans la chambre d'Ellen, et je me suis servie dans ses affaires. C'était juste pour jouer. Tu crois que c'est mal ? Je ne voulais pas au début, mais je m'ennuyais… Et puis j'étais triste parce que le matin, au petit déjeuner, mon père a souri, je croyais que c'était à moi, mais en fait c'était à Armande qui avait fait du pain perdu.

Après avoir tourné en rond devant la porte pendant près d'une heure, Alice s'était faufilée dans la chambre d'Ellen et Paul. Elle avait immédiatement remarqué la coiffeuse en laqué blanc, aux formes arrondies. Devant trônait un fauteuil tapissé de velours violet. Le miroir était encadré d'une dizaine de lampes. Alice avait été attirée comme un aimant. En s'observant, elle avait été saisie par l'intensité de son regard, on aurait dit que son corps n'était qu'une couverture, que quelque chose de secret se tramait en elle. Troublée, elle avait examiné les objets devant elle. Elle avait pris le pot de poudre, secoué le tampon et éternué. Puis elle avait étalé une couche blanche sur son visage, sans savoir si c'était vraiment comme ça qu'il fallait faire. Avec un des crayons, elle avait essayé de dessiner un trait noir au-dessus de ses yeux, comme celui d'Ellen, mais elle avait dérapé sur sa paupière. Plutôt raté.

Elle avait tenté de se rattraper avec le rouge à lèvres. Ellen en possédait plusieurs. Son regard s'était arrêté sur le plus vif d'entre eux, un rouge vermillon, presque neuf. Elle avait passé le tube sur sa bouche, frémi au contact de la texture grasse, puis humecté ses lèvres pour répartir la couleur. Le rouge bavait un peu sur les côtés, alors elle s'était essuyée avec un mouchoir. Mais plus elle frottait, plus le rouge laissait des traces sur sa peau blanchie. Pour les masquer, elle avait étalé une nouvelle couche de poudre. Puis elle avait rangé avec précaution le mouchoir dans sa poche. Satisfaite, elle avait minaudé face à la glace, inventant des phrases d'actrices de cinéma : «John, vous ne deviez pas rentrer si tôt, je croyais que vous étiez à la guerre», «La moindre des choses est de frapper à la porte des dames», «Toute ma vie je vous ai attendu, épousez-moi». Elle s'était découvert une repartie de femme fatale, qui l'amusait beaucoup. Le jeu lui avait trop plu pour ne pas recommencer. Chaque jour, à l'abri des regards, elle se glissait derrière la coiffeuse, et se transformait.

Le problème, c'est qu'aujourd'hui, Vadim m'a entendue sortir de la chambre d'Ellen, et il a tout deviné. J'ai l'impression qu'il était encore plus énervé que d'habitude. Déjà qu'il râle sans arrêt. Il crie dès qu'on n'est pas d'accord avec lui, surtout sur la politique… Mais là ! Pendant le repas, mon père racontait qu'il était choqué parce qu'il venait de lire dans le journal qu'en Allemagne, au moins deux filles sur trois avaient été violées par les Russes à la Libération. Vadim a dit : « Faut voir le bon côté des choses, ça simplifie les besoins d'enfants des Boches ! Va bien falloir qu'ils nous pondent une nouvelle armée ! » Ellen a fondu en larmes.

Ça veut dire quoi violée ? Tu crois qu'elle a été violée aussi ? Je ne sais rien d'eux. J'en ai marre qu'on ne m'explique jamais rien.

Alice perdait ses moyens face à son oncle. Au début, elle oubliait qu'il était aveugle, et avait hésité à allumer pour écrire. Comme il l'avait entendue rôder autour de l'interrupteur, Vadim s'était moqué d'elle :

– Te gêne pas, fillette !

Quand il l'entendait tourner les pages d'un livre, il soupirait :

– La lecture, c'est les problèmes des autres en pleine figure. Comme si on n'en avait pas assez.

Un soir, il lui avait demandé :

– Et alors, ça bouquine quoi ?

– *Le Lys dans la vallée.*

– Mon Dieu ! Un de ces quatre, il va falloir faire quelque chose !

Puis il s'était esclaffé. Alors, Alice avait répondu :

– Vous avez connu ma mère ?

Il avait cessé de rire :

– C'est l'heure de dormir. Tu fais trop de bruit avec ton livre, c'est insupportable.

Le 28 avril 1947

Maman,

Je vais très bien. J'ai encore appris d'autres mots en anglais. Je ne te l'avais pas dit, mais il y a aussi un très grand piano. Un piano noir. On peut l'ouvrir et voir les cordes à l'intérieur. Par contre, on n'a pas le droit de jouer. Il était à Vadim, mais maintenant qu'il est aveugle, il ne peut plus s'en servir, alors personne ne doit y toucher. Armande m'a dit qu'avant il jouait très bien. Je n'avais jamais connu d'aveugles. Et toi ?

Est-ce que tu vas mieux ? Quel temps fait-il à Paris ? Chez nous, il fait très beau. Les grands buildings cachent un peu la lumière, mais on voit quand même bien le ciel.

J'espère te revoir bientôt. Est-ce que tu as reçu mes lettres ?

Alice

Le 28 avril 1947

Jean-Joseph,

Est-ce que tu as vu ma mère ? Je ne comprends pas, je n'ai pas reçu de réponse à mes lettres. De ta part non plus, remarque ! Mais toi, je sais que tu as beaucoup à faire. Est-ce que tu pourras aller la voir ? Ça m'inquiète.

Alice n'osait pas écrire la véritable question qui la hantait depuis quelques jours : Diane était-elle morte ? Elle essayait de se raisonner : si c'était le cas, Monsieur Marcel l'aurait appelée…

Pour se changer les idées, elle s'occupait comme elle pouvait, avec ce qu'on lui permettait de faire. Les cours d'anglais avec Sheila le matin, la cuisine l'après-midi.

– *Mrs Ellen will be happy !* insistait Beth pour l'encourager.

Alice savait à présent faire des cookies.

– *So cute with your French accent ! Say it again, sweety !*

Beth était douce, grosse, et Alice avait envie de se réfugier dans ses bras moelleux.

Elle se demandait à quoi bon cuisiner. Ellen et son père n'étaient pratiquement jamais là et Ellen ne mangeait presque rien. Elle touchait à peine aux plats et ne terminait jamais un gâteau. Paul ne s'intéressait pas à sa fille. Alice était persuadée qu'il aurait été incapable de la décrire, il ne l'avait jamais vraiment regardée. Quelque chose d'autre semblait le préoccuper.

Je te jure, c'est vraiment une maison bizarre. On dirait que tout pèse lourd. Et je ne supporte plus Vadim, ce vieux grincheux.

Elle pensait à l'avant-veille. Elle avait saisi l'occasion d'un dîner tous ensemble pour questionner son père sur son histoire avec sa mère. Ça lui avait demandé beaucoup de courage, parce qu'elle se doutait que cette discussion ne serait pas bien accueillie. Mais elle ne pouvait plus attendre, il fallait qu'elle sache.

Le résultat avait été sans appel : Ellen s'était levée de table et Paul l'avait immédiatement suivie, laissant Alice seule avec Vadim. Alice n'avait pas su quoi dire pour les retenir. Elle s'en voulait d'avoir encore tout gâché. Elle reniflait pour retenir ses sanglots. Elle espérait que Vadim la soutiendrait. Au lieu de ça, il s'était moqué d'elle une fois de plus :

– Bien joué, petite ! J'essaie tous les jours de les faire partir et ça marche pas ! Faut croire que t'es plus chiante que moi !

Elle s'appliqua à raconter cet épisode en détail à son ami et poursuivit :

Tu te rends compte ? Comment peut-on manquer de cœur à ce point ? Et personne ne lui dit rien ! Comme s'il avait tous les droits ! Eh bien moi, j'ai décidé que ça ne se passerait pas comme ça ! Tu aurais été fier de moi. J'ai réfléchi à une vengeance, quelque chose de pas dangereux, mais qui lui rende la monnaie de sa pièce. Ça m'a pris au moins toute la journée pour trouver : j'ai mélangé ses piles de vêtements, parce qu'on les lui classe normalement par couleur. Du coup, ça fait deux jours qu'on dirait un arc-en-ciel. Quand il croit que sa chemise est bleue, elle est verte, quand il croit que son pantalon est beige, il est noir ! Et comme il a un sale caractère, personne n'ose lui dire qu'il est ridicule. Dire des méchancetés en ayant l'air d'un clown, c'est beaucoup moins impressionnant !

Alice gardait secrète une partie de sa vengeance : elle avait aussi déplacé certains meubles, la chaise de son oncle, et son gramophone. Vadim avait plusieurs fois manqué de tomber en voulant s'asseoir, et il avait abîmé un disque. Alice avait beau se dire qu'il le méritait, elle regrettait tout de même son geste. Dieu n'appréciait sûrement pas…

Le 30 avril 1947

Maman,

Je suis inquiète, je n'ai pas de nouvelles. As-tu reçu mes lettres ? Paul, enfin, mon père a l'air gêné quand je parle de toi. Je sais que tu n'aimes pas beaucoup les questions mais…

Alice s'arrêta plusieurs minutes sur ce mot. Elle n'osait pas écrire la suite. Elle ne voulait pas blesser sa mère en remuant de mauvais souvenirs, mais elle avait besoin de savoir. Elle n'avait pas le choix, il fallait qu'elle demande.

… est-ce que tu pourrais me raconter comment vous vous êtes rencontrés ?

Sinon, tout va très bien, ne t'en fais pas pour moi.

Alice

Le 30 avril 1947

Mon cher Jean-Joseph,

En fait, je crois que Paul et Ellen ne s'aiment pas tant que ça. Tu ne devineras jamais ce que j'ai vu… L'autre jour, c'était la nuit et il fallait absolument que j'aille récupérer quelque chose dans leur chambre. Alors je suis sortie sans faire de bruit, pour ne pas réveiller Vadim. J'ai longé le mur du couloir en faisant bien attention de ne pas faire craquer le sol, et je me suis arrêtée devant leur porte. J'ai écouté pendant au moins une minute, mais j'entendais rien, alors j'ai ouvert en tournant la poignée tout doucement. Et là, devine quoi ! Ils étaient en train de le faire ! Puis d'un coup, ils se sont arrêtés et ils se sont disputés en anglais. Quand Ellen est fâchée, elle oublie tous ses mots en français. C'était une dispute étrange, ils ne criaient pas. Comme s'ils en avaient marre l'un de l'autre. Je crois qu'ils ont peur d'être malades. J'ai compris plusieurs fois le mot docteur, tu savais que ça se disait pareil en anglais ? J'espère que ce n'est pas trop grave. En tout cas ils ne toussent pas, je ne pense pas que ce soit la tuberculose. J'aurais préféré que tu sois là, tu aurais sûrement compris.

La veille, au moment de s'endormir, Alice s'était rendu compte qu'elle avait oublié les mouchoirs dont elle s'était servie sur la coiffeuse. D'habitude, dès qu'elle terminait son maquillage, elle les mettait dans sa poche et les jetait ensuite à la cuisine, pendant qu'elle aidait Beth. Mais là, elle avait beau passer en revue toutes les étapes de sa journée, à aucun moment les mouchoirs n'apparaissaient. Dans sa poche, il n'y avait rien non plus. Ils étaient donc restés dans la chambre. Elle sentait comme un étau serrer sa gorge. Et si Ellen les découvrait ? Elle se rendrait compte de son petit manège et Alice serait punie ! Elle devait à tout prix trouver un moyen d'empêcher ça. Mais quoi qu'elle se dise pour se raisonner, la panique l'emportait. Comme si la peur d'être découverte la faisait disparaître. Pourtant elle n'avait pas le choix. Elle devait récupérer ses mouchoirs.

Elle avait hésité longtemps avant de se décider. Il faudrait qu'elle attende que tout le monde dorme. Là, elle se rendrait discrètement dans la chambre d'Ellen et Paul. Elle les récupérerait et s'en irait. Si elle était assez agile, tout irait bien. Elle n'aurait qu'à se rappeler le poulailler à Salies, quand il ne fallait pas effrayer les bêtes. Faire des petits pas lents et décomposer les mouvements des pieds, tel était le secret.

Quand Vadim fut endormi, elle était sortie de la chambre pour se diriger vers celle d'Ellen et Paul. Elle avait écouté en collant son oreille derrière leur porte, aucun bruit ne lui parvenait. Ils dormaient. Mais en ouvrant, elle s'était aperçue qu'une lampe de chevet était allumée. Paul était allongé et Ellen était sur lui, une jambe de chaque côté de ses hanches. Alice avait sursauté et s'était accroupie. Elle n'en croyait pas ses yeux ! C'était ça faire l'amour ? Et s'ils l'avaient vue ? Elle avait frissonné. Une petite voix lui ordonnait de partir, pourtant elle n'arrivait pas à se détacher de la scène. Soudain, son père avait dit :

– Inutile de continuer, ça ne viendra pas.

– C'est pas grave, avait répondu Ellen avec son accent américain.

– Je suis désolé, chérie.

Elle avait saisi un magazine sur sa table de chevet, et chaussé ses lunettes.

– Je vais à la cuisine, veux-tu que je te remonte quelque chose ?

Alice n'avait pas entendu de réponse. Quand Paul eut enfilé son peignoir, Ellen avait dit :

– Je vais prendre rendez-vous avec le Dr Fishburn, c'est le meilleur pour ce genre de problème.

– Enfin, ma chérie, nous n'allons pas consulter un médecin pour quelques accidents passagers…

– Je ne parle pas de ça. Si tu as une fille, c'est bien que le problème vient de moi.

Paul s'était rassis sur le lit. Ellen était au bord des larmes.

– Deux ans que nous essayons, Paul, ce n'est pas normal.

– Il faut simplement se laisser du temps. Je remonte vite, essaie de dormir.

Alice avait pris soudain conscience que son père se dirigeait vers elle et avait couru dans la salle de bain. Bien que la distance soit minime, elle était essoufflée. Gênée aussi. Elle savait qu'elle avait assisté à une discussion qu'elle n'était pas supposée entendre. Ils avaient parlé d'elle, mais elle n'avait pas compris son rôle dans cet échange.

Le 1er mai 1947

Maman,

J'ai repensé à ma dernière lettre, ce n'est pas grave si tu ne m'expliques pas. Tu pourras le faire plus tard. Ou peut-être que Paul, enfin, mon père finira par me le dire. L'important c'est que tu ailles mieux. Je voudrais que tu guérisses vite et que tu viennes me chercher. Ou que je puisse rentrer.

Sinon tout va bien, ne t'inquiète pas.

Tu me manques, j'aurais aimé avoir plus de temps avec toi. Juste toutes les deux.

Repose-toi bien, maman.

P-S : Dis à Monsieur Marcel que je pense à lui, et à Madame Léa aussi.

J'ai adoré les livres de Dina, tu lui diras ?

Alice

Le 1er mai 1947

Cher Jean-Joseph,

Je crois que je sais pourquoi mon père ne me parle pas. L'autre jour, quand je suis sortie de la chambre d'Ellen, j'avais pris mes mouchoirs avec moi cette fois, et je suis allée les jeter dans la salle de bain. Dans la poubelle, il y avait un mot déchiré. Au début, je n'ai pas fait attention, mais sur un morceau bien en évidence, il y avait écrit : « À très vite, ton père, Henri d'Arny ». C'est mon grand-père, je suppose. Je ne l'ai jamais vu.

J'ai eu envie de savoir de quoi il parlait, si peut-être il demandait à me connaître, alors j'ai ramassé tous les morceaux. Je les ai emportés dans ma chambre. J'ai attendu que Vadim aille se laver et je les ai étalés par terre. On aurait dit un grand puzzle. Certains passages étaient illisibles, là où c'était découpé, mais j'ai réussi à reconstituer la lettre dans son ensemble. Ça donnait ça :

Cher Paul,

Je ne m'explique pas cette situation. Il me semblait pourtant que tout avait été réglé ! Quelque chose m'échappe. Comment cette paysanne peut-elle encore nous gâcher la vie ? Et je me fiche qu'elle soit malade. Pose-toi les bonnes questions, et cesse tes enfantillages ! (...) Nous avons tous fait des erreurs de jeunesse, mais toi, tu les multiplies. Faut-il que je te rappelle ta responsabilité dans notre faillite ? (...) Les détails de ton incompétence ne m'intéressent pas. Je te donne deux semaines pour trouver une solution. À la fin du mois, je revois James, je veux avoir l'esprit libre et traiter rapidement avec le père d'Ellen. (...) Agis comme tu le souhaites, mais elle doit rentrer chez elle.

À très vite,

ton père, Henri d'Arny

Tu crois qu'il parlait de moi ? Si oui, je les gêne pour quelque chose. Mais quoi ? Tu crois qu'ils vont me renvoyer chez moi ?

Cette histoire d'Henri d'Arny, ça lui avait fait du mal, mais ce n'était rien à côté du reste... Elle avait trouvé autre chose dans cette poubelle, et elle en souffrait tellement qu'elle n'avait pas osé le raconter à Jean-Joseph.

Comme son père ne lui parlait pas, et qu'entrer dans son bureau pour passer un moment seule avec lui n'était plus envisageable, elle avait cherché un moyen d'attirer son attention. Il fallait que ce soit gentil, que ce soit concret aussi, pour qu'il y ait une trace. Devait-elle lui donner un de ses livres ? Mais elle ne voyait pas lequel, ils comptaient trop à ses yeux. Devait-elle lui écrire ? Mais elle n'osait pas. Écrire à quelqu'un qui vivait avec vous, ce n'était pas naturel. Et puis que lui aurait-elle dit ?

Enfin un matin, elle avait eu une idée : elle lui ferait un dessin. Elle avait mis deux jours à rassembler le matériel nécessaire. Elle voulait des crayons, malheureusement Armande n'en avait pas. Elle lui avait donné un stylo, mais Alice n'avait pas l'habitude d'en utiliser, elle ne pourrait jamais dessiner avec ça.

– Je suis désolée, c'est tout ce que j'ai, lui avait répondu la gouvernante.

Elle avait demandé à Sheila, mais en arrivant à la leçon du lendemain, son professeur avait oublié d'apporter des crayons. Finalement, Beth lui avait prêté ceux de sa fille. Elle l'avait aidée aussi à trouver du papier. Alice était soulagée, mais pas encore rassurée : à présent, il fallait un thème. Dessiner un père et sa fille, ce serait trop… Mais alors quoi ? Elle n'allait pas dessiner un cheval, ni une maison ! Elle voulait montrer à son père qu'elle l'aimait déjà. Elle avait repensé à la première fois qu'elle s'était dit ça. C'était dans le bateau qui la conduisait à Manhattan.

Ce fut comme un déclic. Elle avait dessiné la tour Eiffel entourée de buildings. Le soleil brillait et dans un coin, il pleuvait des cœurs. En bas, à droite, elle avait écrit : « Pour papa ». C'était simple, mais tout était dit. Le lendemain matin, tandis que Paul travaillait, elle l'avait glissé sous la porte du bureau.

Plus tard, au dîner, il ne lui avait fait aucun commentaire. Pas même un sourire. Pareil le lendemain. Elle se demandait s'il l'avait vu, mais comment aurait-il pu en être autrement, son bureau était face à la porte. Elle s'était dit qu'il faudrait peut-être en faire un nouveau, et puis, elle avait jeté les mouchoirs dans la poubelle de la salle de bain. Au premier coup d'œil, elle avait reconnu la pluie de cœurs. Dessous, son dessin était déchiré en une dizaine de morceaux, juste au-dessus de la lettre de son grand-père Henri.

Le 2 mai 1947

Maman,

Tu me manques. Je pense fort à toi.

Alice

Le 2 mai 1947

Jean-Joseph,

Je crois qu'Ellen est vraiment malade. L'autre jour, elle m'a dit qu'elle allait m'emmener avec elle à une fête, une baby shower. *Je ne connaissais pas ça. C'est une fête pour célébrer un bébé qui arrive. On offre plein de cadeaux à la future maman. Bref, ça va bientôt être la* baby shower *de Daisy, la meilleure amie d'Ellen, et je vais l'accompagner. Ellen veut qu'on aille chez Macy's, un grand magasin, pour me trouver une belle robe. J'étais très contente quand je l'ai appris, mais Vadim a dit : « Calme-toi, c'est pas pour te faire plaisir ! C'est pour ne pas passer pour une gourde flanquée d'une gamine qui ressemble à une mendiante. » Mais je crois qu'il était dans un mauvais jour.*

Et puis cet après-midi, on était dans la cuisine avec Armande et on parlait de la baby shower, *et je ne sais plus pourquoi, j'ai dit que moi, plus tard, je voudrais me marier et avoir trois enfants. Ellen est arrivée à ce moment-là. Elle m'a dit : « Dans la vie, on ne décide pas ce genre de chose. Ça nous est accordé ou pas. » Elle a pris la boîte pleine de cookies et elle est partie. Plus tard, quand je suis allée dans sa chambre, j'ai vu que la boîte était vide. J'ai entendu du bruit dans sa salle de bain. Je me suis approchée, c'était Ellen. Elle était en train de vomir. Tu crois que c'est grave ce qu'elle a ?*

*

Depuis la veille au soir, Ellen n'avait pas cessé de changer d'avis. D'abord elle répétait à Alice comment se comporter à la *baby shower*, et l'instant d'après elle annulait tout, prétextant ne plus vouloir y aller. Armande avait expliqué à Alice que Daisy était la plus vieille amie d'Ellen. Elles s'étaient connues à l'école, et fréquentaient la même église. Elle avait aussi raconté, sur le ton de la confidence, qu'Horace, le mari de Daisy, ne plaisait pas à Ellen, qu'il était ennuyeux, et n'écoutait jamais les autres. Selon elle, Horace était laid, petit, et transpirait beaucoup.

– Il se croit intelligent, c'est ce qui est le plus désolant ! Mais bon, à presque vingt-six ans, Daisy n'était pas mariée et tous les hommes intéressants étaient mobilisés, alors elle n'a pas fait la difficile… Enfin c'est ce qu'on dit… J'espère que son petit tiendra plutôt de la mère !

– C'est parce qu'elle ne veut pas voir Horace qu'Ellen hésite à aller à la fête ?

– Non, je ne crois pas, avait répondu Armande, soudain gênée. De toute façon il n'y a pas d'hommes à une *baby shower*.

Finalement, Ellen et Alice se mirent en route. La grande Cadillac noire s'arrêta au bas d'un immeuble sur la Cinquième Avenue. Elles auraient pu y aller à pied, se dit Alice, mais elle garda sa réflexion pour elle. Elle se sentait mal à l'aise à côté d'Ellen. Elle avait changé d'avis. Plus tard, elle ne voudrait pas devenir comme elle. Ellen lissait machinalement sa robe toutes les minutes, on aurait dit une automate. Elle souriait de façon exagérée, sans jamais s'arrêter. Son regard était étrange, et il y avait une sorte d'enrouement dans sa voix. Daisy ouvrit la porte et écarta grands ses bras pour laisser découvrir son ventre, à la façon d'un artiste qui présente sa toile.

– *Seven months !* dit-elle, avant de se mettre à crier de joie, comme une adolescente.

Ellen se contenta de lever le pouce.

Un buffet copieux était dressé : cupcakes à foison, thé glacé, compotes de fruits, petits sandwichs. De gros ballons roses et bleus étaient accrochés au mur. Un énorme *Congratulations* en papier mâché trônait au milieu du salon, reposant sur une gigantesque pile de cadeaux.

Une quinzaine de femmes étaient assises, tantôt

donnant le sein à des nourrissons, tantôt caressant le ventre de Daisy en se rappelant leur grossesse. Alice réussissait à comprendre quelques bribes de conversations, apparemment tout ça était arrivé très vite. Elle supposa que ça était la grossesse de Daisy. Les femmes donnaient des conseils à la future maman, sur comment s'y prendre avec le bébé, certaines offraient des chaussons tricotés main. Alice en était à son cinquième cupcake quand elle aperçut Ellen, recroquevillée sur elle-même, dans un coin du salon, blanche comme de la craie. Alice ne savait pas quoi faire. Devait-elle lui parler ? Était-elle encore malade ?

Une jeune femme proposa de prendre une photo. Elle se dirigea vers Ellen et lui fit signe de rejoindre le groupe. Le visage de sa belle-mère se figea davantage. Sans connaître tous les mots, Alice comprit la réponse :

– Oui, bien sûr… Juste le temps de me passer un peu d'eau sur le visage, c'est fou ce qu'il fait chaud !

Alice la vit se précipiter dans la salle de bain et la suivit. Ellen avait l'air si mal qu'elle craignait que sa belle-mère ne s'évanouisse. Ellen s'enferma à clef. Alice entendit des sanglots derrière la porte. De gros sanglots, comme ceux des petits enfants qui refusaient de quitter le bac à sable. Soudain, Ellen sortit. Du noir avait coulé sur ses joues et ses yeux étaient rouges. Quand elle aperçut Alice, une expression de haine s'inscrivit sur son visage et elle fila dans le couloir. Sous le choc, Alice mit une vingtaine de minutes à se rendre compte que sa belle-mère était partie de la fête, sans son sac ni sa veste, et qu'elle était seule à la *baby shower* de Daisy.

Personne ne semblait prêter attention à elle ni avoir remarqué qu'Ellen n'était plus là. Alice respira profondément, saisit les affaires d'Ellen et descendit. Elle rentrerait à pied. D'une manière ou d'une autre, elle retrouverait forcément son chemin. Quand elle sortit de l'immeuble, la Cadillac était là. Le chauffeur lui ouvrit la porte, et elle découvrit Vadim.

– Je crois qu'on a encore eu droit à un drame de gonzesse... Armande m'a demandé de venir te chercher. Allez monte !

11.

New York, mi-mai 1947

Alice sortait de la chambre d'Ellen, quand elle tomba nez à nez avec Vadim.

– C'est pas bien de chiper les affaires des autres.

Alice tressaillit. Elle eut une étrange sensation, comme si une partie de son corps cherchait à s'échapper.

– Je chipe rien.

– Bah voyons ! Tu crois que j'ai pas compris ? Qu'est-ce que tu fous tous les jours dans la chambre d'Ellen ?

Il s'approcha, la renifla :

– Parfum, lotion démaquillante… Madame se croit au salon de beauté ?

– Je… je…

– T'as intérêt à te tenir à carreau et à pas m'emmerder si tu veux pas que je te dénonce !

Tout à coup, Alice avait trop chaud. Pour qui se prenait-il, ce vieil aveugle ? N'avait-il rien de mieux à faire que de lui gâcher la vie ? La colère montait, pourquoi supporterait-elle encore ce grincheux insupportable ? Elle eut envie de lui donner un coup de pied. Ces moments dans la chambre d'Ellen étaient trop importants, elle ne se laisserait pas faire.

– Je m'en fiche ! Tout le monde pense que vous êtes fou ! Dites ce que vous voulez, on vous croira pas !

Vadim eut d'abord un mouvement de recul, puis il éclata de rire. Alice n'en revenait pas. Elle cherchait quoi ajouter, quand son oncle tourna les talons. Hors de question d'en rester là ! Pour une fois, elle se ferait entendre. Elle le suivit dans la chambre.

– Vous…, commença-t-elle.

Mais son oncle leva le bras, pour lui signifier de se taire : un papillon venait d'entrer par la fenêtre, et lui avait effleuré le visage. Vadim frappait des mains au hasard, essayant d'attraper la bestiole qu'il ne pouvait pas voir. Alice l'observait bouche bée.

– C'est juste un papillon, il ne vous a rien fait !

Vadim ignora sa remarque. L'air conquérant, il se déplaçait à petits pas. Il tendait l'oreille, comme un chasseur. Soudain, le papillon l'effleura de nouveau. Il claqua dans ses mains et s'immobilisa, paume contre paume, quelques secondes. Quand il les écarta, le papillon tomba sur le sol, inanimé. Alice sentit de nouveau la colère monter en elle. « Pas grave, pas grave, juste un papillon. » Elle n'était pas sûre de gagner contre Vadim dans une dispute. Il était sans cœur, il trouverait de quoi lui faire mal. Elle devait se calmer. Mais rien n'y faisait, elle bouillonnait.

Elle sortit de la chambre en courant. À la guerre, ce sagouin de Vadim n'avait pas perdu que la vue, mais une partie de son âme aussi. Un barbare ! D'accord, il était aveugle et n'aimait pas partager cette chambre ni vivre ici, mais il n'avait pas tous les droits, même si la vie avait été dure avec lui.

Alice ne savait pas où aller. Elle avait déjà passé trop de temps dans la salle de bain et ne pouvait évidemment plus se réfugier dans la chambre d'Ellen. Au fond du long couloir à droite, il y avait une porte. Elle ne s'en était jamais approchée. Elle ignorait pourquoi, mais ce qu'il pouvait y avoir derrière lui faisait peur. Elle s'imaginait des tas de choses dedans, des fantômes, un squelette peut-être ? Pourtant ce jour-là, elle y pénétra et claqua la porte d'un coup sec. Elle n'osait pas ouvrir les yeux. Sans allumer la lumière, elle se laissa glisser contre le mur et s'assit par terre. Comment en était-elle arrivée là ?

Elle pensait à Salies. Ces phrases qu'elle se répétait là-bas, au point d'en devenir prétentieuse : elle mènerait bientôt une existence exceptionnelle, un jour elle vivrait loin des fermes, des chaussures crottées… Pourtant, là-bas, elle avait été aimée. Cet amour lui manquait. Elle revoyait cette crème fraîche que Jeanne tartinait sur un pain épais, qu'elle avait pris soin de conserver dans un torchon. À cette époque, Alice trouvait normal qu'on recouse ses vêtements, qu'on coiffe ses cheveux. Méritait-elle cette attention ? Elle ne s'était jamais posé la question. Un souvenir arriva comme un flash et accentua ce goût amer dans sa bouche : une fois par mois, Jeanne et elle se rendaient chez les châtelains du village voisin. Un jour, elle les avait entendus dire : « Jeanne, si personne ne vient chercher cette petite à la fin de la guerre, nous aimerions l'adopter. Bien sûr, vous pourrez venir la voir quand vous voudrez. » Alice s'en était offusquée : comment pouvait-on douter du retour de sa mère ? Comment pouvait-on imaginer lui procurer une vie plus belle que celle que sa mère lui préparait ?

Aujourd'hui, et depuis longtemps déjà, elle se sentait de trop. L'amour avait disparu. La ville l'enfermait et sa famille n'en avait que le nom. Il était vraiment temps d'oublier le passé, et d'abandonner tous ces rêves. Pas le choix. Elle devait aller de l'avant ou elle se perdrait. Elle inspira profondément, se redressa, et d'une main tremblante chercha l'interrupteur. La lumière envahit la pièce.

Incroyable. Du sol au plafond, des appareils photo et des mallettes remplissaient des étagères. Il y avait à peine la place pour se retourner. Elle demeura immobile un moment, fascinée par le spectacle. Elle ouvrit une grosse mallette noire devant en faisant bien attention de ne pas faire de bruit. Elle ne voulait plus être interrompue. À l'intérieur, il y avait des centaines de clichés. Des scènes de guerre, des morts, des blessés. Les jeunes soldats avaient tous la même expression de peur, le visage grave, comme si leurs traits étaient attirés vers le sol.

D'autres montraient des paysages magnifiques que venait perturber un char ou un homme muni d'un fusil. D'où venaient toutes ces photos ? Qui les avait prises ? Alice ne pourrait pas toutes les voir aujourd'hui. Elle reviendrait.

Quand elle sortit du cagibi, elle ne savait plus l'heure qu'il était. Elle était déboussolée par ces images crues, féroces. À mesure qu'elle avait progressé dans l'ouverture des mallettes, elle n'avait pas pu s'empêcher d'imaginer que c'était son père qui avait pris ces clichés.

Il fallait qu'elle sache. Si elle avait bien compris une chose jusqu'ici, c'était que si elle ne demandait pas, on ne lui dirait rien. Et encore, même en posant des questions, elle n'était pas certaine d'obtenir une réponse. Elle devait oser. Mais qui interroger ? Rien qu'à l'idée de s'adresser à son père, elle frissonna. Non, elle devait mener l'enquête, trouver une source indirecte. Elle descendit l'escalier, entra dans la cuisine et demanda à Armande :

– Est-ce que mon père fait toujours de la photo ?

– Monsieur Paul n'a jamais fait de photo ! Pourquoi cette question ?

Alice se balança d'une jambe sur l'autre. De toute évidence, elle faisait un très mauvais détective. Elle baissa la tête.

– Je suis entrée par erreur dans le cagibi au fond du

couloir… Je croyais que c'était d'autres toilettes… Et j'ai vu qu'il y avait plein de photos… Je voulais savoir…

– Ce sont les affaires de Vadim ! Il était photographe avant de… Enfin jusqu'au Débarquement.

Armande marqua un temps.

– Tous ces appareils qu'il refuse de vendre et qui ne servent à rien ! Et qui nettoie le fouillis à ton avis ? reprit-elle, énervée.

Alice n'en revenait pas.

– Vadim était photographe ?

– Grand reporter de guerre. Il a couvert tous les pays du monde, ou presque !

– Mais… c'est horrible.

Armande afficha une mine circonspecte.

– C'est la vie…

Vadim ? Ancien photographe ? Alice se rendait compte qu'elle ne connaissait pas cet homme dont elle partageait la chambre depuis plus de deux semaines. Elle déglutit.

– Qu'est-ce qui t'arrive ? lui demanda Armande.

– Rien.

– Mais tu es toute pâle.

– Comment il est devenu aveugle ?

La gouvernante leva les yeux au ciel en soupirant. Cette histoire l'ennuyait.

– Il était avec le 116e lors du Débarquement, il est mal tombé du bateau.

– Il a fait le Débarquement ?

– En tant que reporter, oui. Ils n'en ont laissé que deux faire ça. Faut croire qu'il avait du talent ! Mais il n'a pas eu de chance… Il est tombé la tête la première sur un rocher et n'a même pas pu atteindre la plage. Depuis il ne voit plus.

– Comment il a fait pour s'habituer ?

– Mais il ne s'est jamais habitué ! Sa rééducation a été longue. Il a perdu le goût de tout, et surtout celui de la politesse.

Vadim n'était pas qu'un blessé parmi d'autres : un grand photographe aveugle ! Il y avait de quoi en vouloir à la vie… Alice sentit une douceur éclater en elle, irradier l'ensemble de son corps. Une sensation agréable comme un lait apaisant : Vadim ne la détestait pas, il était triste. C'était peut-être un peu déplacé de se sentir soulagée d'avoir compris ça, mais il y avait de l'espoir.

Pleine d'une force nouvelle, elle remonta trouver son oncle, prête à tout recommencer. Elle ouvrit la porte de la chambre, il était endormi dans son fauteuil. Elle observa son ventre se gonfler puis se dégonfler, comme un ballon. À présent, ses ronflements sonores attendrissaient Alice. Elle ramassa sa couverture tombée sur le sol et la replaça. Vadim sursauta en se réveillant. Quelle maladroite ! Elle voulait juste qu'il n'ait pas froid. Elle ne savait pas quoi dire.

– Eh bien, tu as perdu ta langue ? l'agressa son oncle.

– Je suis désolée…

Après un temps, elle ajouta avec compassion :

– Je sais.

– Quoi ?

– Pour la guerre… Pour votre accident. Armande m'a raconté. Je suis désolée.

– Laisse-moi tranquille ! Pour qui tu te prends ? Retourne te maquiller et fous-moi la paix !

La nuque d'Alice se raidit. Elle baissa les yeux et s'enfuit sans même refermer la porte derrière elle. Elle retourna dans la salle de bain et s'assit sur les toilettes. C'était comme si elle manquait d'air. Pourquoi avait-il réagi ainsi ? Elle avait simplement voulu être gentille.

*

Deux jours passèrent. Alice était mal à l'aise. Depuis qu'elle avait essayé de se rapprocher de Vadim, il ne lui parlait plus, même pour la bousculer. Elle était devenue comme transparente, elle n'existait plus. Même pendant les dîners, il ne réagissait plus aux propos de Paul. Elle s'en voulait. Mais qu'avait-elle dit au fond ? Elle savait, et après ? Ça ne changeait rien à la réalité. Le temps lui semblait long. Elle était trop seule. Plusieurs fois par jour, elle passait devant le petit cagibi, et se retenait d'ouvrir la porte. Elle avait envie d'en savoir plus, mais craignait les conséquences.

Au bout de trois jours, l'envie fut plus forte. Elle attendit que Paul et Ellen soient partis, qu'Armande aille faire les courses et que Vadim s'enferme dans la chambre pour s'isoler dans la petite pièce. Elle ouvrit une nouvelle mallette et détailla les photos une par une. Il y avait une âme dans ces clichés. Quelque chose qu'elle ne savait pas décrire. C'était comme s'ils abritaient un secret.

À force de les observer, elle comprit le truc : au centre, il y avait toujours une personne. Pas forcément au premier plan, mais c'était à chaque fois un individu qui donnait le sens général. Sur l'un d'entre eux, elle reconnut Vadim, plus jeune. Il posait avec un autre homme qui lui ressemblait un peu. Au dos du cliché, elle lut: « Vadim et André, par Gerda, Espagne 1937 ». Vadim semblait si déterminé sur la photo, si fort. On aurait dit que l'avenir se prosternait à ses pieds.

Éparpillées au milieu des photos, Alice trouva plusieurs feuilles pliées. Elle les ouvrit. C'était une longue lettre.

Mon amour,

La vie sans toi n'a pas de saveur. Que fais-tu ? Où es-tu ? Je pense à toi chaque minute de chaque heure de chaque jour. J'ai peur qu'il t'arrive quelque chose, j'ai peur de ne jamais te revoir. S'il te plaît, dis-moi que tu vas bien. Dis-moi que tu rentreras bientôt.

De mon côté, tu n'as pas à t'inquiéter. Je te raconterai. Les chevaux sont magnifiques. J'espère que tu seras bientôt là pour que nous puissions nous prome-

ner comme avant. Chaque fois que je te lis, mon cœur pourrait exploser. Je maudis cette guerre, je maudis cette haine qui habite les hommes, je maudis la bêtise et l'orgueil. Quand je reçois une lettre de toi, j'ai l'impression que le soleil brille plus fort, que la mer est plus bleue. Je tiens tes mots sur mon cœur, les respire. Tu es caché derrière. Ta peau me manque, tes lèvres me manquent, ton dos, ta nuque, ton corps tout entier, ton odeur, tes baisers.

Ça continuait sur des dizaines de lignes comme ça, jusqu'à un moment où la femme avait écrit : « faire l'amour avec toi ». Alice se sentit rougir et replia aussitôt les feuilles. Une partie d'elle voulait connaître la suite, mais c'était trop intime. Faire l'amour avec toi… Dès qu'elle repensait à ces mots, elle frissonnait, honteuse.

Elle prit le temps de réfléchir. Alors Vadim avait aimé ! Passionnément même. Elle n'en revenait pas. Où était cette femme à présent ? Pourquoi n'était-elle pas là avec lui ? Elle parlait français. Vivait-elle en France ? Alice s'appliqua à tout remettre en place dans la mallette, la referma et la rangea à sa place sur l'étagère. Là, elle aperçut une pochette en carton blanc, avec le sigle et l'adresse d'un hôpital. À l'intérieur, il y avait plusieurs feuilles dont une bleue qui attira son attention. C'était un formulaire. Elle lut :

Nom du patient : Vadim Goldman.

Elle tressaillit. C'était le dossier médical de Vadim. Elle était tout excitée par sa découverte. C'était écrit en anglais. Elle sortit le petit dictionnaire que Sheila lui avait donné et reprit sa lecture.

Date de naissance : 16 novembre 1914 à Budapest en Hongrie.
Nationalité : franco-américaine.
Nom du père : Herschel Goldman.
Nom de la mère : Alina Nemeth.

Quoi ? Vadim n'était pas né en Amérique et Henri d'Arny n'était pas son père ? Comment était-ce possible ? Parlait-il hongrois ? Comment était-il arrivé en France ? Avait-il voyagé avec ses parents ? Sa famille était-elle toujours vivante ? Qu'était-il arrivé à Herschel pour qu'Alina se marie ensuite avec Henri d'Arny ? C'était pénible que des réponses appellent toujours de nouvelles questions…

Profession : photographe reporter.
Situation personnelle : …

Là il y avait des cases. La personne qui avait rempli le dossier avait coché :

Non marié.
Personne de confiance : Paul d'Arny, lien familial.

Puis il y avait des informations médicales, dans un encadré :

Taille : 178 centimètres.
Poids : 72 kilogrammes.
Maladies infantiles contractées : varicelle, oreillons.

Alice aussi avait eu la varicelle. Elle en gardait un très mauvais souvenir. Elle se grattait du matin au soir, ça l'empêchait même de dormir. Un de ses boutons lui avait d'ailleurs laissé une trace sur la tempe droite. Au bout de quelques jours, Jeanne lui avait bandé les mains, elle avait peur des cicatrices. Est-ce que Vadim s'était beaucoup gratté lui aussi ?

Admission à l'hôpital : 7 septembre 1944.
Service : Dr Allen.

Ce formulaire était un document banal que l'hôpital devait distribuer à chaque patient, mais ces informations… C'était inespéré ! Jamais personne ne lui aurait dit tout ça, quand bien même elle aurait posé les questions pour. Elle avait l'impression d'être plus forte, connaître mieux Vadim lui conférait une autorité nouvelle. En fait, il était moins mystérieux, ça le rendait moins effrayant.

Sous la feuille bleue, il y avait des pages agrafées. Il s'agissait de rapports rédigés dans un ordre chronologique. Ils étaient signés par des médecins. Alice essaya de traduire les paragraphes les plus simples.

9 septembre 1944
Le patient souffre de cécité totale due au choc de la chute. Les autres fonctions ne sont pas atteintes.

La suite comportait de nombreux termes médicaux trop difficiles à traduire.

22 septembre 1944
Le patient refuse de s'alimenter. Il dort peu, et son sommeil est très agité. Le Dr Allen recommande une cure en institut spécialisé, un traitement calmant et la visite hebdomadaire d'un thérapeute, le Dr Smith.
Détail du traitement…

Là aussi, les termes employés étaient très compliqués. Alice préféra se concentrer sur les autres passages.

7 octobre 1944
Selon le Dr Smith, le patient a émis à plusieurs reprises le souhait de retourner en France, prétextant que sa future épouse y réside.

2 décembre 1944
Le patient refuse les visites d'anciens collègues. Il a accepté de recevoir son frère, mais leur échange se serait soldé par une dispute, les infirmières ont dû intervenir. Suite à cette entrevue, il ne souhaite plus retourner en France et refuse qu'on lui remette tout courrier qui en proviendrait. Cela aurait un lien avec ladite future épouse, mais le patient refuse d'expliquer la raison exacte de ce conflit à la fois familial et sentimental.

Les pages se succédaient, décrivant la souffrance de Vadim, son adaptation lente, son isolement. Selon les médecins, sa réadaptation serait longue. Il y avait également des risques qu'il n'accepte jamais son handicap.

Puis, à partir de novembre 1945, son état semblait s'améliorer. En mars 1946, les médecins avaient accepté de le laisser sortir. De ce qu'Alice comprenait, ils l'avaient aidé à mettre à profit le GI Bill, pour qu'il puisse acquérir un petit appartement à Brooklyn.

13 août 1946
Le patient a été conduit à l'hôpital en ambulance suite à l'appel d'une voisine, Mrs Jackson. Elle aurait cherché plusieurs fois à contacter sa famille, sans effet. Selon elle, la situation devenait critique, et le patient effrayait les enfants de l'immeuble. Elle évoque aussi de nombreuses nuisances sonores : le patient écoutait

de la musique à n'importe quelle heure de la nuit. On peut supposer une désorientation spatio-temporelle. Le patient présente de nombreuses blessures domestiques : écorchures, coupures, brûlures, hématomes sur les jambes, les bras, et au visage. Selon ses voisins, il serait tombé à plusieurs reprises dans les escaliers. Il est en état d'anémie dû à une probable sous-alimentation. Enfin son manque d'hygiène témoigne d'un état dépressif avancé : odeur d'urine, cheveux et ongles trop longs et sales, présence de panaris aux pieds.

22 août 1946
Le frère du patient a accepté de le recueillir. Le patient refuse cette option et souhaite réintégrer son appartement, cependant la famille et le Dr Allen, en charge du dossier, recommandent de ne pas le laisser seul. Il aura besoin d'assistance pour toutes les tâches quotidiennes et devra consulter de nouveau le Dr Smith au moins deux fois par semaine.

Alice ferma le dossier. Le 22 août 1946… C'était le jour où sa mère était venue la chercher à Salies, avec Mme Bajon. Cette coïncidence lui provoqua une étrange sensation, elle se sentait plus proche de Vadim.

Elle imaginait très bien la suite. Son oncle avait dû râler sans discontinuer, en écoutant de la musique trop fort, et en se disputant avec Paul au sujet des Russes. Et puis elle était arrivée. Elle était entrée sur son territoire, son dernier espace à lui. Pour tout dire, son comportement n'avait rien d'étonnant.

Elle eut soudain envie de découvrir cet homme. Quelqu'un qui avait pris de telles photos, qui avait vécu tout cela, cet amour, cette souffrance, ne pouvait pas être totalement mauvais. Décidée, presque pressée, elle retourna dans leur chambre, et s'approcha du fauteuil en faisant assez de bruit pour que son oncle l'entende.

Elle s'assit sur le sol, face à lui, et ne dit plus rien. Elle attendait.

– Qu'est-ce que tu fais ? lui lança Vadim.

Alice continuait de se taire.

– Tu comptes rester plantée là longtemps ?

Pas de réponse. Vadim s'énerva :

– Qu'est-ce qui te prend, bon Dieu ?

Les secondes passèrent, puis les minutes. Alice avait choisi de ne pas répondre. Chaque fois qu'elle lui parlait, il trouvait une façon de la mettre à distance. Si elle ne disait rien, peut-être le déstabiliserait-elle ? Elle resterait là, sans bouger, sans parler, jusqu'à ce qu'il se calme et qu'il la considère. L'atmosphère devint étouffante. À mesure que le silence s'étirait, Vadim l'écoutait respirer, reniflait son odeur, comme pour vérifier qu'elle était toujours là. Alice l'observait. Il était si crispé que les traits de son visage semblaient se rapprocher du centre, on aurait dit que sa bouche voulait toucher son nez. Ses mains s'agrippaient aux bras du fauteuil.

– Qu'est-ce que tu me veux à la fin ?

Alice attendait qu'il se résigne à être lui-même, celui qu'elle devinait au fond, en dessous des cicatrices et de la mauvaise humeur. Il céderait. De la sueur semblait perler sur les murs. Alice avait même l'impression que le plafond s'affaissait. Le monde autour avait disparu, il ne restait plus qu'eux. Aucune chance de s'échapper. La suite de leur relation se jouait ici. Alice inspirait profondément, expirait lentement. Elle incitait son oncle à la suivre, luttant pour rester concentrée durant les denses minutes qui s'écoulèrent encore.

C'était trop long et elle sentait le découragement gagner du terrain. Alice s'apprêtait à craquer quand le déclic arriva : Vadim commença à respirer au même rythme qu'elle. Comme par magie, il s'apaisait. Elle avait réussi ! Elle avait renversé l'équilibre. Elle demeura quelques minutes comme ça.

– J'ai vu une photo de vous en Espagne, murmura-t-elle.

Vadim fléchit les épaules. Un moment, il cessa de respirer. Il essayait de parler mais sa voix se brisa. Il se racla la gorge et reprit :

– Tu es encore allée fouiner !

Il marqua une pause avant d'ajouter :

– Ce type-là n'est pas moi !

– Si, répondit-elle, comme s'il s'agissait d'une évidence.

– Non. Il est mort.

Alice attendit un peu avant de répondre :

– C'est vous. Mais vous êtes triste de ne plus être comme ça, c'est tout.

Vadim laissa tomber ses bras de chaque côté du fauteuil.

– Tu n'es qu'une gamine, tu ne sais rien de la vie.

– Je sais qu'on est tous là pour quelque chose. Vous aussi alors.

Elle se tut un instant. Elle voulait trouver les bons mots cette fois, elle n'aurait pas de deuxième chance :

– Je ne voulais pas vous faire de peine l'autre jour. Je suis désolée pour votre accident.

– C'est pas de ta faute, que je sache !

– Je peux quand même être désolée, non ?

Vadim en resta bouche bée. Sans l'avoir fait exprès, elle avait touché un point sensible.

– Viens, on va sortir de là, dit-il.

Vadim lui proposa d'aller au parc.

– Tu me liras le journal, ça fait trop longtemps qu'Armande a arrêté.

Devant la porte, cette dernière leur bloqua le passage.

– Il ne peut pas sortir seul, dit-elle, pointant son doigt sur Vadim.

– Mais je suis avec lui.

– Tu ne parles pas anglais, tu ne connais pas cette ville.

– Tout ira bien. On n'est pas des chimpanzés en cage ! Si on veut sortir, on sort, la coupa Vadim.

Et il claqua la porte.

New York ! La ville s'offrait à eux. Immense, énergique. Alice s'en émerveilla. Ils s'installèrent sur un banc, en plein Central Park. Des écureuils se promenaient, des passants couraient après leurs chiens. Alice était émerveillée du contraste entre le vert de cette nature qui dénotait tant du gris de l'acier alentour. Elle aimait cet endroit.

Elle ne s'était pas trompée, Vadim allait devenir plus gentil. Sans qu'elle le cherche, les premières paroles de son oncle quand elle était arrivée à New York, sur sa ressemblance avec sa mère, lui revinrent. Il n'en avait jamais reparlé depuis. Pourtant, il savait des choses, c'était certain. Elle se doutait que c'était trop tôt, mais elle ne pouvait pas résister :

– Vous avez connu ma mère ?

Une ombre obscurcit le visage de Vadim.

– Oui, mais pas très bien.

– Je ne sais presque rien d'elle, moi.

– Que sait-on les uns des autres ? Allez viens, il faut rentrer, il est déjà tard.

À regret, Alice se leva et aida son oncle à se redresser. Vadim semblait ailleurs. Sur le chemin du retour, elle le guidait en silence, mais dans sa tête, tout s'agitait. Elle s'en voulait d'avoir gâché la fin de leur sortie. Pourtant, quand Vadim reconnut l'odeur émanant du *delicatessen* au coin de leur rue, il lui proposa :

– Si tu veux, on recommencera demain. Tu pourrais

aussi me lire des livres dignes de ce nom… La vraie littérature, t'y connais pas grand-chose encore !

– J'ai lu une bonne partie de *La Comédie humaine.*

– C'est bien ce que je dis. On va commencer par un peu de Steinbeck et d'Hemingway. L'important, c'est de comprendre le monde dans lequel tu vis aujourd'hui.

Il venait de se passer quelque chose. Aujourd'hui, ils avaient été complices. Elle craignait qu'un dernier mot n'altère cet équilibre agréable, alors elle se tut. Les trottoirs avaient beau être bondés, les voitures avaient beau klaxonner autour d'eux, Alice et Vadim étaient comme isolés. Elle se sentait légère. En arrivant au pied de l'immeuble, elle prit conscience qu'elle souriait.

Mais quand ils arrivèrent sur le palier, la porte était ouverte, et Paul les attendait sur le seuil, l'air furieux. Les bras croisés et le regard noir, il fronça tellement les yeux qu'une ride épaisse apparut entre ses sourcils. Alice n'osait plus avancer.

– Je vous interdis de sortir tous les deux ! Armande était folle d'inquiétude ! aboya-t-il.

Vadim ne semblait pas impressionné pour autant.

– Ne me parle pas comme ça !

– Trois heures ! On n'a pas idée de partir trois heures !

Il était blême.

– J'ai pas vu la nuit tomber, répondit Vadim en riant.

Exaspéré, Paul trancha :

– Que je sache, tu vis encore sous mon toit où tu es nourri et blanchi, alors j'ai mon mot à dire !

Les phrases s'envenimèrent, les reproches fusèrent de partout. Le dîner qui suivit fut terne et froid. On n'entendait que le bruit des couverts racler les assiettes. Plus tard, dans la chambre, quand Alice éteignit la lumière, juste après avoir écrit sa lettre du jour, Vadim lui dit :

– Demain, on fait comme on a dit. Tu prendras *Des souris et des hommes*, sur la deuxième étagère à côté de la fenêtre.

Alice sourit.

– Bonne nuit, Vadim.

– Bonne nuit.

Bonne nuit, ce n'était pas grand-chose. Mais ça voulait dire qu'elle n'était plus seule.

12.

New York, fin mai 1947

Toute la semaine, Alice et Vadim se promenèrent. La métamorphose de son oncle ne cessait de la surprendre. Depuis qu'elle l'avait défié dans la chambre, il était devenu civilisé, même sympathique. Il lui avait demandé de le tutoyer. Selon lui, qu'une gamine lui dise vous, ça faisait vieux con, c'était bon pour Paul, pas pour lui. Mais elle n'y arrivait pas. Ça sonnait faux dans sa bouche. Avec le temps peut-être ?

Chaque jour, avant de sortir, Vadim décidait de l'endroit où ils iraient, indiquait le chemin, et Alice le guidait en respectant son itinéraire. Dès qu'ils passaient la porte du hall, le portier de l'immeuble leur lançait : *Go, Goldman, go*. C'était l'annonce de leur liberté. Alice prévenait Vadim quand il fallait descendre une marche ou monter sur un trottoir. Elle faisait très attention à l'état de la chaussée : Vadim ne devait trébucher sous aucun prétexte. Si d'aventure il marchait dans une flaque d'eau, ou, catastrophe, sur une crotte de chien, elle redoutait le pire. Sûr qu'il ne le supporterait pas. Il se sentirait insulté, et râlerait des heures. Cependant, elle s'appliquait à rester discrète : son oncle détestait admettre qu'il ne voyait pas…

Dès leur première balade, il lui avait dit qu'il appréciait la façon dont elle lui décrivait les paysages, l'intérieur des vitrines, les visages des passants, leur attitude. Il avait ajouté :

– J'ai l'impression que les gens qui s'engueulent, ça t'attire plus que le reste !

Alice avait été surprise par cette remarque, mais à la réflexion, il avait raison. Elle était fascinée par les New-Yorkais qui se disputaient dans la rue, comme sur une scène de théâtre. Plus rien n'existait autour. Une fois, devant un restaurant, deux cuisiniers étaient sortis s'expliquer sur le trottoir. Alice se demandait bien pourquoi ils avaient pris cette peine, puisque les clients les observaient à travers les vitres. Les deux hommes faisaient de grands gestes avec les mains.

– Je ne comprends rien, se désolait Alice.

– C'est normal, ce sont des Italiens…

– Y a des Italiens à New York ?

– Oui, surtout ici, c'est leur terrain ! On est à Little Italy.

– Et vous, vous comprenez ?

– J'en ai bien peur ! Ils vont finir par se tuer parce qu'il y en a un qui a accepté d'ajouter de la crème fraîche dans des pâtes à la carbonara… Apparemment, c'est contraire à la recette de leur mère.

Alice éclata de rire.

– Ils se disputent pour des pâtes ?

– Pour des Italiens, c'est un sujet sérieux !

Ils fréquentaient différents quartiers, des plus pauvres aux plus aisés. Ils achetaient un journal, s'asseyaient sur un banc et Alice faisait la lecture. Elle butait sur les mots, ne comprenait rien de ce qu'elle lisait, mais c'était amusant. Vadim l'aidait dans la prononciation et surtout, il traduisait avant de commenter pendant des heures. Elle avait l'impression de progresser beaucoup plus rapidement qu'avec Sheila qu'elle n'appréciait pas plus que ça. L'étudiante débitait son cours et la reprenait rarement quand elle se trompait. Avec Vadim, en quelques jours, elle avait appris des mots comme *war*, la guerre, *fight*, le combat, *peace*, la paix… Des mots plus utiles dans la vie que *kitchen*, la cuisine, ou *umbrella*, le parapluie…

Vadim connaissait tout. N'importe quel article, aussi simple soit-il, donnait lieu à des récits qui passionnaient Alice. Une fois, elle s'était arrêtée sur une publicité annonçant des soldes chez Macy's, où elle avait acheté sa tenue pour la *baby shower* de Daisy. Son oncle lui avait raconté l'histoire du magasin :

– Il n'a pas toujours été là… Ça a pris du temps avant qu'ils s'installent à l'angle de la 34e et de Broadway. Puis ils ont voulu acheter le pâté de maisons… Les promoteurs new-yorkais, ils rigolent pas quand ils ont un plan en tête. Tous les propriétaires ont accepté de vendre, sauf un tout petit immeuble ! Des rebelles !

– Alors comment ils ont fait pour ouvrir quand même le magasin ?

– Eh bien y en a un qui se fait des couilles en or ! Enfin pardon… Qui s'en met plein les poches ! Macy's lui loue l'immeuble à l'année, depuis presque cinquante ans ! Et c'est pas près de s'arrêter !

– Mais à quoi ça lui sert d'avoir un immeuble s'il ne peut même pas dormir dedans ?

– Crois-moi, avec ça, il a de quoi dormir ailleurs ! Mais c'est pas fini ! Parce que le problème, c'est que ce petit immeuble en brique dénote complètement du reste du bâtiment ! Tu sais ce que Macy's a fait ?

– Non ?

– Ils le recouvrent toute l'année par des affiches publicitaires ! Et ils vendent encore plus, les salauds !

Une autre fois, un article rendait hommage aux *sky boys*, quelques jours après la date anniversaire de l'inauguration de l'Empire State Building.

– Mais c'est quoi l'Empire State Building ?

Vadim leva la tête vers le ciel, réfléchit un moment avant de demander :

– Quand t'es arrivée, t'as vu les buildings ?

– Oui.

– Y en avait un plus haut que les autres, non ? Qui se termine en pointe. Eh ben c'est celui-là. Le plus beau tremplin vers l'autre monde…

– Le quoi ?

– Non, laisse tomber.

Vadim lui avait expliqué que le building avait été construit par des hommes qui marchaient à cinquante mètres, cent mètres du sol, même pas attachés, sans avoir peur de tomber. Le ciel était leur maison.

– *Sky*, ça veut dire ciel.

C'est pour ça qu'on les avait appelés les *sky boys*. Les garçons du ciel.

– Tu vois, fillette, j'ai beaucoup de tendresse pour l'Empire State Building, parce que c'est un sacré gars… Un gars typique de ma génération.

– Mais c'est un immeuble…

– Non, c'est un symbole.

Ça y est, se disait Alice, l'aveugle déraillait…

– Il a été construit sur une vieille querelle familiale, genre : « On fait un môme pour oublier le bordel… »

– Comment ça ?

– J'te peins le décor. En 1893, le richissime William Waldorf Astor a envie d'emmerder sa tante Caroline, et fait démolir son château sur la Cinquième Avenue. À la place, il construit le Waldorf Hotel. La Caroline, pas contente du tout, ordonne à son fils John Jacob de détruire sa maison, collée à celle de William, d'engager le même architecte pour construire l'Astoria Hotel. Et vas-y qu'on s'engueule à coups d'hôtels… Et qu'on s'en met plein la vue et tout et tout. Bref, au bout de quelques années, les millionnaires en ont marre de se chamailler, et se disent qu'ils feraient sûrement plus d'argent ensemble ! Alors ils relient les deux bâtiments par un couloir et forment le Waldorf-Astoria. Trente ans plus tard, ils détruisent tout pour donner naissance à l'Empire State Building.

– Quel est le rapport avec le symbole ?

– On est tous issus de ruines familiales, de gens qui n'aiment qu'eux-mêmes et privilégient leur intérêt.

C'était une triste façon de voir les choses. Alice aurait aimé lui prouver qu'il avait tort. Sans succès.

– Et c'est pas fini ! Une fois que t'es né, la vie s'arrange pour te donner ta dose ! Au début, personne n'en voulait de ce building ! On l'a même appelé l'Empty State Building.

– Quoi ?

– *Empty*, ça veut dire vide.

– Ah…

– Et tu sais ce qui l'a sauvé ?

– Non.

– Le cinéma ! Tu vois, c'est toujours la passion qui donne vie.

– Comment ?

– Ils ont tourné *King Kong*… Tu connais ?

– C'est un film ?

– Un sacré film ! Y a une scène démente où un gorille géant est perché en haut de l'Empire State… Ça a tellement marqué les gens qu'ils s'y sont tous rués, et puis bam ! La guerre. Et il a pris cher.

– Mais un immeuble, ça peut pas faire la guerre !

– Non, mais ça peut la subir. Figure-toi qu'en juillet 1945, un bombardier, perdu dans le brouillard, s'est carrément écrasé au soixante-dix-neuvième étage... Pauvre vieux, il avait rien demandé à personne !

– Le pilote ?

– Non, l'immeuble ! Il voulait juste être là, faire son boulot d'immeuble, et on lui arrache une partie de lui-même...

– Le pilote aussi il voulait juste faire son boulot.

Vadim se tut un moment.

– Ouais peut-être. Allez viens, on change d'endroit.

Ils retournèrent à Central Park. Vadim semblait hagard. Était-ce la remarque sur le pilote de l'Empire State Building qui l'avait vexé ?

Alice avait remarqué que, pour son oncle, parler du monde, c'était en faire partie. Il fallait qu'elle s'applique. Elle mettait toute son énergie dans la recherche de la bonne question à poser, la remarque intelligente à faire. Chaque fois, Vadim tombait dans le panneau et se lançait dans un nouveau monologue. Ça la faisait rire même si elle ne comprenait pas tout. Il pestait après les uns et les autres. Il adorait s'en prendre à un certain Ronald Reagan, un acteur qui avait accepté de dénoncer au FBI toute activité communiste au sein de l'organisation dont il était président. Vadim se méfiait d'Hô Chi Minh, qui voulait négocier avec la France. Ce dictateur montrait patte blanche tout en exécutant ceux qui n'étaient pas d'accord avec lui. À présent, Alice comprenait la peur des rouges que son oncle entretenait, sa peur des extrêmes d'où qu'ils viennent d'ailleurs. Vadim en voulait aussi aux Anglais de se comporter « en Anglais » au Moyen-Orient. Alice lui avait demandé ce qu'il entendait par là :

– Y a pas plus faux cul qu'un Anglais… Ils peuvent rien dire clairement, ils ont toujours besoin de mettre la responsabilité sur les autres… De laisser faire… Des faux culs !

– Mais ils ont pas fait le Débarquement ?

– Commence pas avec ça… Sans les Américains…

– Oui, je sais…, le coupa Alice. On doit tout aux Américains, rien aux Anglais, rien aux Français, ni aux Russes… J'ai un ami avec qui vous vous entendriez bien… Il pense comme vous.

– Un bon petit alors ! Pas comme tous ces faux culs !

Et c'était reparti ! Les Russes étaient des arnaqueurs et des violeurs, les Français des collabos alcooliques… Quant à l'ONU :

– Tu m'expliques à quoi ça sert une armée qui n'a pas le droit de combattre ? Tu crois vraiment qu'on a besoin de ça dans des zones en guerre ? Non mais faut qu'ils se réveillent les asticots !

Alice riait beaucoup, même si elle craignait toujours un peu qu'on les entende : ce n'était pas un discours à tenir au milieu d'un parc. Elle jetait régulièrement un œil autour d'eux pour vérifier que personne ne comprenait le français. Un jour, deux hommes passèrent devant eux en parlant allemand. Alice et Vadim sursautèrent. Quand, quelques minutes plus tard, les voix des inconnus disparurent dans le brouhaha du parc, Alice et Vadim eurent le même réflexe, et soufflèrent en chœur :

– Sales Boches !

Ils éclatèrent de rire.

– Faut qu'ils nous emmerdent jusqu'ici, dis donc !

Alice rit de plus belle.

– Bon, on rentre, fillette.

Comme Alice l'avait pressenti, Vadim n'était pas méchant. C'était une apparence qu'il se donnait pour qu'on ne l'embête pas. Souvent, elle le regardait parler plus qu'elle ne l'écoutait. Elle adorait le voir s'énerver. Il devenait tout rouge, tapait sur ses cuisses en agitant sa canne. Ses insultes adressées à la terre entière étaient très drôles. Il était si libre ! Alice n'en revenait pas. On lui avait toujours dit de bien parler, de faire attention à ne jamais être grossière… Son oncle faisait tout le contraire, comme si c'était normal ! Rien que ça, c'était magique. Surtout que ce n'était pas le signe d'un manque d'éducation : Vadim était la personne la plus cultivée qu'elle ait connue. Avec lui, les choses compliquées devenaient simples. Il lui avait dit :

– Si tu veux comprendre l'histoire, pose-toi trois questions : qui déteste qui ? Qui couche avec qui ? Où est l'argent ?

C'était vrai.

Comment les autres faisaient-ils pour ne pas s'intéresser plus à lui ? Aux côtés de son oncle, Alice se sentait importante. Cet aveugle lui apprenait à voir. Cette pensée lui plaisait beaucoup. Quand elle était avec lui, elle oubliait qu'elle n'avait pas de réponses de sa mère, ni de Jean-Joseph. Trois semaines à présent qu'elle était sans nouvelles. Quand elle se retrouvait seule dans la salle de bain, l'angoisse revenait, jusqu'à lui donner des haut-le-cœur. Alors elle priait. Elle se disait que de toute façon, si quelque chose arrivait, elle le saurait. On sent les choses graves.

Plus elle se rapprochait de son oncle, moins elle avait envie de se lier à Paul. Elle se fichait qu'il ne soit jamais là, ou qu'il ne lui pose pas de questions pour la connaître mieux. Quant à Ellen, elle ne lui avait pas reparlé depuis la *baby shower*. Alice avait toujours l'impression de la déranger.

– Pourquoi elle me déteste ? avait-elle demandé un jour à Vadim.

– Elle ne te déteste pas, elle ne peut pas t'aimer.

– Mais pourquoi ?

– C'est des histoires de grands.

– Mais…

– Tut ! Tut ! l'avait-il coupée.

Alice s'était juré qu'elle n'en resterait pas là. Il fallait juste choisir le bon moment. Comme pour tout.

*

Jusque-là, Vadim écoutait beaucoup de musique, mais uniquement quand il était seul. Alice pouvait entendre les airs de la salle de bain ou de la chambre d'Ellen, mais jamais en direct. Peut-être que la musique était le secret de son oncle ? Un peu comme ses séances de maquillage à elle ? Il ne voulait pas être dérangé pour faire ce qu'il aimait. Elle le comprenait, même si elle était déçue. Une seule fois, elle l'avait vu mettre un disque. Elle était fascinée par le gramophone mais son oncle avait arrêté la musique pour lui demander de sortir.

Ces mélodies étaient étranges. Électriques. Rien à voir avec ce qu'écoutait Jeanne. Alice se souvenait de ces moments où sa nourrice la prenait dans ses bras, en la berçant sur des airs de Joséphine Baker, qu'elle fredonnait. C'était doux. Les musiques de Vadim, elles, n'avaient pas de paroles. C'était les instruments qui chantaient et c'était vraiment quelque chose de grand. Alice voulait en savoir plus. Dès que Vadim avait le dos tourné, elle observait les pochettes des albums et les vieilles revues sur son bureau. Il ne les lisait plus, mais les gardait bien ordonnées. Cette musique s'appelait le jazz.

Jazz… Rien que le mot sonnait bizarrement dans la bouche. Une explosion et un mystère. Un disque était toujours au-dessus de la pile, celui d'un jeune pianiste. Alice avait lu : « Blue Note, Thelonious Monk ». La note bleue. C'était joli. Peu de mots, mais bien choisis.

Thelonious Monk… Est-ce que c'était son vrai nom ? Étrange. En bonne position, il y avait aussi un certain Dizzy Gillespie, et Charlie Parker. Les gens qui faisaient du jazz s'appelaient d'une drôle de façon.

Un matin, Alice s'apprêtait à aller dans la chambre d'Ellen quand Vadim l'interpella :

– Fillette, tu as mérité un cadeau aujourd'hui.

Alice tressaillit. Un cadeau ! La dernière fois qu'elle en avait reçu un, c'était une orange pour son dernier Noël avec Jeanne. Qu'est-ce que Vadim avait bien pu lui acheter ? Une poupée ? Un livre ? Vadim coupa court à sa rêverie :

– Mets donc le disque où c'est écrit Charlie Parker.

Alice était déboussolée. Où était le cadeau ? Elle obéit sans conviction, posa le disque sur la machine et abaissa le manche. Soudain, la musique envahit la pièce. Elle sentit comme un souffle d'air tournoyer autour d'elle, l'emporter. Elle se mit à sautiller, se balançant d'une jambe sur l'autre. Elle s'imagina tenir un saxophone et joua de son instrument factice.

– Mais qu'est-ce que tu fais ? demanda Vadim. Tu peux pas écouter tranquillement ?

En guise de réponse, Alice se dandina de plus belle, courut derrière la chaise de son oncle, tapota sur ses épaules et ébouriffa ses cheveux.

– Tu es complètement folle !

– J'adore ce morceau. On dirait que le saxo parle.

Elle n'en revenait pas. Elle avait une telle sensation d'espace ! Comme si la musique repoussait les murs, le plafond. La pièce était soudain habillée d'orange, de bleu, de jaune. Quand l'air s'acheva, elle était essoufflée.

– On peut en écouter un autre ?

– Alors madame aime le jazz ?

– Oui !

– Tant mieux.

Vadim s'interrompit un moment, comme s'il hésitait à se confier. Alice s'assit à ses côtés pour l'écouter avec toute l'attention dont elle était capable.

– Cette musique suggère quelque chose tu comprends ? Par exemple, au piano, quand on joue deux notes côte à côte ensemble, c'est le demi-ton qu'on entend. Le jazz est à mi-chemin, il rejoint tout le monde.

– C'est une musique qui se cache ?

– Je dirais plutôt qu'elle a des effets secondaires.

– Moi, je vois des couleurs.

– Tu n'es pas la seule…

Vadim lui expliqua que lorsqu'il écoutait du jazz, il se souvenait du bleu.

En fait, c'était un beau cadeau. La musique, on pouvait la garder en soi pour toujours. Alice se dirigea vers le bureau et saisit un nouveau disque.

– Art Tatum. On peut mettre celui-là ?

Vadim hésita.

– Prends-en plutôt un autre.

– Pourquoi ? Il a une bonne tête le monsieur sur la photo. Mais il a un œil bizarre.

– Et alors ?

Vadim se recroquevilla sur lui-même.

– J'ai dit quelque chose qu'il ne fallait pas ?

– Comme d'habitude ! Tu finis toujours par dire une connerie.

Qu'est-ce qu'il pouvait l'énerver à dire ces vacheries. Au fond, ça se voyait qu'il ne le pensait pas. Mais il fallait qu'il pique, c'était plus fort que lui. Sans se soucier de la réticence de son oncle, Alice passa le disque d'Art Tatum. Voilà pour le vieux grincheux ! Il y avait écrit sur la pochette : « Tea for Two ».

– Petite effrontée !

Alice gloussa en enclenchant le gramophone. Dès les premiers sons, elle s'immobilisa. Ça volait, ça s'emballait. De partout, des notes glissaient, jouaient, grondaient parfois. C'était une mère et sa fille devant les vitrines de Macy's, des danseurs, une famille qui s'amusait en plein air. Elle revit Marie et toutes les autres de Salies, la cour d'école, les marelles. Un oiseau virevolta dans les airs. Un lapin cavala dans une prairie. Un tigre bondit dans la jungle. La musique, c'était tout ça. Elle l'enveloppait d'une cape protectrice dont elle ne voulait plus se séparer.

– Pourquoi vous n'aimez pas Art Tatum ? demanda-t-elle à Vadim quand le morceau fut terminé.

– Je ne sais pas. Les aveugles qui friment, c'est pas trop mon truc !

– Il est aveugle ?

– Quasiment.

– Alors, vous aussi vous pourriez jouer sur votre piano ?

– Occupe-toi de tes affaires, petite.

– Je peux remettre le morceau ?

À ce moment-là, Armande entra dans la pièce et les interrompit :

– Nous allons passer à table. Je n'en peux plus de ce boucan. Vous allez me faire le plaisir d'arrêter cette musique de... de barbares !

Quand elle referma la porte, Alice et Vadim éclatèrent de rire. En descendant, ils passèrent devant le piano et Alice eut une idée. Le lendemain, elle sortit discrètement de l'appartement pour demander au portier s'il connaissait un magasin de musique. Il y en avait un formidable dans un quartier dont elle n'avait pas encore entendu parler.

– Et si on allait à Times Square aujourd'hui ? proposa-t-elle à Vadim en remontant.

– Pourquoi ?

– Je sais pas, il paraît que c'est bien.

Elle sentait que Vadim trouvait ça bizarre. Elle se justifia :

– C'est Beth qui me l'a dit...

– Beth ? Elle va à Times Square ?

Alice déglutit. C'était une excuse ridicule… Beth ne sortait jamais.

– Je… je voudrais bien y aller.

– Bon ok !

Une fois sur place, les airs de Charlie Parker revinrent dans la tête d'Alice. Elle avait l'impression que le saxo décrivait les mouvements des gens autour, leurs cris, leurs rires. En fait, le jazz, c'était New York.

Sur le trottoir d'en face, elle aperçut le fameux magasin de musique. En vitrine, il y avait des guitares, des trompettes, et tout au fond des pianos. Elle entraîna Vadim, sans lui dire où elle le conduisait.

– Faites-moi confiance.

Il la suivit.

Quand ils entrèrent, des sons de toutes sortes les happèrent. Des novices qui essayaient une basse, une batterie sur laquelle tambourinait un enfant, deux guitaristes qui jouaient du blues, et une dizaine de personnes qui flânaient dans les différents rayons, demandant aux vendeurs où se trouvait telle partition ou tel instrument.

– Qu'est-ce qu'on fout là ?

– J'avais envie de voir.

– Grand bien te fasse !

Alice soupira.

– Bon, on se tire.

– Non. Vous venez avec moi.

– Tu te prends pour qui ? Tu crois que c'est toi qui décides ?

– Asseyez-vous.

Vadim ne savait pas qu'il se trouvait devant un piano. Alice avança le tabouret et appuya sur les épaules de son oncle pour le guider. Il se laissa faire. Il était énervé, pourtant ça se voyait qu'il avait envie de jouer.

– Pourquoi tu fais ça ?

– Si Tatum peut jouer, alors vous aussi. Armande m'a dit qu'avant vous étiez très bon pianiste. Il doit bien rester quelque chose.

– Tu ne sais pas de quoi tu parles.

– Figurez-vous que j'aurais bien aimé savoir !

Alice lui raconta pour le vagabond qui jouait du Bach, son rêve de flûte traversière, les petits boulots, les patates, et l'argent qui avait disparu pour payer le médecin de sa mère. Vadim eut l'air surpris, mais tout ce qu'il dit fut :

– Tu sais, y en a beaucoup qui pensent que Bach et le jazz, c'est une histoire entremêlée…

Un vendeur les interrompit. Il essayait de parler français avec un accent américain très prononcé :

– Bonne jouar. Pardonnez monne français. Pouis-je vous aiday ?

Alice était ravie de pouvoir enfin mettre ses leçons d'anglais en pratique, elle répondit :

– *No, thank you.*

L'homme s'adressa à Vadim :

– C'ay vowtre fille ? Elle vous ressameble bowcoup !

Vadim éclata d'un rire qui contenait de la colère.

– Non, non. Pas ma fille !

– Oh…

Le vendeur devint tout rouge et disparut dans les rayons.

– Que quelqu'un pense que je suis votre fille… c'est pas si drôle ?

– Si, si… je t'assure… C'est même tragiquement drôle.

– Pourquoi ? Vous n'aimez pas les enfants ?

– Oh ! C'est pas ça le problème. En tout cas ça ne l'est plus…

– Moi je pense que vous pourriez faire un bon père.

– Bon c'est fini l'interrogatoire ?

Alice se sentit gênée. Elle était peut-être allée trop loin.

– Oui, pardon. Jouez maintenant.

Vadim hésitait. Il appuya sur une touche au milieu. Quand la note résonna, il se renfrogna.

– Qu'est-ce qu'il y a ? demanda Alice.

– C'est pas le *do* !

– Il est où le *do* ? Je peux le trouver.

– Tu m'agaces !

Il céda quand même. Il lui décrivit la note, au milieu du clavier, juste avant les deux barres noires resserrées. Alice posa le pouce de son oncle dessus, il était juste à côté. De son autre main, Vadim caressa les touches. Les traits de son visage se gonflèrent, ses lèvres s'entrouvrirent, et il resta un moment les doigts collés au clavier.

Puis il joua quelques notes, sans ordre particulier. On aurait dit qu'il se laissait entraîner par ses doigts. Il fit craquer ses articulations, ouvrit grandes les mains à plusieurs reprises, inspira profondément et se mit à jouer. Alice reconnut les premières notes de « Tea for Two ». Vadim souriait à mesure qu'il progressait dans le morceau. Il le jouait plus lentement, mais ça sonnait bien. Alice se laissa emporter à son tour.

Son oncle fit une fausse note. Il sursauta, leva les mains au-dessus du clavier, comme s'il venait de s'y brûler.

– Ça ne sert à rien… Je… je ne sais plus.

– Y a qu'à vous entraîner !

– Fillette, il y a des choses pour lesquelles on ne peut rien faire…

Soudain, Alice entendit une sonorité familière : quelqu'un jouait de la flûte au fond du magasin. C'était Bach. Un des morceaux du vagabond. Elle se figea. En parler c'était une chose, mais l'entendre… Elle pensa à sa mère, à Monsieur Marcel, à Jean-Joseph et tous les autres. Elle se sentit terriblement seule. Où étaient-ils ? Comment allaient-ils ? Pourquoi ne lui répondaient-ils pas ? Elle n'avait plus envie de s'amuser alors que rien n'allait vraiment. Quand ils sortirent du magasin, Vadim demanda :

– Qu'est-ce que tu veux faire maintenant ?

– On peut rentrer ?

Ils marchèrent un moment sans rien se dire. Au bout de quelques pas, Vadim rompit le silence :

– Bon. Qu'est-ce qu'il y a, fillette ?

– Rien.

– À d'autres, je sens bien que ça va pas. Alors quoi ? C'est ton père ? Ta mère ?

– Non.

– D'accord. Comme tu voudras.

Arrivé dans l'ascenseur de l'immeuble de Madison Avenue, Vadim sembla hésiter un moment avant de se lancer :

– Je vais te dire ce que j'ai compris de la vie.

Il ajouta pour la taquiner :

– T'inquiète, c'est gratuit.

Alice sourit en coin.

– Tout le monde te dit que pour savoir où on va, faut savoir d'où on vient, et que tout ça, ça dit qui on est. Foutaise. La seule chose qui est vraie, c'est le moment présent, ce que tu vis, ici et maintenant. Le type qui sait où il va, il se la raconte !

– Mais…

– Chut, on n'interrompt pas le maître quand il parle !

Il reprit :

– T'es pas la seule à vouloir comprendre. Personne sait comment ça marche, et ça rend les gens dingues. Y en a même qui y ont passé leur vie ! Regarde Marx. Tu connais Marx ? Le communisme ?

– Je crois…

– Il voulait créer un système qui aurait rendu le monde logique et juste. La théorie était belle, mais il avait oublié qu'en pratique, rien ne se passe jamais comme on veut. Tu piges ?

Il ne laissa pas le temps à Alice de répondre.

– On cherche tous une formule qui nous sauvera ! Et pourquoi ?

– Je sais pas.

– Parce qu'on a peur de la vérité. Il n'y a rien à comprendre, c'est comme ça. Parfois la vie, c'est bien, on passe un bon moment, et parfois ça fait mal.

– Mais alors, qu'est-ce qu'on peut faire ?

Vadim inspira fortement. Il pressa ses lèvres l'une contre l'autre, et dit :

– On peut faire en sorte que ça swingue quand même.

*

Que ça swingue quand même… La phrase de Vadim trottait dans la tête d'Alice depuis des heures. Il était grand temps de dormir, et pourtant, elle ne trouvait pas le sommeil. Elle se retournait dans son lit, de plus en plus énervée.

– Tu t'entraînes pour les JO ou quoi ? Qu'est-ce que c'est que cette agitation ?

– J'arrive pas à dormir.

Elle pensait à sa mère. Ce soir, elle n'avait même pas réussi à terminer sa lettre. Elle était trop découragée de ne pas avoir reçu de réponse. Chaque fois qu'elle fermait les yeux, elle voyait le visage de Diane, de Jeanne, de tous ceux dont elle était séparée.

– Je n'aime pas dormir.

– Moi j'adore…

Alice sentait que son oncle disait ça pour qu'elle se taise.

– Pourquoi ?

– Pourquoi quoi ?

– Pourquoi vous aimez dormir ?

Vadim soupira :

– Parce que dans mes rêves, j'y vois.

Alice se pinça les lèvres. Pourquoi ne réfléchissait-elle jamais à ce qu'elle disait ? Elle repensa aux photos des mallettes, au dossier médical qu'elle avait lu en cachette. Des mots lui revenaient : accident, aveugle, irréversible. Plus elle apprenait à connaître Vadim, moins elle comprenait qu'une telle chose ait pu lui arriver.

– La vie n'est pas juste.

– Je suis pas d'accord. La vie est dure oui… Mais tout le reste, c'est la nature.

– Comment ça ?

– La justice c'est humain, la nature c'est la nature.

– Qu'est-ce que vous racontez ?

– Tu ne peux pas civiliser la nature. La justice, c'est pas une notion naturelle, c'est tout.

Alice prit le temps de réfléchir, mais elle n'arrivait pas à assimiler les paroles de son oncle. Elle était trop en colère pour se dire que ce qu'elle vivait était normal.

S'il n'y avait pas de justice, alors toute sa vie serait-elle soumise à ce chaos ?

– J'ai peur pour ma mère.

– C'est normal.

– Ils m'ont interdit de la toucher. Je devais lui parler à travers une vitre. Ça c'est pas la nature, et c'est pas juste.

Vadim ne répondit pas.

– Est-ce qu'elle était déjà triste, ma mère, avant la guerre ?

– Les gens ne sont jamais complètement tristes ou complètement gais.

– Pourquoi vous n'êtes pas clair ?

– Parce que je ne la connaissais pas bien.

Alice était déçue. Elle ne le croyait pas. Chaque fois qu'elle lui posait des questions sur sa mère, la voix de son oncle s'enrouait.

– C'était comment la guerre ?

– Idiot !

– Non mais pour de vrai ?

– Personne n'a vécu la même guerre…

– Mais vous, qu'est-ce qui vous a marqué le plus ?

– Ça dépend où… Il y en a eu tellement ces quinze dernières années…

Alice se souvenait de la photo avec André par Gerda en Espagne, et de tous les clichés de soldats au même endroit. Jeanne lui en avait parlé pour Armand. Et il y avait eu l'article dans le magazine *Regards*.

– En Espagne, c'est ça ?

– Oui, aussi. Si je comprends bien, tu ne vas pas me laisser dormir ?

Il y avait une pointe d'énervement dans le ton de Vadim. Alice n'avait pas envie de l'embêter, mais sa curiosité était plus forte :

– Comment…

Elle s'interrompit. Elle savait que cette question pouvait provoquer de la colère, mais elle voulait être sûre :

– Comment vous vous êtes fait mal ?

Vadim grogna pour la forme, mais on aurait dit qu'il s'était attendu depuis le début à cette question. Même s'il n'avait pas envie d'en parler, il savait qu'Alice reviendrait tôt ou tard à la charge. Il lui raconta toute l'histoire. Le bateau, la côte au loin, le ciel bas, la mer blanche, bientôt Omaha Beach, six kilomètres de plage jonchés de mines. Vadim s'agrippait à son appareil, ça devait être le reportage de sa vie. Couvrir l'opération Overlord ! Une occasion unique… Ce qui l'avait troublé le plus, c'était de voir tous ces gamins du 116e qui ne comprenaient pas ce qu'ils faisaient là. Leur regard était vide. La plupart ne savait pas nager et craignait davantage de se noyer que de succomber aux balles ennemies. Tous se répétaient les consignes, fumaient une dernière cigarette, priaient Dieu, pensaient à leur mère, à leur femme. Leur angoisse était si intense qu'ils ne pouvaient pas en parler. Certains vomissaient.

– C'est fou… Ces gamins étaient tous les mêmes. Je le faisais pas exprès mais souvent, je leur disais : *Salud, camarada. Por los cojones*, comme je le faisais en Espagne.

– Ça veut dire quoi ?

– À ta santé, camarade ! Putain de merde ! Faut croire que la peur n'a pas de nationalité.

Puis il avait fallu sauter du bateau. Soudain les bombes pleuvaient. Partout les gosses estropiés, mitraillés. Et puis le noir.

– Je n'ai aucun souvenir de la semaine après l'accident. J'ai sauté. Il y a eu comme un choc, quelque chose de tranchant. J'ai eu mal aux yeux, et plus rien.

Il se tut quelques instants avant de reprendre :

– J'y ai pas eu droit, c'est tout.

– Droit à quoi ?

– À la vie que je méritais.

Alice ne savait pas quoi répondre. Il n'y avait rien à ajouter. Elle n'en revenait pas qu'il lui ait dit tout ça. Elle était bouleversée. Jusqu'ici, les adultes ne répondaient jamais à ses questions. Et Vadim lui parlait.

*

Tandis qu'elle se maquillait dans la chambre d'Ellen, Alice fut interrompue par le son du piano au premier étage. C'était « Tea for Two ». Vadim jouait. Elle sourit. Chaque nouvelle note la remplissait de joie. Au même passage que la veille, Vadim se trompa. Il y eut un silence pendant quelques minutes, et la musique recommença. Il s'entraînait ! Il avait accepté de faire une erreur. Pourquoi entendre son oncle jouer lui faisait tant plaisir ? Ça ne changeait rien à ses problèmes. Mais c'était grâce à elle.

Elle eut envie de le rejoindre et chercha le démaquillant dans la coiffeuse. Elle tomba sur une layette rose. Elle ouvrit davantage le tiroir, et découvrit une petite boîte qu'elle n'avait jamais remarquée jusque-là. À l'intérieur, il y avait des chaussons tricotés pour bébé, de toutes les couleurs, et de plusieurs tailles. Ellen était-elle enceinte ? Mais alors, pourquoi semblait-elle si contrariée chaque fois que quelqu'un parlait de bébé ? Peut-être que devenir maman ne lui disait trop rien ? Ou qu'elle avait attendu un enfant et qu'il était mort ? Cette idée lui glaça le sang. C'était horrible, mais ça expliquerait beaucoup de choses. Elle referma le tiroir et sortit de la chambre.

Quand elle s'approcha du piano, Vadim plaqua ses deux mains sur le clavier, furieux de s'être encore trompé. Il n'avait pas entendu Alice, et elle préféra attendre qu'il se calme pour lui signaler sa présence. Il recommença le morceau depuis le début, et cette fois il parvint à la fin. C'était loin de la fluidité de Tatum, mais la sonorité était plutôt jolie. Ça swinguait. Alice applaudit et Vadim sursauta.

– Tu aurais pu me dire que tu étais là.

– Je viens d'arriver. C'était très bien.

– C'est ça.

Il joua encore un peu, puis ils sortirent se promener.

– Est-ce qu'Ellen attend un bébé ?

– Pourquoi tu me demandes ça ?

– Ou est-ce que son bébé est mort ?

– Ellen n'a jamais eu de bébé ! Qu'est-ce qui te prend ?

Alice fut soulagée. Après quelques hésitations, elle se décida à faire part de sa découverte à son oncle. Après tout, il savait très bien qu'elle passait du temps dans la chambre de sa belle-mère.

– Cette bonne femme est tarée.

– Pourquoi ?

– Elle ne peut pas avoir d'enfants, et elle emmerde tout le monde avec ça.

Vadim soupira. Il semblait énervé d'un coup :

– Un de ces quatre, elle va nous faire un sale coup, celle-là. J'ai toujours dit qu'elle pouvait être une vraie garce ! Méfie-t'en comme de la peste. Ne lui confie jamais rien !

Alice s'immobilisa.

– Quoi ? Qu'est-ce que j'ai dit ? demanda Vadim.

– Comment ça elle ne peut pas avoir d'enfants ?

– À ton âge, tu connais pas l'histoire de la petite graine ?

Les mains d'Alice devinrent moites.

– Si… je sais. Mais pourquoi Ellen elle peut pas alors ?

– Parfois, ça marche pas, c'est tout. Ça peut être à cause de l'homme, de la femme… Ou des deux. Et tu es là, ça prouve que Paul n'est pas le problème.

– C'est pour ça qu'elle m'aime pas ?

– Bingo.

Bien que cette nouvelle la contrarie, Alice sentit un poids se dégager. Elle n'avait rien fait de mal.

Quand ils pénétrèrent dans l'appartement, ils surprirent une dispute. Ils se figèrent dans l'entrée. En quelques secondes ils comprirent qu'il s'agissait d'Ellen et Paul : ils étaient dans le bureau, à quelques mètres. Alice et Vadim ne pouvaient pas ressortir, le bruit de la porte les trahirait. Ils ne pouvaient pas non plus monter dans leur chambre, ils seraient forcés de passer devant le couple en furie. Ils entendirent Paul crier :

– Mais enfin comment voulais-tu que je me souvienne que c'était aujourd'hui ?

– *Because I told you !*

– Eh bien, raconte-moi ! Qu'a dit le docteur ?

Ellen murmura :

– *Everything is fine.*

– C'est parfait alors ! Pourquoi tu t'énerves ?

Puis Ellen repassa au français :

– Paul, tu ne saisis pas. Tout va bien chez moi !

Alice comprit tout de suite de quoi il s'agissait. Peut-être que Vadim s'était trompé ?

– Je ne suis pas idiot ! répondit Paul en haussant le ton. C'est une bonne nouvelle, non ?

Ellen soupirait.

– Comment peux-tu être sûr d'avoir été le seul dans la vie de cette femme ?

– Tu m'épuises avec tes questions ! Le médecin pense que tu vas bien, alors nous n'avons plus qu'à réessayer ! Où est le problème ?

Alice sentit ses joues la brûler. La scène qu'elle avait surprise dans la chambre de Paul et Ellen lui revenait. Elle se tourna discrètement pour que Vadim ne ressente pas sa gêne. Il lui poserait trop de questions. Elle lui jeta un coup d'œil de biais, mais son oncle ne prêtait pas attention à elle. Il était complètement absorbé par la dispute. Il semblait très perturbé par ce qu'il venait d'entendre. Peut-être qu'il aimait plus son frère qu'il ne voulait bien l'avouer ? Ellen s'énerva de nouveau. Elle répondit en anglais quelque chose qu'Alice ne comprit pas et Paul rétorqua :

– Qu'est-ce que tu veux à la fin ? Il dit que tu vas bien, je te dis super ! Tu n'es jamais contente.

Alice entendit qu'Ellen pleurait et ça lui pinça le cœur. Elle détestait que les gens soient tristes. Sa belle-mère avait l'air de beaucoup souffrir.

– Paul, tu me promets que tu ne t'étais jamais douté de l'existence de cette petite ?

Alice sentit comme une décharge irradier son corps.

– Tu ne vas quand même pas me le redemander chaque semaine ! Je t'ai déjà dit non !

Vadim eut un mouvement de recul, il chercha à

entraîner Alice. Elle le retint. Il était hors de question qu'elle parte maintenant.

– Ellen, je n'en peux plus de ce cirque. J'ai d'autres problèmes. Les choses avancent trop lentement avec ton père et tu le sais. Tu devais l'appeler, pourquoi ne l'as-tu toujours pas fait ? Tu n'es tout de même pas débordée à ce point ! Tu es aussi concernée que moi, je te rappelle !

– Tu n'avais jamais envisagé cela possible ? D'avoir eu un enfant avec elle je veux dire ? l'interrompit Ellen.

– Je ne savais rien ! J'ai découvert tout ça en même temps que toi, tu le sais enfin voyons ! cracha-t-il.

Le téléphone sonna. Paul répondit :

– Bonjour, père.

Alice comprit qu'il s'agissait d'Henri, son grand-père, qu'elle n'avait encore jamais vu. Celui qui avait écrit la lettre déchirée qu'elle avait retrouvée dans la poubelle de la salle de bain.

Paul chuchota quelque chose. Ellen lui répondit avec une certaine agressivité, et claqua la porte du bureau. Alice et Vadim se cachèrent derrière le guéridon, espérant qu'elle ne les verrait pas. Ellen prit directement le chemin de sa chambre. Elle pleurait et ne prêta pas attention au reste. Vadim fit signe à Alice : il était temps de signaler leur retour. Ils se redressèrent. Alice claqua la porte d'entrée. Elle murmura :

– Vous croyez qu'ils vont rester fâchés ?

Vadim semblait perdu dans ses pensées.

– Hein ?

– Paul et Ellen ? Ils vont rester fâchés ?

– Non, non… T'inquiète pas.

À ce moment-là, Armande arriva.

– Nous allons bientôt déjeuner.

Alice prit la main de son oncle pour le guider vers la salle à manger quand ils entendirent un fracas. On venait de casser quelque chose dans le bureau. Paul sortit, rouge de colère. Il sursauta en les apercevant tous les trois dans l'entrée. Il essaya de ne rien montrer. Il dit à Armande qu'il ne déjeunerait pas là, et que le téléphone était fichu. Quand il fut parti, Ellen appela la gouvernante à son tour : elle était souffrante et resterait toute la journée dans sa chambre.

Alice et Vadim s'installèrent seuls à table. Alice, ça lui allait bien : beaucoup de questions trottaient dans sa tête. Depuis qu'elle avait lu le formulaire médical, elle ne cessait d'y repenser et elle n'avait pas encore eu l'occasion de creuser. Elle se trahirait si elle était trop directe. Elle devait passer par des chemins détournés. Elle prit un air innocent pour demander :

– Mais si Paul est votre demi-frère, c'est Henri votre père à tous les deux ?

– Non, Henri était le deuxième mari de ma mère. Et là-dessus, je te préviens tout de suite, je m'étendrai pas.

Alice se renfrogna. Au bout de quelques minutes, elle prit conscience que ce n'était pas vraiment ça qui l'intéressait, elle retrouva le fil de ses questions :

– Paul est parti parce qu'il s'est fâché avec Henri ?

– Sûrement, répondit Vadim.

– Pourquoi ?

– Ça n'a aucun intérêt. Des histoires d'argent.

– Comment ça ?

Vadim était visiblement agacé de devoir parler d'Henri et Paul.

– Henri d'Arny, c'est quelqu'un de spécial tu sais. C'est mon beau-père, il a toujours été correct avec moi, alors je ne peux pas trop le critiquer. Tout ce que je sais, c'est qu'il attend depuis longtemps une occasion de rendre justice à son histoire, comme il dit.

– Je comprends pas.

Vadim soupira. Avec sa fourchette, il piqua un morceau de viande. Et tout en mastiquant, il enchaîna :

– Henri a un nouveau projet. Et il a besoin du père d'Ellen, Mr Hartfield. C'est jamais simple de bosser avec des Américains… Surtout des pur-jus comme les Hartfield ! T'as vu Ellen ? Son père c'est elle, en dix fois pire ! En gros, pour Henri, ce n'est pas vraiment le moment que Paul et Ellen se disputent…

Vadim raconta qu'Henri, son beau-père, était passionné de physique. Jeune, il avait rêvé de faire carrière dans la recherche, mais il s'était très vite rendu compte qu'il pouvait gagner plus d'argent en la finançant. Il suffisait de dénicher les découvertes qui feraient la différence. Selon Vadim, Henri était perçu comme un homme à poigne, et son savoir-faire était reconnu partout. Des décennies durant, son flair ne l'avait jamais trompé.

– Mais ça, c'était avant que son fiston ait des « idées ».

Paul avait assuré à son père un coup magnifique, via une association avec un camarade de l'hippodrome. Il s'agissait d'un projet de petites voitures, soi-disant citadines, que tout le monde s'arracherait.

– Un gouffre sans fond. En quelques mois, la majorité de la fortune d'Henri fut dilapidée. Et depuis il lui en veut à mort ! Ils se parlent encore uniquement parce que Paul a épousé Ellen Hartfield, et que derrière Ellen, il y a son millionnaire de père, le roi de la conserve.

Vadim décrivit le projet d'Henri. Cette année-là, deux découvertes avaient réveillé son ambition. En février, Edwin Land, un Américain, avait présenté le premier Polaroid, un appareil qui pouvait prendre, développer et imprimer des photos de manière quasi instantanée. Henri avait été séduit par le chamboulement possible dans les familles. Il était certain qu'on en parlerait même à la télévision ! Il avait failli investir, mais au dernier moment, il s'était intéressé à une autre opportunité, une invention qui l'attirait comme jamais aucune autre auparavant. Il avait bénéficié d'une fuite. Un de ses amis, qui travaillait au laboratoire Bell, l'avait informé que des chercheurs étaient sur le point de révolutionner l'électronique. Une invention dont le nom n'était pas encore déterminé : *semiconductor triode*, *surface states triode*, *crystal triode*, *solid triode*, *iotatron*, *transistor*. Henri avait penché pour *transistor*.

– En gros, c'est un élément capable de moduler les fréquences, de mesurer et d'agir sur les tensions.

Pour Henri, il s'agissait d'une révolution, un point de non-retour, pour toutes les industries.

– Le problème, c'est qu'aux États-Unis, tu ne fais pas de business sans un partenaire américain… Et même si Henri et Paul vivent ici depuis dix ans, ça ne fait pas d'eux des citoyens dignes de confiance.

– Bref, il a besoin du père d'Ellen, le coupa Alice.

– T'as pigé ! Et si j'ai bien compris, le projet doit se signer dans les semaines qui viennent ou ça ne se fera pas.

Alice repensa au mot dans la salle de bain. Henri demandait à Paul de régler le problème sous deux semaines. Vadim avait raison. À partir de maintenant, la situation ne ferait qu'empirer. Elle commençait à y voir plus clair. Ça ne lui plaisait pas. Il manquait encore quelques pièces au puzzle, mais elle avait une vision d'ensemble. Henri ne l'aimait pas parce qu'Ellen ne l'aimait pas. Sa belle-mère voyait en elle la preuve qu'elle n'aurait peut-être pas d'enfants. Du coup, Ellen en voulait à Paul et Paul à son tour en voulait à Alice parce qu'elle le gênait dans ses affaires. En fait, elle dérangeait tout le monde. Elle était furieuse. Quel gâchis ! Quelle bande d'hypocrites ! Elle qui ne souhaitait qu'être auprès de sa mère et de ses amis.

– Je me demande vraiment ce que je fais là.

– Et moi donc ! répondit Vadim.

*

Le lendemain matin, Ellen partit de bonne heure. Elle portait des lunettes noires, et ne prit pas le temps de saluer Alice sur son chemin. Elle avait dû se disputer une nouvelle fois avec Paul. Plus Alice y pensait, plus elle trouvait ces histoires ridicules. Elle s'inquiétait pour sa mère. Là, il y avait de quoi pleurer. Ce soir, elle lui écrirait une longue lettre. Monsieur Marcel en aurait une aussi. Elle l'y sommerait d'expliquer pourquoi personne ne lui donnait signe de vie. Peut-être même écrirait-elle à Madame Léa ! Ou à Mme Bajon, tiens ! Était-ce si difficile de prendre cinq minutes pour lui expliquer comment la situation évoluait à Paris ? Qu'ils ne s'en fassent pas pour elle, c'était une chose, mais au moins ils pouvaient la tenir au courant.

Et puis, il n'y avait pas que ça. Elle en avait assez de ces mystères autour de sa mère et de son père. Seul le fait de savoir lui procurerait un sentiment de paix. Ça l'obsédait au point de la réveiller au beau milieu de la nuit. Armande insistait pour qu'elle mange, mais Alice n'avait pas faim. Aujourd'hui, c'était décidé, elle demanderait à Vadim de lui dire tout ce qu'il savait sur Diane. Même s'il ne l'avait pas beaucoup connue, il lui avait un peu parlé ! Il pourrait lui décrire à quoi elle ressemblait avant que la guerre ne l'abîme, lui raconter une conversation qu'il aurait eue avec elle, ou sa rencontre avec Paul, entre frères on se disait ces choses-là… Cette décision la rassura et elle accepta d'avaler quelques bouchées du repas.

Elle mâchait en formulant dans sa tête ses futures questions pour Vadim, quand son père entra dans la cuisine, le visage crispé. Il lui demanda de le suivre dans son bureau. Alice mit du temps à réagir. Son père voulait passer un moment seul avec elle… Pour une surprise ! Allait-il se décider à jouer cartes sur table ? Peut-être lui avouerait-il les problèmes que suscitait sa présence ici ? Elle était prête à tout entendre, tant qu'on lui disait la vérité. Était-ce pour ça qu'Ellen était partie aussi mécontente ? Elle ne voulait sûrement pas qu'Alice et Paul se rapprochent.

– Tu peux t'asseoir, lui dit son père en lui indiquant le fauteuil en face de lui, de l'autre côté de son bureau.

Paul était planté sur sa chaise, raide comme un piquet. Alice tremblait. Cette situation sonnait faux. Son père était trop froid pour quelqu'un qui voulait parler ouvertement. Elle prit sur elle pour ne pas laisser transparaître son inquiétude, et s'installa en se forçant à sourire. Son père ne réagit pas. Il se racla la gorge. Tout en fixant son bureau, il dit :

– Tu sais, Alice, ton arrivée a bousculé beaucoup de choses dans cette maison. Armande est âgée maintenant, alors peut-être que tu pourrais l'aider un peu ?

– L'aider un peu ?

– Oui, au moins pour tes affaires, ta chambre…

Son père l'avait convoquée pour lui demander de nettoyer les endroits qu'elle occupait avec Vadim : leur chambre, leur salle de bain. Il fallait aussi qu'elle participe davantage à la vie de la maison, sous-entendu les autres tâches ménagères et la cuisine. Alice serrait les poings. Au prix d'un incroyable effort, elle acquiesça. Très bien. Elle ferait tout ce que son père désirait. Puis Paul sembla gêné. Il hésitait à ajouter autre chose mais Alice lui en voulait trop pour lui laisser une occasion de se donner bonne conscience. S'il avait choisi de céder aux menaces d'Henri, tant pis. Un lâche ! Il ne méritait pas de pouvoir s'expliquer. Elle sortit du bureau et referma la porte. Une fois dehors, une colère inouïe monta en elle. C'était presque palpable, comme si quelqu'un à l'intérieur la frappait de partout pour sortir. Elle voulait cogner les murs, éclater des verres, des vases. Il fallait qu'elle fasse quelque chose. Elle entra dans la chambre d'Ellen et Paul et se dirigea vers l'armoire. Leur piquer des trucs, voilà ce qu'elle allait faire. Vite, une robe, un rouge à lèvres, un objet qu'ils n'auraient plus et qu'elle garderait pour elle ! Ou qu'elle abîmerait, tiens !

Tandis qu'elle fouillait parmi les vêtements, elle les vit.

Cachées dans un panier de linge, toutes les lettres qu'elle avait adressées à sa mère et Jean-Joseph depuis son arrivée étaient là, sous ses yeux. Ellen ne les avait jamais envoyées. Ses mains se mirent à trembler, ses oreilles bourdonnaient au point de lui donner le vertige. S'asseoir. Respirer. Et sa mère ? Elle avait dû croire qu'Alice était complètement indifférente à sa maladie, et même à sa mort ! Elle repensait à tous ces mots qu'elle avait mis tant de temps à choisir pour qu'ils soient les plus doux possible. Et Jean-Joseph ? Il devait penser qu'elle l'avait oublié. Pourquoi Ellen avait-elle fait ça ?

Elle n'avait même plus envie de savoir. Elle devait rentrer en France dire à sa mère que chaque jour elle avait pensé à elle. Partir d'ici, voilà ce qu'il fallait faire. Tant pis, elle ne connaîtrait pas son père davantage, de toute façon il n'en avait aucune envie. Elle ne serait pas américaine, ni l'héroïne d'une formidable histoire d'après guerre, comme Mme Bajon semblait le croire. Elle se sentait épuisée par tous ces chamboulements. Mais pour que cela cesse, il fallait agir.

Comment partir ? Elle ne parlait pas assez bien anglais, et personne ne la laisserait prendre un bateau ou un avion seule. Et quand bien même elle y parviendrait, avec quel argent paierait-elle le transport ? La solution fut évidente : Vadim. Rien de rassurant là-dedans. Il avait beau s'être détendu ces derniers jours, pas sûr qu'il accepte. Mais les lettres… Elle y avait glissé tout son amour…

Elle rentra dans sa chambre en claquant la porte. Surpris, Vadim lui lança quelques paroles ironiques qu'elle n'écouta pas.

– Il faut qu'on parte d'ici.

– Quoi ? Tu veux déjà aller te promener ?

– Non. Je veux rentrer en France. Je peux pas y aller seule. Tu vas partir avec moi.

Elle l'avait tutoyé. C'était sorti tout seul. Elle s'étonnait de sa propre fermeté. Vadim éclata de rire.

– Partir tous les deux ?

Il rit de plus belle avant d'ajouter :

– *La gamine et l'aveugle s'enfuient du Nouveau Monde.* Un bon film, mais non merci, pas pour moi.

Elle devait le bousculer. Ça lui faisait mal à l'avance, mais pas le choix. Les mots lui vinrent, comme dictés d'ailleurs : il était aveugle, il ne verrait plus, mais alors quoi ? Que voulait-il ? Rester planqué ici à écouter ses disques ? Elle en prit un, le jeta par terre, et l'écrasa. Voilà, plus de disque ! Vadim tenta d'objecter mais Alice l'en empêcha.

– Tu ne comprends pas. Je dois revoir ma mère !

Dans sa tête, les mêmes phrases revenaient : « Ma mère va mourir, et elle ne sait pas à quel point je l'aime. » Mais ça, elle ne pouvait pas le dire. Il fallait qu'elle parle à Diane, qu'elle obtienne les réponses que personne ne voulait lui donner.

– Et toi ? Qu'est-ce que tu vas devenir si tu restes ici ? Le boulet d'Armande ? Respirer son odeur qui pue pour le reste de tes jours ? Ben ça, c'est être lâche ! Viens avec moi et ils iront se faire voir.

Vadim avait ouvert la bouche et l'écoutait, l'air hébété.

– Alors ? Tu viens ?

*

Sur le trottoir, devant l'immeuble de Madison Avenue, Alice sentait les battements de son cœur s'accélérer. Ça faisait comme des coups dans sa poitrine. Les dernières vingt-quatre heures étaient passées si vite… Pourtant elle avait l'impression que des semaines s'étaient écoulées depuis sa décision de partir d'ici. Il y avait eu tant de problèmes à régler… Le plus difficile commençait à peine, et elle était déjà épuisée.

Elle avait dû rassurer Vadim. Il était si contradictoire… Il se plaignait d'être inutile, pourtant il hésitait à saisir l'occasion de changer de vie. Comme s'il avait peur de décider seul de son avenir. Il n'avait cessé de lui dire qu'elle était trop jeune pour se rendre compte, et qu'il n'avait pas la capacité de veiller sur une gamine de dix ans. Alice ne lui avait pas demandé de s'occuper d'elle. Il se cherchait des excuses. Ridicule ! Ils n'avaient plus le temps pour ça. Sa mère n'avait pas reçu de nouvelles depuis un mois, et n'en avait pas donné. C'était grave. Il fallait rentrer maintenant.

Il devait sentir qu'elle avait raison, alors il enchaînait sur des questions d'ordre pratique : comment récupéreraient-ils les passeports ? Avec quel argent voyageraient-ils ? Comment éviter la police qui serait prévenue à coup sûr ? Par où passer ? L'avion était trop cher, quand partaient les prochains bateaux ? Une fois en France, comment rejoindre Paris ? Mais Alice avait réponse à tout, et quand bien même elle avait des moments de doute, quelques minutes de réflexion suffisaient à trouver une solution.

– Ok, ok, t'as tout prévu… Mais… et l'imprévu ?

– Ça changera rien si on est partis.

Vadim n'avait pas objecté. Aucun de ses arguments ne tenait la route. Le départ était inévitable. Il leur restait quelques heures pour organiser leur fuite. Le ciel déciderait du reste.

Si les tâches qu'Alice devait accomplir étaient claires, au moment d'agir, rien n'avait été simple. Elle avait dû faire le guet une heure peut-être dans le couloir, pour pouvoir entrer dans la chambre d'Ellen et Paul au moment propice. Enfin sa belle-mère était descendue donner les consignes à Beth et Armande, avant de partir chez le coiffeur. Alice devait récupérer ce qu'ils avaient listé avec Vadim. Son oncle s'était souvenu que Paul gardait une petite cagnotte en cas de coup dur. Il avait toujours fait ça. Elle devait être quelque part dans sa chambre. Il rangeait aussi tous les documents

« officiels » dans un coffre-fort, dont la clef se trouvait dans une boîte à gâteaux bleue. Jusque-là, il l'avait toujours rangée dans la cuisine, elle devait encore y être. Paul possédait cette boîte depuis l'enfance. Il l'avait emportée en Amérique. Alice devait attendre que Beth ait le dos tourné pour s'en emparer.

Le soir venu, elle avait fait mine de vouloir aider la cuisinière à faire la vaisselle. Après tout, c'était ce que son père lui avait demandé… Beth lui avait confié la mission d'essuyer les verres et les assiettes. Alice attendait une occasion de chercher, mais la cuisinière vérifiait tout ce qu'elle faisait. Comment fouiller la cuisine avec Beth sur le dos ? Il fallait trouver un moyen de détourner son attention. En quelques minutes, les assiettes furent essuyées. Plus que sept verres, et ce serait fichu… Elle avait eu une idée : faire tomber un verre sur le sol et se couper. Sur le moment, ça lui avait fait très peur. Et si elle avait mal ? Ou que ça saignait trop ? Mais sa mère… À peine revoyait-elle son visage que le courage revenait. Elle avait fermé les yeux, lâché le verre et enfoncé un morceau tranchant dans son doigt.

Elle avait crié. Beth, affolée, était sortie en courant chercher un pansement. Alice n'avait que quelques minutes devant elle. Elle avait regardé en premier dans le vaisselier : rien. Dans le frigo : rien. Sous l'évier : non plus. Elle avait levé les yeux au ciel. « Mon Dieu, aidez-moi. » Elle commençait à se décourager quand elle avait aperçu une toute petite boîte bleue derrière une pile de casseroles sur la plus haute étagère. Elle était montée sur une chaise et s'en était emparée. À l'intérieur, il y avait bien une clef. Alice avait bondi de joie. C'était comme un trésor. Au bout d'un moment, elle s'était rendue compte que son doigt saignait plus qu'elle ne l'aurait cru. Elle l'avait passé sous l'eau. Le sang disparaissait dans l'évier. Ça lui rappelait les mouchoirs de sa mère. Il était vraiment temps de partir.

Le lendemain matin, il avait fallu faire vite. Alice avait beau être entrée dans la chambre d'Ellen chaque jour sans autorisation, cette fois c'était plus éprouvant. Son avenir en dépendait. Elle avait eu du mal à respirer. Elle s'apprêtait à commettre un vol et c'était un péché grave. « Mon Dieu, pardon. » Elle avait cligné des yeux, dix fois peut-être, avant d'oser ouvrir le tiroir indiqué par Vadim. Et puis elle s'était raisonnée : quitte à aller en enfer, autant avoir revu sa mère avant. Il n'y avait rien à l'intérieur. Elle les avait tous ouverts et fini par trouver le butin. Elle avait filé au coffre-fort de Paul et avec la clef de la boîte bleue l'avait ouvert pour en sortir son passeport et celui de son oncle. Enfin, elle avait vérifié que tout était bien en place dans la chambre, puis était revenue essoufflée auprès de son oncle.

– J'ai les passeports. Ils étaient dans l'armoire. Et tu avais raison, mon père cachait bien de l'argent, mais pas sous le lit, sous ses slips. Deux mille dollars ! Dès qu'Armande part faire les courses, on y va. Si on croise Beth, on lui dit qu'on va en promenade et on fonce.

Vadim avait acquiescé, sans enthousiasme. Elle ne lui avait pas laissé le temps de changer d'avis.

– On ne peut pas emporter grand-chose avec nous, autrement ce sera louche. Je t'ai pris deux polos, trois slips, et tu mets ton blouson sur toi.

– Mais il fait chaud, râla Vadim.

– Sur le bateau, il va faire froid.

– Ma mallette.

– Quelle mallette ?

– Celle sous le lit. Et mon Leica.

– Pour quoi faire ?

Vadim avait l'air vexé. Alice se justifia comme elle put :

– Ça pèse…

– Je ne pars pas sans !

Dans un soupir, elle avait accepté de prendre la mallette et le Leica. Il était impensable de ne pas emporter les livres de Dina. Tout cela était lourd, mais elle n'avait pas le choix. Elle se débrouillerait. Elle avait hésité à récupérer ses lettres, puis s'était ravisée : mieux valait ne pas attirer l'attention. Qui sait pourquoi Ellen les avait gardées. En attendant, si elle constatait leur disparition, elle comprendrait tout. Tant pis, Alice parlerait à sa mère, face à face. Le prochain bateau en partance de New York était à seize heures, personne ne les aurait retrouvés d'ici là. Aujourd'hui, ils rentreraient en France.

IV

Le cahier bleu

13.

New York, fin mai 1947

Alice cherchait le bus qui menait au port. Une fois arrivés, elle et Vadim achèteraient des billets et embarqueraient en tâchant de ne pas se faire remarquer. Parviendraient-ils à passer inaperçus ? Plus elle y pensait, plus elle en doutait : une enfant portant une grosse mallette, dans laquelle elle avait rangé l'argent et les passeports, deux sacs bourrés à craquer, et un aveugle, sa canne blanche au bout du bras, arborant fièrement son Leica autour du cou… Elle soupira. De toute manière, ils n'avaient pas le choix. Le plus urgent était de repérer l'arrêt de ce satané bus ! Son paquetage tirait déjà sur ses bras. C'était pire à chaque pas. Elle n'osait imaginer dans quel état elle serait d'ici Paris… Enfin, où se trouvait l'arrêt ? Ils avaient le temps, mais ils ne pouvaient pas non plus se permettre d'en perdre. Malgré ses leçons d'anglais, Alice peinait à déchiffrer le plan de la ville qu'elle avait dégoté. L'appréhension peut-être ?

– Bon alors ? râla Vadim.

– Chut ! Je me concentre.

– Vraiment, ce n'est pas raisonnable !

– Si et tu le sais. De toute façon, on n'a rien à perdre.

– On a toujours quelque chose à perdre. Je suis bien placé pour le dire…

Alice ne répondit pas. Vadim avait besoin de libérer son angoisse. Mieux valait ne pas y prêter attention.

– C'est une mauvaise idée. Tu imagines, si on n'arrive même pas à trouver le bus ?

– Je suis sûre que c'est par là…, dit-elle en entraînant son oncle.

Alice aurait préféré interpeller un passant pour qu'il les renseigne, mais Vadim en aurait conclu qu'elle n'était pas capable de se débrouiller et qu'il valait mieux abandonner. Elle décida d'avancer suivant son instinct. Tout droit d'abord, puis elle tourna à droite dans la 45e Rue.

Là, elle n'en crut pas ses yeux. Comment pouvaient-ils avoir si peu de chance ? Pétrifiée, elle serra la main de Vadim dans la sienne.

– Quoi ? Qu'est-ce qu'il y a ? lui demanda-t-il.

Armande se tenait devant eux, un panier chargé de légumes, de viande, de céréales à bout de bras. Elle revenait des courses. Alice ignorait qu'ils étaient sur son chemin, elle n'avait jamais accompagné la gouvernante. La bouche d'Armande forma un grand O en les apercevant.

– Vous n'avez pas le droit de sortir du parc !

Si elle savait… En repensant à toutes les promenades

qu'elle avait faites avec son oncle, Alice esquissa un sourire. Mais ce fut de courte durée. La panique fut plus forte, et elle s'enlisait dans cet état, ne parvenant plus à réfléchir.

– On avait envie de voir autre chose…, balbutia-t-elle.

Armande eut un mouvement de recul. Elle fronça les sourcils en observant leurs sacs et la mallette. Alice se décomposa. La main de Vadim était moite, il comprenait ce qui était en train de se passer. Ils allaient devoir rentrer à la maison où ils seraient bons pour une série de disputes et de punitions. Pas si vite ! Pas déjà !

Alice aperçut un bus arriver en face, dans la direction opposée. Son sang ne fit qu'un tour : c'était leur seule chance. Elle prit une grande inspiration. « Mon Dieu, pardon d'avance. » Elle s'empara du panier d'Armande et le renversa. Des tomates roulèrent sur la chaussée, des branches de céleri se cassèrent, le papier qui emballait la viande se déchira, et les biftecks s'étalèrent sur le trottoir. Hébétée, Armande observait sans réagir le spectacle de ses provisions souillées. Au bout de quelques secondes, elle se pencha pour ramasser un poireau. Alice la bouscula. La gouvernante se retrouva les quatre fers en l'air au milieu de ses légumes. Alice agrippa la main de Vadim. À quelques mètres, le bus redémarrait. Elle se mit à courir, entraînant son oncle avec elle. De sa main libre, elle tapa de toutes ses forces sur la carrosserie en hurlant :

– Attendez !

Vadim la seconda :

– *Wait ! Please !*

Alice croisa le regard d'un homme assis à l'arrière, et d'un geste le supplia. Il interpella le chauffeur. Le bus s'arrêta et ses portes s'ouvrirent. Ils s'installèrent dans le fond, remerciant le jeune homme au passage. À travers la vitre, Alice vit Armande lever le poing dans leur direction. La gouvernante était écarlate. Des mèches de cheveux s'étaient échappées de son chignon et lui barraient le visage. On aurait dit une clocharde en colère.

Alice n'en revenait pas. C'était elle qui avait fait ça. Elle avait sa place parmi les voyous. À mesure que le bus s'éloignait, et que la silhouette d'Armande rapetissait, son souffle s'accélérait. Et si elle lui avait fait mal ? Si sa tête s'était cognée par terre et qu'elle en mourait plus tard ? Elle se chercha des excuses : elle n'avait pas eu le choix. Mais une voix en elle lui chuchotait qu'elle aurait pu rester, s'expliquer. Le bus tourna à l'angle de la Troisième Avenue. Armande disparut, mais la gêne demeura.

– Si j'ai bien compris, on est en cavale ?

Vadim semblait inquiet. Selon lui, Armande allait informer Paul et Ellen de la situation, et ils alerteraient la police immédiatement.

– Tu me fais vraiment faire n'importe quoi ! Qu'est-ce qu'on va devenir maintenant ?

– On doit changer nos plans, c'est tout ! Sa propre froideur l'étonna.

– D'où est-ce qu'on peut prendre un autre bateau ? reprit-elle.

– Je ne sais pas !

– Réfléchis ! Moi je ne connais pas ce pays !

Vadim prit un air songeur.

– À Boston.

Alice ne demanda qu'à ce moment-là au chauffeur où le bus les conduisait. Bien sûr, ce n'était pas la bonne direction. Il fallait rejoindre la gare d'où ils prendraient un train pour Boston avant que les recherches ne soient lancées. Malgré sa colère apparente, Vadim demanda l'itinéraire. Comme lors de leurs promenades, il expliqua à Alice les principales étapes du trajet et elle dut se débrouiller pour le guider.

À la gare, Alice lut le panneau des départs. Le prochain train en direction de Boston partait dans plusieurs heures. Impossible, ils ne pouvaient pas attendre tout ce temps ici. On les trouverait à coup sûr. Alice lut les prochains départs : Atlantic City, Toms River, Fall River, Cape Cod…

– Cape Cod ! C'est ça, l'interrompit Vadim. De là on ira à Boston.

Ils montèrent dans le train, qui démarra quelques minutes plus tard. Enfin, ils allaient quelque part. Alice était comblée. Bien sûr, le plus dur restait à faire, mais elle était au bon endroit, dans la bonne direction. Ça faisait du bien. Pendant un long moment, Vadim et elle ne se dirent plus rien.

Alice regardait les paysages défiler par la fenêtre. Elle repensa à tous ces trains qu'elle avait pris : celui pour partir de Salies, ou pour aller à Montfermeil avec Jean-Joseph. Elle aimait se laisser porter, ne plus rien avoir à choisir, ne plus se poser de questions, juste attendre. La ville s'effaça peu à peu. La vitesse déformait les arbres, les champs, les animaux. Alice les observait sans les voir. L'important, c'était la destination, et surtout d'arriver à temps à Paris.

La faim se fit bientôt sentir. Alice repensa au panier de commissions d'Armande, et à ce qu'elle aurait pu manger pour le dîner si elle était rentrée à la maison. Elle imaginait une soupière remplie à ras bord, un steak grillé, comme elle les aimait, une purée écrasée à la main… Le souvenir des cookies de Beth acheva de la torturer. Son estomac se mit à gargouiller. Elle eut honte. Elle avait l'impression que tout le monde la regardait. Vadim la rassura, ils trouveraient sûrement de quoi manger en arrivant. Il avait faim aussi. Il s'était calmé à présent. Il la complimenta même sur la témérité dont elle avait fait preuve.

– T'en as dans le ventre, fillette !

Mais si en avoir dans le ventre signifiait faire mal aux gens, comme ça avait été le cas avec Armande, était-ce une bonne chose ? Alice était fatiguée par tout ce qu'elle venait de traverser. La tête posée contre la fenêtre, elle s'assoupit.

Quand le train s'arrêta, la nuit était tombée. En sortant de la gare, ils tâchèrent de se repérer. C'était plutôt facile, il n'y avait qu'une avenue principale. Ils entrèrent au Sea Bar, une gargote typique du coin, « Le roi du poisson », disait un panneau de bois à l'entrée. Alice avait compris sans même demander la traduction à son oncle. Une moquette foncée recouvrait le sol, des filets de pêcheur étaient accrochés aux murs, et des tables en bois laqué étaient disposées sans ordre apparent. On se serait cru sur un bateau.

– Fais-moi confiance pour la commande, s'exclama Vadim, ravi.

Il demanda au serveur des *lobsters*. Alice ignorait ce que c'était. Quand on lui présenta cette sorte de grosse araignée orange, elle eut la nausée.

– Ça se mange ?

– C'est délicieux !

Alice rechignait à les toucher. Elle leva la tête, et aperçut les mêmes bestioles, mais vivantes, dans un aquarium au bout de la pièce.

– Mais c'est quoi ?

– Du homard ! Tu ne connais pas ça ?

– Non.

– C'est la spécialité du coin ! Tu ne peux pas quitter les États-Unis sans y avoir goûté !

Elle accepta sans conviction. Le serveur leur donna des

bavoirs et de grosses pinces en métal. Voyant la canne de Vadim, il proposa de lui préparer son homard. Vadim refusa. Il se lança dans le plaisir de la décortication et s'en mettait partout. Alice riait. Quand ils eurent terminé, on leur indiqua un hôtel près de là, et le serveur leur donna les horaires de départ pour Boston le lendemain. À quinze heures trente normalement.

Au moment de s'endormir, Alice était contente. L'angoisse concernant Armande avait disparu. Demain, ils gagneraient le port. Ils n'avaient perdu que quelques heures. Tout irait bien.

*

Alice se réveilla aux alentours de onze heures. Vadim ronflait encore dans l'autre lit. Comment avait-elle réussi à dormir autant ? Elle bâilla assez fort pour que son oncle l'entende. Il grogna.

– Il faut se lever, il est tard.

– Quelle heure ?

– Un peu plus de onze heures.

– Quoi ?

Il s'était passé tant de choses depuis quelques jours… Pas étonnant qu'ils aient eu besoin de récupérer. Heureusement, ils étaient dans les temps pour le train. Ils pourraient même se délecter du formidable petit déjeuner que l'hôtel proposait à toute heure. Alice en avait contemplé les photos sur la brochure laissée à son chevet. Des œufs au bacon, des muffins, des bagels, des jus de fruits frais… Elle se dépêcha de s'habiller et aida son oncle à faire de même. La veille, elle avait lavé sa culotte, qui était sèche. Elle ouvrit la fenêtre, il faisait un temps magnifique. La journée s'annonçait bien. Elle inspira l'air de toutes ses forces. L'odeur de nature la revigora davantage encore.

Ils descendirent dans le hall. Au bas de l'escalier, Alice retint Vadim : deux policiers interrogeaient l'hôtesse d'accueil.

– Essayons d'approcher pour écouter ce qu'ils disent, lui répondit son oncle quand elle lui expliqua la situation.

Ils se déplacèrent doucement, se réfugiant derrière de grosses plantes près du comptoir. Malgré leurs efforts, ils ne parvenaient pas à entendre.

– Si ça se trouve, ça n'a rien à voir avec nous…, suggéra Alice.

– Oui mais si ça se trouve, on est cuits !

Ils devaient rejoindre immédiatement la gare. Ils remontèrent prendre leurs affaires, emportèrent avec eux les savons et shampooings de la chambre. Alice volait pour la deuxième fois… À ce stade, cela servirait-il de demander pardon au bon Dieu ? Elle jeta un dernier coup d'œil à la brochure. Tant pis pour le copieux petit déjeuner. Quelle déception. Alice avait déjà faim. Les gargouillis ne tarderaient pas… Elle se sentit flancher mais se ressaisit aussitôt : ce n'était vraiment pas le moment.

*

Alice se repérait plutôt bien dans cette petite ville où tout était indiqué. La Cape Cod Railway Station n'était plus qu'à quelques mètres quand elle vit un mouvement inhabituel. Elle eut un mauvais pressentiment. Une vingtaine d'hommes bloquait l'accès aux trains, scandant des slogans, agitant des pancartes. Alice lut ce qui était écrit à Vadim.

Il lui expliqua que ces hommes manifestaient contre la loi Taft-Hartley, qui devait être adoptée pour limiter le droit syndical et le droit de grève. Pour ces travailleurs, la guerre avait changé beaucoup de choses, mais pas dans le bon sens : les femmes au travail, ça voulait dire moins d'opportunités pour les hommes. Par ailleurs, des départs massifs s'organisaient vers la côte Ouest, où les industries aéronautiques et d'armement avaient choisi de s'implanter. Au final, plus de quinze millions d'Américains étaient partis vers le soleil et l'argent, laissant sur le carreau des milliers d'autres.

– On va devoir remettre le départ à plus tard, en déduisit Vadim.

– Mais ce n'est pas possible, on doit partir aujourd'hui !

– Dis-leur !

Alice ne savait pas quoi faire. Elle avançait et reculait aussitôt, prisonnière de la foule. Elle remarqua un homme un peu à l'écart, bedonnant, le chapeau de travers. Il la faisait penser à un gros nounours. Ça l'encouragea. Elle guida Vadim vers lui pour obtenir quelques renseignements. Le monsieur les salua et répondit à leurs questions. Selon lui, la grève ne s'étendait pas encore à tout l'État, mais le syndicat était motivé et ce serait bientôt le cas.

– Juré craché ! traduisit Vadim.

L'homme avait l'air en colère, pourtant il souriait quand même. Il précisa que des trains partaient encore de Plymouth. Un ferry pouvait les y conduire, mais il fallait faire vite parce qu'il n'y en avait qu'un par jour et que, d'ici peu, les conducteurs aussi commenceraient la grève. Il regarda sa montre et grimaça en se grattant le front : vu l'heure, il faudrait attendre le lendemain.

– Pourvu qu'il y en ait encore ! ajouta-t-il.

Vadim le remercia et traduisit. Alice avait compris l'essentiel, mais écouta son oncle. L'angoisse comme un étau autour de sa gorge, qui se resserrait un peu plus chaque seconde.

– Où va-t-on dormir si on ne peut pas retourner à l'hôtel ?

Vadim souffla.

– J'ai une idée !

Cape Cod était une station estivale chic, ce n'était pas les villas inhabitées qui manquaient en dehors des vacances. Il y en aurait bien une qui ne serait pas fermée à clef, ou moins difficile à ouvrir… Alice n'était pas sûre de comprendre :

– Tu veux qu'on dorme dans une maison qui n'est pas à nous ?

– Exactement !

La situation semblait amuser son oncle. Alice déglutit à plusieurs reprises. Enfreindre la loi en pénétrant par effraction dans une propriété privée, pour y dormir… « Mon Dieu… » Elle n'osait même plus demander pardon. Si Jeanne la voyait… Vadim dut sentir son hésitation et la brusqua :

– Tu préfères dormir dehors ?

Évidemment non. Ils s'engagèrent sur un chemin menant au lac le plus proche. Il faisait chaud, ils avaient faim et les sacs pesaient de plus en plus. C'était leur punition, elle n'aurait pas dû voler ni pousser Armande. À présent, Dieu se vengeait. Jusqu'à quand ? Vadim, étonné par son silence, tenta de la rassurer :

– Ne t'inquiète pas, c'est l'affaire d'une nuit, demain tu auras oublié.

Alice n'en était pas convaincue. Elle ne trouva rien à répondre. Soudain, les souvenirs qui faisaient mal refirent surface. Elle repensa à tous ces gens qu'elle avait dû quitter. À son petit chat… Était-il toujours en vie ? Elle pensa à la guerre, à l'homme à la casquette sur lequel les Allemands avaient tiré. Elle ne savait même pas comment il s'appelait. Et tout ça pour quoi ? À quoi cela avait-il servi de gagner puisque le bonheur n'était pas garanti aux vainqueurs ? Elle sentit des larmes monter, quand Vadim l'interrompit :

– Trouve-moi un arbre, assez large, et attends-moi à vingt mètres !

Puis il y eut un bruit bizarre. Elle ne voulut pas y croire… Pourtant c'était bien ça : Vadim avait lâché un gros pet !

– Oups ! Pardon…, dit-il en éclatant de rire.

Mais il n'avait pas du tout la tête de quelqu'un qui était désolé. Alice n'en revenait pas. Comment avait-il osé ? Elle brassa l'air en toussant.

– Oh ! Ça va, la bêcheuse ! Tu devrais essayer, ça te ferait du bien !

– Mais… tu es dégoûtant !

– Moi j'adore mon odeur, ajouta Vadim, fier de lui.

Il riait tellement qu'elle ne put s'empêcher de rire à son tour.

– Toute la forêt ne suffit pas à l'étouffer. Bravo !

Pour honorer ce compliment, son oncle le ponctua d'un nouveau pet qui les fit rire de plus belle.

– Bon, sérieusement, faut que j'aille aux Galápagos.

– Où ça ?

– Un arbre. Vite !

Soudain Alice aperçut trois immenses villas qui bordaient la route. Hamacs suspendus aux arbres, balançoires. Un décor de rêve. Elle tenta d'entrer dans la première, mais la porte principale, celle de derrière et celle du garage étaient toutes inaccessibles. Elle rencontra les mêmes difficultés dans la deuxième maison. Les idées noires revinrent, avoir marché tout ce temps pour un résultat si minable… Elle tapa du pied pour chasser ses mauvaises pensées. Il ne fallait pas se laisser aller. Les maisons, ce n'était pas ce qui manquait dans le coin, elle finirait bien par en trouver une ouverte. Mais ce qui lui restait de confiance en prit un coup quand elle constata que la troisième villa était aussi inaccessible que les autres.

Tout à coup, elle remarqua une cabane collée à l'autre façade. Elle s'approcha de la petite bâtisse en bois sombre et tourna la poignée. Miracle ! Elle était ouverte ! Un matelas recouvrait un sommier vétuste, sur une table basse trônait une lampe de chevet fêlée. Ça devait être la chambre de la bonne. Peu importait. C'était parfait pour cette nuit. Alice avait besoin de s'asseoir et de manger. Vadim essayait de donner le change, mais lui aussi mourait de faim. Ils n'avaient rien avalé depuis la veille et ils avaient marché une grande partie de la journée.

– Et autour de nous ? Il n'y a pas un placard, une remise ? demanda-t-il.

– Non, rien.

Il sembla déçu. Comment allaient-ils faire pour se nourrir ? Ils n'avaient rien emporté, et ils n'avaient pas trouvé d'épicerie en chemin. Dans ce quartier résidentiel, il n'y avait rien que des lacs et des maisons. S'ils ne mangeaient pas, ils n'auraient jamais assez de forces pour le lendemain. L'étau se resserra de nouveau. Alice comprit que tout dépendait d'elle. Vadim ne voyait pas, il ne pouvait pas l'aider. Elle observa la pièce, à la recherche d'une idée, et découvrit un sac en toile de jute, rempli de coussins. Elle le vida et demanda à Vadim de l'attendre : elle allait trouver un moyen d'entrer dans la maison, il y avait sûrement de quoi se rassasier à l'intérieur.

Elle commença par grimper sur le toit du garage. Ce ne fut pas compliqué : un des avantages d'avoir grandi à la campagne. Elle se retrouva face à la fenêtre d'une chambre d'enfant. Elle laissa son sac sur le rebord et redescendit pour prendre une pierre. De retour sur le toit, elle se concentra. Il fallait faire vite. Elle n'aurait droit qu'à un seul coup si elle ne voulait pas se faire repérer par des voisins ou des passants. Même si le coin semblait désert, dans les endroits huppés, la police n'était jamais loin. Pour briser la vitre, il lui faudrait jeter la pierre de biais, dans un mouvement bref.

Après avoir volé et bousculé une vieille gouvernante, voilà qu'elle se comportait comme un cambrioleur ! Ça lui coûtait de commettre tant de péchés. Elle comprenait enfin la phrase de Jeanne : l'enfer est pavé de bonnes intentions. Elle voulait revoir sa mère, cela était-il suffisant ? Elle leva le bras et s'interrompit aussitôt. Elle n'y arriverait pas. Elle fixait la pierre enfermée dans sa main. La rage en elle était si forte qu'elle versa quelques larmes. En arriver là, c'était trop injuste. Pourquoi ? Pourquoi fallait-il avoir mal ? Mais son ventre se remit à gargouiller et elle pensa à Vadim qui l'attendait, affamé, dans la cabane. Elle souffla. De nouveaux sanglots voulurent s'échapper, elle les refoula. Elle tenta de se calmer pour réfléchir, y avait-il d'autres solutions ? À l'évidence, non. C'était injuste, mais c'était comme ça. Elle brisa la vitre et pénétra dans la maison.

Des photos étaient accrochées aux murs : une jolie petite famille, le père, la mère, et deux jeunes enfants. Une grande table occupait toute la salle à manger, devant laquelle on avait disposé une chaise haute en bois. Ce spectacle était si simple, et pourtant, il contenait tout ce dont elle avait toujours rêvé. Cette maison transpirait le bonheur des vacances en famille telles qu'elle se les imaginait : des expéditions au lac pour pêcher, des baignades, des grillades entre voisins. Elle imagina un instant attendre ici que la famille revienne et faire partie de leur vie. Mais… et sa mère ? Elle fila à la cuisine.

Les armoires étaient pleines de conserves, viande séchée, crackers, bouteilles d'eau, jus de fruits. Derrière toutes ces provisions, c'était sûr, il y avait une maman attentive. Elle frissonna. Il fallait qu'elle arrête de penser. Elle remplit son sac comme un automate. Quand il fut complètement chargé, elle gagna la fenêtre et redescendit. Soudain, elle entendit Vadim crier. Que se passait-il ? Elle se mit à courir, laissant tomber une des boîtes de haricots sur sa route.

Les hurlements d'un homme qu'elle ne connaissait pas la firent accélérer davantage. Qui pouvait bien s'en prendre à un aveugle ? Lorsqu'elle arriva, un inconnu se tenait au milieu de la pièce, le poing levé. Le cœur d'Alice s'arrêta de battre quelques secondes. Elle n'avait jamais vu d'homme si grand. Il tenait un râteau avec lequel il menaçait son oncle.

– C'est la chambre du jardinier, on y va, autrement il appelle les flics, expliqua Vadim, le plus calmement possible.

– Mais où ?

– Nulle part, on va se trouver un arbre et on va dormir à la belle étoile.

Alice en fut abasourdie.

– Tu as bien fait d'insister pour les blousons !

*

Ils reprirent leur marche face au soleil couchant, longeant les lacs où se reflétait encore le ciel. L'endroit était si paisible qu'Alice pouvait entendre ses propres pas. Elle s'arrêtait tous les dix mètres pour contempler la nature autour. C'était si beau. Ça lui rappelait Salies. Elle se souvenait de cette sensation de grandeur. Les paysages magnifiques lui donnaient envie de les aspirer. Elle ouvrait grande la bouche, et se laissait remplir de merveilles. Une grenouille bondit à sa droite. De petites araignées flottaient à la surface de l'eau transparente, se déplaçant par sursauts. Elle en oubliait presque sa mission : trouver un endroit plat, pas trop près du bord pour ne pas se faire piquer par les moustiques, mais pas non plus au cœur de la forêt, pour éviter les animaux sauvages.

Au bout d'une heure, elle le dénicha derrière quelques arbustes. Ils posèrent leurs sacs par terre. Alice balaya l'herbe de la main avant de s'asseoir. Enfin, ils pouvaient se relâcher. Elle remarqua que la main de Vadim était écorchée. C'était la toile de jute, trop rêche. Il n'avait rien dit. Pendant le trajet, il avait souvent perdu l'équilibre, et Alice avait dû rester collée à lui. Il n'était plus habitué à marcher sur autre chose que du bitume. Mais il ne s'était pas plaint.

Alice sortit les provisions. Ce soir, ils mangeraient du corned-beef, des haricots, et des ananas au sirop en dessert.

– Pas si mal !

Pour sûr, ça ne valait pas les homards de la veille, mais il y avait tout de même la vue sur le lac !

– Ah oui, tu as raison, moi je suis un inconditionnel des belles vues…, répondit Vadim d'un ton taquin.

Alice se mordit la langue. Quelle gourde !

– T'en fais pas, c'est plutôt drôle quand on y pense. Allez, à la tienne !

Ils dînèrent en silence, tandis que l'obscurité envahissait le paysage. Quand ils eurent terminé et qu'Alice eut tout remis en ordre, ils s'allongèrent sur une couchette de fortune. L'obscurité était totale, comme si le monde n'existait plus. Pas la moindre source de lumière, à part la lune, elle-même cachée par des nuages. C'était donc ça le monde de Vadim ? Le noir infini ? Elle s'approcha de son oncle pour se serrer contre lui. Il faisait trop froid pour rester éloignés l'un de l'autre. Des bruits d'insectes s'intensifièrent, on aurait dit une berceuse nocturne. Ça donnait du volume au paysage invisible.

– Je ne sais pas tant de choses sur toi en fait, observa-t-elle.

– Je suis ce que tu vois.

– Non mais sur ton passé.

– Mon passé est derrière, qu'il y reste.

– Qu'est-ce que tu as fait comme reportages ? insista-t-elle.

Il soupira.

Elle tenta de lui donner mauvaise conscience : ce soir, elle n'avait plus que lui, et elle avait vraiment besoin de penser à autre chose… Vadim jaugea sa demande pendant quelques minutes, puis tapota sa main et la prévint :

– Tu sais, j'ai surtout vu des drames… Tu es sûre que tu veux entendre ça ?

Elle en était sûre.

Il lui raconta qu'il était parti en Espagne en 1936. À l'origine, pour écrire quelques articles et prendre des photos, mais très vite, il avait dû s'engager dans les milices d'une organisation appelée le POUM. C'était à leur initiative que la révolution avait commencé.

– C'était comme ça, on ne pouvait pas faire autrement.

La Catalogne était toujours entre les mains des anarchistes, et la révolution battait son plein. Alice ne comprenait pas tout, mais elle sentait qu'il ne fallait pas l'interrompre.

– Voir Barcelone comme ça, c'était quelque chose… Je n'avais jamais mis les pieds dans une ville où les ouvriers avaient pris le contrôle… Des drapeaux rouges étaient suspendus aux fenêtres des immeubles. Partout, on ne voyait que des marteaux et des faucilles. Ils avaient cramé la plupart des églises. Tous les magasins, les vendeurs, les serveurs devaient adopter une attitude d'égal à égal. Plus de formules de politesse, c'était bon pour les asservis. La priorité, c'était le collectif. L'égalité.

Vadim parlait très vite, sur un ton inhabituel. Alice sentait que ça lui faisait quelque chose de raconter ça.

– Plus de *señor*, mais des *camaradas*, *salud* au lieu de *buenos días*.

Il lui dit comment il avait été envoyé dans une caserne, soi-disant d'entraînement.

– La caserne Lénine ! Je croyais que j'allais partir au front quelques jours après mon arrivée, mais ça a pris beaucoup de temps.

Vadim avait dû attendre qu'une nouvelle section de combattants soit formée. La caserne était une vieille écurie. Les chevaux étaient au front, mais leur odeur persistait. Il y avait des Italiens, des Anglais, quelques Français, tous prêts à risquer leur vie pour un monde meilleur.

– C'était dangereux, mais au moins, la vie avait un sens…

Vadim se tut un instant, puis quelque chose sembla l'énerver. Il expliqua que le POUM peinait à s'organiser. À tous les niveaux… Pas un milicien n'avait le même uniforme… Il y avait bien une allure générale, mais on ne voyait pas deux fois la même casquette, les tissus n'étaient jamais les mêmes… Quant au fameux entraînement, une vaste blague ! Il n'y avait pas d'armes !

Il tapa sur sa cuisse.

– Tu te rends compte ! On voulait envoyer des jeunes à la boucherie, dix-huit piges en moyenne ! Et même pas équipés ! Au lieu de leur apprendre à se battre, à se protéger ou à tenir une arme, on leur expliquait comment parader ! Mais vouloir faire la révolution, ce n'est pas la gagner…

Vadim décrivit le trajet pour arriver au front. On les avait envoyés dans la ville d'Alcubierre.

– Ça sentait la guerre.

– Ça sent quoi la guerre ?

– La transpiration, la merde et la bouffe pourrie.

Vadim avait commencé un important reportage. Il avait dû rentrer en France quelques mois, puis il était reparti en 1937.

– Et c'est là que j'ai compris que même dans la plus belle pomme, il peut y avoir un ver.

Alice lui serra la main. Il se racla la gorge :

– Le 26 avril 37.

Il raconta qu'un avion était apparu au-dessus de son campement, un Junkers Ju-52. Après la défaite de Guadalajara, Franco avait décidé de s'attaquer aux provinces basques pour s'emparer des mines de fer et de charbon. Quarante mille hommes avaient été mobilisés. La légion appelée Condor devait mener le raid aérien, sous le commandement du lieutenant allemand Günther Lützow.

Quatre escadrilles d'avions volaient très bas, en formation triangulaire, escortées par dix chasseurs Heinkel He-51.

– Les Italiens en réserve décollèrent à leur tour. Un cortège de morts.

Vadim devait s'arrêter pour reprendre son souffle à mesure qu'il racontait. Les escadrilles larguaient de petites grappes incendiaires, pendant que les avions de chasse mitraillaient tout le reste. Trois heures d'une pluie de métal et de terreur.

– La liberté et la tyrannie ont le même son, tu sais. Celui des explosions.

Maisons en feu. Cris. Regards affolés, désespérés, humiliés. Vadim restait accroché à son appareil. Il n'avait rien loupé du triste spectacle. Malheureusement, à son retour, ses photos n'avaient scandalisé que trop peu de monde...

– À croire que les gens ne se rendaient pas compte. Ils refusaient de voir qu'ils étaient concernés par la guerre, et que tôt ou tard, ça leur tomberait dessus... J'étais écœuré. À ce moment-là, tout ce que je voulais, c'était informer, faire réagir... Mais la guerre ne récompense pas les bonnes intentions.

Après un moment de silence, il ajouta :

– De toute façon, où qu'on aille, les hommes sont toujours aussi violents, stupides et égocentriques. Ils ne se contentent pas d'avoir raison. Ils veulent imposer aux autres le fruit de leurs certitudes. Ils tuent père et mère par orgueil, par fierté nationale, et se font piéger par des frontières qu'ils ont eux-mêmes inventées... Et comme l'homme a besoin de frontières, de limites, les guerres ne cesseront jamais. C'est insoluble...

– Je comprends, répondit Alice, espérant le soulager.

– Ne dis jamais que tu as compris si ce n'est pas le cas. Les idiots comprennent tout, les génies questionnent !

Alice sourit. Elle était partagée. Elle admirait Vadim, mais elle était triste de constater tout ce qu'il avait perdu. Il n'était plus cet homme courageux, épanoui au cœur de l'action. Elle avait envie de lui montrer qu'elle était là, qu'elle l'aimait bien tel qu'il était à présent. Mais elle se dit que ça risquait de le vexer. Elle préféra se taire. Il replaça sous sa tête sa mallette. D'ailleurs, pourquoi celle-ci n'était-elle pas avec les autres dans le cagibi ? Elle posa la question à son oncle.

– Cette mallette me suit partout depuis toujours. Ce sont les photos qui comptent. Les personnes, les situations importantes de ma vie. J'ai accepté de ne plus les voir, mais je refuse de les perdre totalement.

Alice comprenait son sentiment. Elle aurait tant aimé avoir une photo de sa mère. Elle avait si peur d'oublier son visage. Déjà, Diane n'était plus tout à fait claire dans son esprit. Ce brun qu'elle voyait, était-ce vraiment la couleur de ses cheveux ? Et son odeur ? Elle ne s'en souvenait plus. « Mange ta soupe ! », « Pas les coudes sur la table », « À présent il faut dormir ». Ces phrases que Diane répétait si souvent résonnaient encore dans sa tête. Mais cette voix qu'elle entendait était-elle vraiment celle de sa mère ? Tout s'effritait. Comment pouvait-on maintenir intacts les souvenirs de ceux qu'on avait aimés ? Pour la première fois, la passion de Vadim pour la photo lui sembla évidente. Capturer l'éphémère, empêcher le temps de s'écouler.

– Et ma mère ?

– Quoi ta mère ?

– Parle-moi d'elle, s'il te plaît.

– Je te l'ai dit, je l'ai très peu connue. C'était l'amie de Paul. Quand j'allais les voir là-bas, ils montaient des chevaux.

– Des chevaux ?

Où avait-elle entendu parler de chevaux ? Dans le

cagibi ! La longue lettre dans la mallette de son oncle. La femme parlait de chevaux dont elle s'occupait. Y avait-il un lien ? Elle frissonna mais n'osa pas se renseigner davantage. Quelque chose l'en empêchait.

– Tout ce que je peux te dire, c'est qu'elle était très belle, ta mère, elle semblait très douce et très forte à la fois. Un peu comme toi.

– Tu peux pas savoir si je suis belle.

– Si, justement, moi je vois la vraie beauté. Celle qui ne se détecte pas à l'œil nu.

Des larmes perlèrent aux coins de ses yeux. Alice les essuya du revers de sa manche. On ne lui avait jamais rien dit d'aussi gentil.

– Tu as déjà été amoureux toi ? demanda-t-elle.

– Dis donc, petite curieuse, t'en as eu assez pour ce soir, non ?

– Oh ! S'il te plaît, dis-moi.

Vadim soupira.

– Oui… Mais ça n'a pas marché.

– C'était quand ? Elle était belle ?

– Tu serais pas de la pire espèce ?

– C'est quoi la pire espèce ?

– Les godiches romantiques !

Alice sentait qu'elle était sur un terrain glissant. Mais cette histoire de chevaux… Qui était cette femme dont Vadim avait été amoureux ? Elle tenta de dévier la question pour obtenir plus d'informations :

– Pourquoi ça n'a pas marché avec elle ?

– Elle ne m'a pas attendu, elle en a choisi un autre.

– C'est vraiment méchant.

– Non, ce n'était pas facile pour elle… Je n'étais pas souvent là…

– Moi je t'aurais attendu.

Vadim lui caressa la joue.

– Tu es gentille. Allez, il faut dormir maintenant.

– Je n'y arrive pas.

– Regarde les étoiles. Moi ça me calmait.

Il ne dirait plus rien ce soir, elle le savait. Comme son oncle le lui avait conseillé, elle contempla le ciel. Vadim se mit à ronfler. Elle se laissa bercer par cette valse rassurante et s'endormit. À l'aube, elle fut réveillée par son oncle qui n'arrêtait pas de se retourner. Il devait encore faire un cauchemar. Elle s'approcha du lac sans faire de bruit, se passa un peu d'eau sur le visage.

Le paysage lui semblait encore plus beau que la veille. Le soleil étirait les ombres, et le décor révélait sa merveilleuse harmonie. Comment pouvait-on avoir envie de faire la guerre quand la nature avait tant à offrir ? Face au lac, Alice se sentait forte. Libre aussi. Son corps ne faisait qu'un avec les éléments. Une légère brise fit vibrer ses narines. Elle avait l'impression qu'elle inspirait, l'air voyageait en elle jusqu'à ses pieds et faisait jaillir des couleurs à l'intérieur. Vert dans ses bras, bleu dans ses jambes, jaune dans son ventre. Elle se dirigea vers son oncle, recroquevillé sur lui-même. Ce serait une belle journée, elle en était sûre.

Vadim dormait à poings fermés. À quelques centimètres de lui, la mallette était comme offerte. C'était trop tentant. Doucement, elle s'approcha, la saisit et retourna près de l'eau pour l'ouvrir.

« Barcelone 37 », « Madrid 37 », « André et Gerda 37 », des dizaines de photos d'Espagne. Puis Paul, avec Henri et une femme, qui posait sa main sur Vadim. Ils étaient plus jeunes. Il y avait aussi des photos d'Angleterre, de Paris et puis... Alice mit sa main sur sa bouche pour retenir un cri. Il y avait une photo de sa mère, qui se tenait à côté d'un cheval. Au dos elle lut : « Diane, 1936 ». Elle devait avoir dans les vingt ans à peine. Comme elle était belle ! Que s'était-il passé pour qu'elle devienne cette femme terne qui était venue la chercher à Salies ?

Pourquoi Vadim avait-il une photo de sa mère si, comme il le répétait, il ne la connaissait pas bien ? Pourquoi cette photo faisait-elle partie de celles dont il ne pouvait se passer ? Alice fouilla dans le fond de la mallette. Il y en avait d'autres, de différentes séries. Sa mère était partout. Vadim lui mentait. Elle fouilla encore, et tomba sur une photo de guerre qui la fit sursauter : elle la connaissait. En l'observant, elle avait la sensation d'un souvenir lointain. Elle chercha. Était-ce à Paris ? À Salies ? Où l'avait-elle vue ? Soudain la vérité lui apparut. Fracassante. C'était une des photos du magazine *Regards*, que sa mère avait laissé dans sa valise à Salies. La page 22, cornée. Mais le photographe s'appelait

Vago. Pourquoi Vadim avait-il l'original dans les photos qui comptaient ? Pouvait-il en être l'auteur ?

Vago. *Go ! Go ! Goldman, go !* Elle ne savait pas pourquoi, mais la phrase du portier de Madison Avenue résonnait dans sa tête. *Go ! Goldman, go !* Vadim Goldman. VAdim GOldman. VA-GO. VAGO. Elle tressaillit. Était-ce possible ? Vadim était-il Vago ? Le Vago des reportages que sa mère conservait ? Et l'homme dans la rue, quand elles étaient allées au cinéma, qui avait cru qu'Alice était la fille de Vago… Qu'est-ce que cela pouvait bien vouloir dire ? Est-ce que Vadim et sa mère s'étaient aimés ? Alors pourquoi Diane aurait-elle choisi Paul ? Et pourquoi Vadim aurait-il abandonné sa mère ? Alice se sentait perdue. C'était comme si elle ne les connaissait plus, ni l'un ni l'autre. Mais les avait-elle déjà connus ? Pourquoi Vadim lui répétait-il qu'il n'avait pas vraiment connu sa mère s'il l'avait aimée ? Et pourquoi sa mère avait-elle laissé ce magazine dans sa valise d'enfant si elle avait choisi Paul ? Des histoires de grands, lui disait-on… Des histoires de menteurs, oui !

Vadim se mit à bouger. Alice s'empressa de tout remettre en place.

– Bonjour, fillette, tu as bien dormi ?

Elle n'avait pas envie de faire semblant. Il lui mentait, alors qu'il savait à quel point sa quête de vérité l'obsédait. Elle avait envie de hurler, mais elle craignait qu'une dispute remette en cause leur départ. Elle se contenta de :

– Oui, mais tu as trop ronflé. Allons-y, on va être en retard.

*

– Je crois que je vais abandonner ma canne.
– Pourquoi ?
– On risque de se faire remarquer.
– Ok.
– Qu'est-ce que tu as ?
– Rien pourquoi ?
– Tu boudes.
– Non.
– Me prends pas pour un idiot, fillette.
– Je me concentre sur la route.

Vadim soupira. Alice se doutait qu'il n'était pas dupe, mais elle n'avait pas envie de lui demander des explications pour l'instant. Il lui fallait un endroit d'où son oncle ne pourrait pas s'échapper et où ils auraient le temps. Sur le bateau peut-être. D'ici là, elle devait faire un effort pour être comme d'habitude. Le bateau, Paris… Soudain, une question la frappa : que ferait Vadim une fois en France ? Elle n'y avait pas pensé avant ! Où habiterait-il ? Qui s'occuperait de lui ? Elle l'avait entraîné dans cette aventure à force de belles promesses, mais n'était plus vraiment certaine qu'il y gagne au change. Est-ce qu'il faisait tout ça uniquement pour elle ? Sûrement. Elle s'en voulait d'être en colère après lui. D'accord, il ne lui avait pas tout dit, mais il avait probablement ses raisons. En attendant il avait pris un vrai risque en s'engageant dans ce périple.

Ils arrivèrent bientôt sur le quai. Le ferry était à quelques mètres et pas de grève à l'horizon. Ils n'avaient plus qu'à acheter leurs billets. Alice trouva de bonnes places à bord. Pendant la traversée, elle eut un peu la nausée, mais c'était supportable, et puis elle se rapprochait de Paris… Quand l'équipage les y autorisa, ils descendirent du bateau. Ils étaient à Plymouth. Bientôt ils rejoindraient Boston…

Il y eut un bruit de sifflet. Alice sursauta.

– C'était quoi ça ? demanda Vadim.

Alice ouvrit grands les yeux.

– La police. Ils sont là.

– Où ça ?

– En bas de la passerelle. Ils contrôlent les passagers.

Les voyageurs étaient libérés sur simple vérification de leurs papiers d'identité, mais Alice était prête à parier que pour eux, ce serait plus compliqué. Il n'y avait qu'à voir les cheveux ébouriffés de Vadim, sa cicatrice et ses lunettes noires, qui, sans canne, le rendaient encore plus bizarre. Elle-même était débraillée… Ils ne ressemblaient en rien aux autres voyageurs, pour la plupart des hommes qui se rendaient sur leur lieu de travail. Elle déglutit. À en croire la main moite de Vadim qu'elle serrait, son oncle n'était pas rassuré non plus.

Ils avaient eu raison de s'en faire. À peine eurent-ils

posé pied à terre qu'on les invita à entrer dans une petite salle à côté des douanes. Un agent s'empara de leurs passeports. Vadim glissa à Alice :

– Laisse-moi faire et tais-toi. Si on te demande, je ne suis pas aveugle, ok ?

– Ok.

On leur posa tout un tas de questions : d'où venaient-ils, où allaient-ils, étaient-ils de la même famille, pourquoi avaient-ils des noms différents ? Vadim répondait, mais ça sonnait toujours un peu faux, même s'il disait la vérité. Alice se balançait d'une jambe sur l'autre. Ça n'irait pas. Les agents appelleraient le commissariat et ils découvriraient la vérité. Ils seraient renvoyés à New York. Tout ça pour rien. Et sa mère ? Elle espérait que son angoisse ne se voyait pas trop, mais elle avait du mal à se maîtriser. Elle laissait Vadim parler et jouait celle qui comprenait. Quant à son oncle, il faisait semblant d'y voir… Dieu n'aiderait jamais deux menteurs pareils… Elle respirait trop fort, trop vite, sa bouche était crispée, mais elle n'arrivait pas à se détendre, et plus elle essayait, plus elle paniquait.

Un des policiers décrocha son téléphone. Alice ne saisit pas tout ce qu'il dit, mais elle connaissait suffisamment de mots pour comprendre qu'il était en train de les décrire à la personne au bout du fil. Elle observa Vadim. Il déglutissait avec difficulté. Il devait penser la même chose qu'elle : mauvais signe. Était-ce l'appréhension ? Elle sentit une intense pression sur sa vessie. Il fallait qu'elle aille aux toilettes tout de suite. L'agent continuait sa conversation téléphonique, leur lançant régulièrement des coups d'œil. Alice serrait les jambes pour se retenir, mais elle ne tiendrait pas longtemps. Elle avait trop envie. Elle souffla à plusieurs reprises pour se calmer. « Oublie, oublie. » Mais rien n'y faisait. Il lui fallait des toilettes. Maintenant.

– *Ok, alright, thank you, chief*, conclut le policier avant de raccrocher.

Il raccrocha. Trop tard. Quelque chose en elle céda. Il n'y avait rien à faire.

Le liquide jaune coulait le long de ses jambes. Alice avait tellement honte qu'elle se mit à pleurer. Vadim comprit que ça n'allait pas, mais ne pouvait pas se rendre compte. Et comme il faisait semblant d'y voir, il ne pouvait pas poser de questions non plus.

La flaque d'urine s'étala sur le sol. Le policier, choqué, balbutia quelques mots incompréhensibles. Soudain il se redressa, tapa sur le bureau et se mit à crier :

– *Out of here !*

Alice et Vadim sursautèrent. Alice savait que ça voulait dire : « Sortez de là ! » Ils ne se firent pas prier et sortirent au pas de course. Quand ils furent à quelques mètres de l'entrepôt, ils soufflèrent.

– On a eu chaud !

– Tu m'étonnes.

Alice regarda sa robe. Ses joues chauffaient. Elle devait sûrement être toute rouge.

– Vadim, je dois me changer…

– Pas maintenant, il faut qu'on s'éloigne d'ici, c'est pas clair tout ça. Je ne sais pas pourquoi ils nous ont laissés, mais on ne va pas leur donner le temps de changer d'avis.

Alice n'avait pas quitté des yeux la tache sur sa robe. Elle, elle savait pourquoi le policier s'était énervé… Quelle honte. Cela dit, Vadim avait raison. Il fallait partir, et vite. Elle observa les alentours à la recherche d'une idée pour les rapprocher de la gare. Devant eux elle aperçut un vélo avec un porte-bagages à l'arrière et un panier à l'avant. Il n'était même pas attaché ! Le propriétaire avait dû se dire qu'on ne volait rien à quelques mètres de la police. Alice se rassura comme elle put, ce serait juste un emprunt. Un agent montait la garde devant l'établissement. Il fallait attendre qu'il regarde ailleurs, ou qu'il se décide à faire une ronde. Les minutes passaient et le policier ne bougeait pas.

– Attends-moi là, j'ai une idée, dit Alice.

Elle ramassa quelques petits cailloux et fit le tour du grand hangar. Quand elle se trouva derrière l'agent, elle jeta un caillou sur sa casquette et se cacha aussitôt. Surpris, il se frotta le crâne. Elle recommença à trois reprises. Il se décida enfin à aller voir ce qui se passait. Alice prit ses jambes à son cou et appela Vadim :

– C'est bon ! On peut y aller ! J'ai trouvé un vélo !

– Comment t'as fait ?

– Je t'expliquerai ! Monte ! Je conduis.

– Non, tu es trop petite.

– Vadim, on n'a pas le temps, il va revenir !

– Tu n'as qu'à me guider ! Je vais conduire. Tu me dis quand et où tourner, et tout ira bien !

– Je ne suis pas sûre…

– Bon, on perd du temps.

Alice avait du mal à contenir sa colère. Décidément, il était impossible ! Mais c'était vrai, ils n'avaient plus le temps de tergiverser. Elle fixa leurs affaires sur le porte-bagages et monta derrière Vadim. Elle s'accrocha à sa taille et ils démarrèrent. Un paysan sortit du champ et les poursuivit. Ça devait être son vélo.

– Accélère ! Accélère !

Il les menaçait de son gros poing. Alice avait l'impression de fondre sous l'effet de la honte. La route montait et descendait, et bientôt le paysan disparut. Alice se força à ne plus y penser. Pour l'instant du moins. Elle devait se concentrer sur la route. De son côté, Vadim pédalait, visage au vent et sourire jusqu'aux oreilles. « Tout droit », « Tout droit », « Bosse à deux mètres », « Aïe ». En fait, le vol mis à part, c'était assez drôle. Alice se laissa aller, et sans faire attention, elle ferma les yeux un instant. Elle ne vit pas le trou dans la chaussée un peu plus loin… Le résultat fut sans appel. Ils se retrouvèrent les quatre fers en l'air, allongés dans l'herbe sur le bas-côté.

– Tu n'as rien ?

– Non.

Ils demeurèrent un instant abasourdis avant d'éclater de rire. Quelle idée aussi de se laisser conduire par un aveugle ! Ils finirent par se relever. Alice s'inspecta : de la terre et quelques égratignures complétaient son apparence de vagabonde. Pareil pour son oncle, dont les lunettes s'étaient tordues dans la chute.

– C'est ce genre de moment qu'il faudrait immortaliser, remarqua Vadim.

– On pourrait prendre une photo !

– Enfin… je ne peux pas !

– Moi je peux. Dis-moi comment.

Alice prit le Leica. Après quelques hésitations, Vadim accepta, personne jusque-là n'avait touché à son appareil… Il se redressa. Alice lança le décompte. Clic.

Et ils repartirent.

*

Alice et Vadim étaient affamés. L'angoisse à la descente du ferry leur avait fait oublier la faim un moment, mais elle était revenue de plus belle. Ils s'arrêtèrent dans un *diner*. Avant de commander, Alice fila aux toilettes se changer, elle ne pouvait pas rester habillée comme ça. La serveuse l'autorisa à étendre sa robe mouillée sur une chaise à côté d'eux le temps du repas. Sans même savoir si c'était à la carte, Vadim commanda des toasts, une omelette, des frites et deux milkshakes.

Alice remarqua un plat à la table voisine qui lui faisait envie.

– *It's a cheeseburger*, lui précisa la serveuse.

Cheeseburger... Ça sonnait bien...

Quelques minutes plus tard, elle tenait l'épais sandwich entre ses mains. Il fallait ouvrir grande la bouche pour parvenir à goûter à la fois le pain tendre et tiède, la viande assaisonnée, le fromage fondant, la salade craquante, et le Ketchup sucré. Les saveurs se mélangeaient au plaisir de manger avec les doigts. Quel délice ! Comment les choses si simples pouvaient-elles être si parfaites ? Alice s'amusait de l'allure qu'ils avaient, Vadim et elle, on aurait dit deux échappés de prison qui prenaient leur premier repas depuis des jours. Ce n'était pas loin de la vérité...

Elle fut intriguée par une grosse machine à l'arrière du restaurant. Un juke-box, lui expliqua Vadim. Avec une simple pièce, on pouvait écouter la musique qu'on voulait ! Elle avait envie d'essayer. Elle ouvrit la mallette et leur liasse de billets apparut. Ça la rassura, comment pourraient-ils ne pas y arriver avec tout cet argent ? Elle leva la tête vers le juke-box et surprit un homme accoudé au bar qui l'observait. Vite, elle referma la mallette. Elle choisit au hasard « Five minutes more » de Frank Sinatra et le restaurant s'égaya.

À la fin de la chanson, l'homme qui avait croisé son regard vint s'asseoir près d'eux. Il se présenta : Andy, commercial pour une société d'assurances. Alice et

Vadim n'avaient pas envie de parler d'eux, mais ils n'étaient pas contre écouter les récits de quelqu'un. Ils étaient seuls depuis longtemps… Andy posa quelques questions à Vadim, qui les traduisait à Alice :

– Et vous restez dans la région ?

– Non, nous allons à Boston, rejoindre de la famille.

– Quelle coïncidence ! Moi aussi ! Laissez-moi vous emmener ! Je suis en voiture.

– Merci, c'est gentil mais…

– C'est à une soixantaine de kilomètres à peine ! Je passe mon temps seul sur les routes, je serais ravi d'avoir un peu de compagnie !

Vadim finit par accepter. Selon lui, le voyage pouvait leur réserver encore quelques surprises, autant profiter de possibles économies.

La voiture d'Andy était en fait une camionnette. Vadim s'installa à l'avant, Alice à l'arrière. D'où elle était, elle ne voyait ni son oncle ni le chauffeur. Elle sortit un des livres de Dina et se détendit. Un bleu s'était formé sur son mollet. Leur chute à vélo… Ça lui faisait un peu mal quand elle passait sa main dessus, mais tant pis. Ça avait quand même été un bon moment.

Quand la camionnette s'arrêta, Andy vint lui ouvrir la porte, et lui dit en anglais :

– On est arrivés. Ton oncle s'est endormi !

Comme il ne savait pas si elle avait compris, il lui indiqua la portière côté passager. Vadim avait la tête renversée. Un filet de bave coulait de sa bouche sur son polo. Alice le réveilla. Il s'excusa auprès d'Andy qui sembla plus amusé que vexé. Il leur précisa que le port était à quelques mètres, une dizaine de minutes à pied maximum.

– *Have a nice trip !* conclut-il en redémarrant.

En arrivant au guichet, ils demandèrent deux places sur le prochain bateau pour la France, prévu dans quelques heures. Il restait une cabine.

– *Perfect !* répondit Vadim.

C'était deux mille dollars. Vadim acquiesça. Il chercha dans la poche de la mallette, tâta le fond de sa main :

– Je ne trouve pas l'argent, donne-le-moi s'il te plaît, demanda-t-il à Alice.

À son tour, Alice glissa sa main dans la poche intérieure. Rien. Elle recommença. L'hôtesse s'impatientait. Alice s'affola. Elle sortit les photos, les passeports. Elle plissa les lèvres quand elle revit le visage de sa mère, mais retourna aussitôt la photo pour oublier. Toujours rien. Elle regarda dans le sac en toile de jute, celui des vêtements. Pas de trace des billets. L'argent avait disparu.

– Mais enfin, ce n'est pas possible ! s'indigna Vadim.

Ils passèrent en revue les événements, la chute à vélo. Mais la mallette ne s'était pas ouverte. De toute façon, l'argent était là au restaurant !

– Es-tu sûre ?

– Puisque je te le dis !

– Alors où est cet argent bon sang ?

L'évidence frappa Alice avec la puissance d'un marteau. Andy. Andy avait vu l'argent. Il était venu s'asseoir avec eux après. Il avait repéré la liasse et avait profité du sommeil de Vadim.

– Le salaud ! Quel salaud ! criait son oncle.

L'hôtesse, agacée, demanda si elle devait annuler les billets. Alice n'eut pas besoin qu'on lui traduise. Vadim, furieux, pestait contre le vent. À sa vue, les autres voyageurs s'éloignaient. Alice se sentait vidée de ses forces. Comment allaient-ils faire ? Ils n'avaient plus rien.

– Allons au commissariat, déclara Vadim.

– Mais on ne peut pas ! Et si la police nous cherche ?

– Il faut retrouver Andy !

– Enfin, on n'est même pas sûrs qu'il s'appelle vraiment comme ça !

Vadim s'immobilisa. Alice avait raison, il le savait. Près de deux mille dollars envolés. Quel gâchis ! Alice se risqua à demander :

– Qu'est-ce qu'on va faire ?

– Qu'est-ce que tu veux que j'en sache ?

Ils s'assirent par terre.

– Ce n'était pas une bonne idée, ce départ, lâcha Vadim.

– C'était la seule idée valable !

Son oncle se prit la tête entre les mains. Alice n'osait

pas le regarder. Il soupirait fort. Au bout d'un moment, il bondit sur ses pieds.

– Quelle heure est-il ?

– Quinze heures.

– On va retourner au guichet.

– Pourquoi ?

– Le bateau part dans une heure. On trouvera bien une solution.

– Mais c'est fichu !

– Tu es bientôt orpheline et moi une victime de guerre aveugle, on trouvera bien quelqu'un qui aura pitié !

Ils se parèrent de leur expression la plus misérable. Vadim sortit son polo de son pantalon, et en arracha deux boutons. Quand il marchait, il agitait ses bras vers l'avant comme s'il venait de perdre la vue et craignait de se cogner. Alice avait enlevé une de ses chaussettes, et ébouriffé ses cheveux. Elle corrigeait la trajectoire de son oncle en le tirant par la manche, pour le conduire jusqu'au guichet. Elle courbait le dos sous le poids de son sac. La file d'attente était longue, une centaine de personnes peut-être patientaient à présent. Ils les dépassèrent, clopin-clopant. Tout le monde les observait. Certains leur lançaient des regards de pitié, d'autres râlaient. Deux personnes leur crièrent de faire la queue comme tout le monde, mais Vadim fit semblant de perdre l'équilibre en faisant demi-tour. Un homme l'aida à se relever et le conduisit à l'hôtesse.

– Nous devons rentrer aujourd'hui. La mère de la petite va mourir… Et moi je n'ai plus d'argent. J'ai utilisé toute ma pension d'invalide de guerre pour venir jusqu'ici.

Alice ne comprenait pas tous les mots en anglais, mais saisissait le sens général. Vadim était si bon comédien qu'elle avait l'impression qu'il parlait de quelqu'un d'autre, une personne qu'elle avait elle-même envie d'aider.

– Je suis désolée, monsieur, je ne peux rien faire.

Il insistait, après avoir traduit l'échange à Alice.

– Je vous en prie, mademoiselle.

– J'ai des consignes.

Vadim reprenait, des sanglots dans la voix. Inflexible, l'hôtesse se justifiait :

– Vous n'avez qu'à écrire à la compagnie, moi je ne suis pas en mesure de vous faire monter à bord…

Au fur et à mesure, les voyageurs qui devaient embarquer se rassemblèrent autour d'eux, et commentaient à voix basse. Soudain, l'un d'eux s'approcha. Il mit son bras autour des épaules de Vadim et s'adressa à l'hôtesse d'un ton ferme :

– Comment pouvez-vous rester si insensible ?

Un autre renchérit :

– Cet homme a fait la guerre ! C'est comme ça que vous le traitez ?

– Une honte ! Pays d'égoïstes ! reprit un troisième.

Le plan fonctionnait. Les reproches fusaient contre

cette pauvre hôtesse qui ne maîtrisait plus rien. Harcelée de toutes parts, elle appela le capitaine à son secours. Quelques minutes plus tard, un homme avec une casquette blanche et une veste bleu marine descendit la passerelle. Il avait l'air sûr de lui. À ses côtés, on se sentait tout de suite en sécurité. Il calma la foule en quelques phrases et demanda à ce qu'on lui explique clairement la situation. Alice l'aima aussitôt. Vadim s'exécuta, soutenu par les voyageurs outrés. Le capitaine hochait la tête et promit de faire un geste :

– *This kid will see her mother before she dies.*

Et il remonta à bord. Les voyageurs applaudirent.

– On a réussi ? demanda Alice.

C'était si incroyable ! Elle avait du mal à y croire ! Vadim souriait.

– Je t'avais dit de me faire confiance ! Tu vas voir, tout ira bien.

Ils lançaient des « Merci ! » de tous côtés. Ils serraient les mains qu'on leur tendait, affichant de grands sourires. Soudain une sirène retentit : c'était l'heure de monter à bord. Les voyageurs se dispersèrent pour rejoindre le bateau. Alice aperçut le capitaine qui se dirigeait de nouveau vers eux. Elle en avertit Vadim.

– *We found a solution.*

– *That's great. Thank you, sir.*

Alice voyait l'expression de joie sur le visage de son oncle : c'était une bonne nouvelle. Elle lui serra la main pour qu'il lui traduise, mais le capitaine reprit :

– *But I am sorry we only have one place left. We will take Alice on board. The next boats are completely full, but you will be able to come to France within a week I guess.*

Alice n'avait rien compris. Tout ce qu'elle voyait, c'était que Vadim semblait déçu.

– Quoi ? Qu'est-ce qu'il a dit ?

Vadim lui fit signe de patienter. Il remercia de nouveau le capitaine, qui s'éloigna. Il se mit à genoux, à sa hauteur.

– Il n'a pas de place pour nous deux, mais c'est quand même une bonne nouvelle. Tu vas revoir ta mère, fillette.

Alice en avait le souffle coupé. Soudain, le bateau lui semblait immense, tous ces gens une menace. Elle ne pouvait pas partir seule. Elle ne parlait même pas leur langue ! Où allait-elle dormir ? Comment irait-elle à Paris ensuite ? Elle ne parvenait pas à réfléchir et déjà, des larmes coulaient sur ses joues.

– Je ne veux pas partir sans toi.

Vadim murmura :

– Les choses ne se passent jamais comme on le voudrait, fillette. C'est ça le secret sur cette terre, il faut constamment s'adapter.

– Vadim, je veux rester avec toi. On va trouver une autre solution.

– Tu sais bien que non. En tout cas pas assez vite.

– Mais tu n'as même plus d'argent ! Comment tu vas faire ?

– J'en ai vu d'autres ! Ne t'inquiète pas pour moi, va !

– Si.

– Enfin, ce ne sont pas aux enfants de s'inquiéter du sort des adultes. Vas-y, je te rejoindrai.

Alice grommela un « Non », qui se perdit dans ses sanglots.

– Alice, tu dois saisir cette chance.

Vadim lui caressa les joues.

– Et prends soin de toi, personne ne le fera à ta place. Promets-moi de dormir, de manger correctement et ne fais pas comme moi, souris ! Un beau sourire, c'est magique, ça t'ouvre toutes les portes.

Il ne lui laissait pas le choix. Elle aurait tellement voulu que les choses se passent autrement. C'était si injuste ! Mais pourquoi ? Elle serrait son oncle dans ses bras. Elle se rendait compte qu'elle tenait vraiment à lui. Si elle partait maintenant, elle ne le reverrait plus jamais, elle le savait. Le capitaine les interrompit. Il était temps d'y aller, l'équipage attendait. Vadim posa sa main sur l'épaule d'Alice, et exerça une petite pression pour la décoller de son étreinte. Elle prit son sac et tendit la mallette à Vadim.

– Garde-la, fillette. Je te la donne.

Son cœur allait exploser. Mais que pouvait-elle faire ? Elle n'avait pas le choix. Elle suivit le capitaine comme une automate. Elle monta les marches pour arriver sur le pont. Quelques voyageurs qui l'avaient soutenue plus tôt l'applaudirent. Elle tenait la mallette contre son ventre. Les sirènes du bateau annoncèrent le départ. Elle aperçut Vadim sur le quai. Il était désorienté. Un pas en avant, deux en arrière. Comment allait-il faire ? Non. Elle ne pouvait pas le laisser comme ça. Elle se mit à courir.

– *Catch her ! Catch the little girl !* criait l'équipage.

Des mains tentaient de l'immobiliser, mais elle était plus rapide. Elle s'accrocha à la passerelle qui n'était pas tout à fait relevée, à un mètre cinquante du sol environ. Alice inspira et ferma les yeux. Elle lâcha la barre et atterrit sur le quai. Vadim était à quelques mètres. Elle s'élança vers lui et l'agrippa par la taille.

– Je ne partirai pas sans toi.

Il la serra dans ses bras. Ils restèrent ainsi un long moment, plus rien d'autre ne semblait compter. Vadim caressait ses cheveux. Il lui disait qu'elle était une personne magnifique, qu'elle deviendrait une femme extraordinaire. Qu'elle était la seule à ne pas voir en lui qu'un aveugle.

– Ils ne comprennent pas qu'ils sont tous des handicapés. Trop petits, trop moches, trop pauvres, trop seuls. Et à quoi sert la vie si ce n'est à trouver la solution à ce problème ? Toi, Alice, tu es une gamine, pour beaucoup ça suffit à te laisser dans un coin. C'est un handicap, surtout quand on a ta maturité. Les personnes comme nous, la plupart des gens s'en foutent. Mais à partir de maintenant, on est tous les deux.

Sa voix s'enrouait. Il respirait de façon saccadée, comme s'il avait gardé tout ça pour lui depuis longtemps, et que ça avait du mal à sortir.

– Toi et moi, on est un peu comme une famille, non ?

Alice resserrait son étreinte en guise d'acquiescement. Au loin, le bateau pour la France s'engageait sur l'océan.

14.

Boston, fin mai 1947

Alice et Vadim marchaient sur les quais. Ils devaient trouver un moyen d'aller à Paris ensemble. Le temps pressait, ils n'avaient plus un sou, aucune provision, nulle part où s'abriter, et les docks étaient un endroit beaucoup trop dangereux pour dormir à la belle étoile.

Autour d'eux, on déchargeait des oranges de Floride d'un cargo, on chargeait des pneus dans un autre. Aussi loin qu'Alice pouvait voir sur le port, des hommes s'agitaient et se disputaient. Partout, ils voulaient accélérer la cadence.

– Il faut qu'on embarque avec un de ces équipages.

– Comment ? demanda Alice.

– Contre du boulot !

– Mais quoi comme boulot ?

Vadim lui fit signe de le suivre. Ils se dirigèrent vers le *Spirit*, un cargo d'environ trente-cinq mètres de long. Vadim repéra le chef des dockers au son de sa voix. Selon lui, c'était toujours celui qui criait le plus fort.

Alice réussit à comprendre l'essentiel de leur conversation :

– Est-ce que vous allez en Europe ?

– Non, cap vers le Pacifique. Mais le *Denver Machine,* plus loin, vers la droite, part pour la France.

Le *Denver Machine*. Impressionnant comme nom.

À l'endroit indiqué, une dizaine de cargos bordaient le quai. Repérer le bon ne serait pas une mince affaire.

– Si tu veux, tu restes là pendant que je le cherche, et je reviens une fois que je l'ai trouvé.

– Non, on reste ensemble, répondit Vadim.

– Mais je n'en ai pas pour longtemps…

– C'est non !

Alice était persuadée qu'elle irait plus vite si elle pouvait courir. Impossible de se faufiler entre les dockers en tenant le bras de Vadim. Comme il pouvait être têtu parfois ! Ils passèrent devant l'*American Dream*, l'*Eden Sea* et s'arrêtèrent devant un bateau noir, moins haut que les autres, mais plus long. Il semblait assez vieux, et la rouille avait envahi une partie de la coque. On aurait dit qu'un liquide orange coulait dans l'eau. En gros caractères rouges, Alice lut : *Denver Machine*.

Vadim tenta à nouveau de repérer qui donnait les ordres. Ici, le responsable du chargement était facile à trouver. Alice n'avait jamais entendu de voix si grave. Il n'avait même pas besoin de crier. Vadim se présenta et lui demanda leur destination. Le responsable le toisa en fronçant les sourcils. Il prit son temps pour s'allumer une cigarette et répondit en anglais :

– La France. Et une partie de la marchandise à Paris, par le train. Pourquoi ?

De toute évidence, cette cargaison, c'était leur chance : si tout allait bien, ils pourraient être auprès de Diane dans un peu plus d'une semaine. Ils proposèrent leurs services en échange de deux places à bord.

– Vous ? La bonne blague ! s'esclaffa le responsable des dockers.

L'homme était gras. Son épaisse barbe brune lui donnait un air méchant.

Alice ne dit pas un mot à Vadim des regards méprisants que l'équipage leur lançait. C'était sûr, ils avaient compris ce qui se passait, et ça les amusait. Comment les blâmer ? Les apparences étaient contre eux. Son oncle était aveugle et elle n'était qu'une petite fille… Quelle aide pourraient-ils procurer à ces gaillards qui, de toute évidence, n'avaient pas besoin d'eux ? Elle se sentit lourde, comme si elle pesait des tonnes.

Vadim ne se laissa pas décourager. Il raconta leur histoire, leur fuite de Manhattan, et tous les revers auxquels ils avaient fait face depuis.

– Tout ce qu'on souhaite, c'est rentrer à Paris.

Le responsable du chargement fit une moue gênée. Au bout de quelques minutes, il leur indiqua une centaine de caisses de sodas qui devaient être chargées sur le cargo.

– Vous m'en montez quarante et je vous prends. Pour le train c'est une autre histoire. Il va falloir payer.

Vadim traduisit à Alice, qui avait déjà compris. Elle serra les poings pour contenir sa colère, et dans un anglais approximatif, elle s'adressa au responsable :

– *We... No money, no time ! To Paris !*

– Le train ça coûte de l'argent, petite, lui répondit l'homme en anglais.

Il semblait amusé.

– *No money, no time ! Paris ! Man took money us !*

Elle ne savait pas comment s'exprimer. Elle confondait les mots qu'elle avait appris. Malgré tout, le responsable réfléchit quelques minutes. Soudain, il pointa le Leica autour du cou de Vadim, et sourit :

– Et ça, qu'est-ce que c'est ?

– Quoi, qu'est-ce qu'il montre ? demanda Vadim.

– Ton appareil photo.

Vadim recula. On aurait dit qu'on venait de le condamner à mort.

– Trente caisses, ton appareil, et je vous emmène à Paris.

– Qu'est-ce qu'il dit ? demanda Alice.

Elle voulait être sûre d'avoir bien compris.

– Il dit qu'il est ok contre l'appareil.

Elle ne savait pas quoi ajouter. Vadim était devenu aussi pâle que de la craie.

– Et j'ai pas toute la vie, les pressa le docker.

Alice repensa aux mallettes dans le cagibi. Toutes ces

photos, ces reportages, ces soldats, ces paysages dévastés, ces guerres pour l'espoir d'un monde meilleur… Ce Leica, c'était une partie importante de la vie de son oncle. Mais c'était aussi le symbole de ce qu'il n'était plus. Il ne serait plus un grand reporter. Si Vadim s'en séparait, est-ce que ça changerait quelque chose à sa vie ? Probablement pas. Ce Leica était une fausse promesse. Mais était-il capable de s'en rendre compte ?

– Désolé, non. C'est à moi. Allez viens, conclut-il.

Vadim s'éloigna. Il ne marchait pas droit. On aurait dit qu'il se parlait à lui-même. D'un coup, il s'arrêta et baissa la tête. Alice le rattrapa et tenta de saisir sa main. Vadim la rejeta. Il fronçait les sourcils.

– Je…

Mais il se tut avant de finir sa phrase. Ils restèrent un moment immobiles. Le vent se réveilla. Alice sentait l'air humide de la mer sur son visage. Elle aurait voulu que le temps s'arrête. Pourquoi fallait-il toujours choisir ? Vadim respirait de plus en plus fort. Ça se voyait qu'il était mal. Il se passa la main sur le front. À plusieurs reprises, il serra son Leica, et le relâcha.

Soudain il s'élança vers le bateau et interpella le responsable. Vadim grinçait des dents, comme si chaque mot était difficile à formuler :

– D'accord, il est à vous.

Il tendit l'appareil. L'homme, satisfait, le mit autour de son cou. Alice n'en revenait pas. Il l'avait fait. Il avait abandonné son appareil, et avec lui son passé. Elle prit la main de son oncle. Sans rien dire, il la serra. Le responsable insista : ils n'avaient pas beaucoup de temps, le bateau devait être chargé dans moins d'une heure… Alice entraîna Vadim vers les palettes.

*

Les caisses étaient lourdes. Elles contenaient cent bouteilles en verre de cinquante centilitres chacune. Les marchandises devaient être entreposées dans la cale du bateau. Il fallait qu'ils réussissent.

Pour y accéder, ils devaient monter sur une passerelle usée. Chaque fois qu'on posait le pied dessus, elle tanguait. Les planches craquaient, comme si elles allaient se rompre. Alice tremblait, elle n'osait pas regarder en bas. Elle essayait de se calmer, mais le temps pressait. Cette montagne de bouteilles était si haute… Ils n'y arriveraient jamais ! Ils seraient obligés d'aller trouver la police pour qu'on les reconduise à Manhattan. Et là ? Que deviendraient-ils ? Et sa mère ? Non, il fallait qu'elle se concentre. Allez, quelques efforts.

Au départ, Vadim avait insisté pour ouvrir la voie. Comme sur le vélo, il voulait qu'Alice guide ses pas par-derrière. Mais il avait trébuché et manqué de faire tomber une caisse. Le responsable des dockers s'était mis en colère et avait menacé de tout arrêter. Alice l'avait rassuré comme elle avait pu. Tant pis si Vadim était vexé, elle passerait devant. Vadim tenait un bout de la caisse,

Alice l'autre. Elle devait marcher à reculons. Elle se retournait à chaque pas pour vérifier qu'elle était bien au centre de la passerelle, et donnait les instructions à Vadim : « Tout droit », « Attention, reviens à gauche », « Encore deux mètres », « On redescend ». Chaque chargement était long. Bien plus que pour les autres membres de l'équipage. Mais Alice préférait ne pas y penser. Ils donneraient le meilleur d'eux-mêmes, le reste n'était pas entre leurs mains.

Au fur et à mesure, ça devenait de plus en plus difficile. Alice avait l'impression que les caisses étaient plus lourdes qu'au départ. Ses bras, ses épaules la tiraient. Des échardes s'étaient enfoncées dans ses mains. Ça faisait comme de petites piqûres qui la lançaient sans arrêt. Elle avait faim. Ses jambes tremblaient. Chaque pas devenait un supplice. Après la dixième caisse, il fallut qu'elle s'asseye. Elle n'en pouvait plus, et ils n'en avaient fait qu'un tiers.

– Je suis désolé, lui dit Vadim.

– De quoi ?

– De t'infliger tout ça...

– C'est pas de ta faute. De toute façon, ça sert à rien.

Elle n'avait pas envie de trouver un coupable ni de refaire l'histoire. Elle devait se ressaisir. « Allez ! Vas-y ! » Elle se redressa. Elle avait bondi si vite qu'elle eut comme un vertige. Elle fit un pas en arrière, et retrouva l'équilibre. Ils se remirent au travail en silence.

Douze caisses. Treize. Quatorze. Encore un effort.

Quinze. Ils étaient arrivés à la moitié. Alice était essoufflée.

– Faut se grouiller ! criait le chef des dockers.

Vadim posa sa main sur l'épaule d'Alice :

– Courage.

Alice soupira et ils se baissèrent pour saisir de nouveaux sodas. Quand ça tirait trop, Alice criait. Elle pensait à sa mère. À mesure qu'elle avançait, elle se souvenait de tous ces moments inutiles où elle n'avait pas posé de questions, de toutes ces nuits où elle s'était recroquevillée sur elle-même en attendant que Diane cesse de hurler. Elle n'avait rien dit. Elle avait laissé le temps filer. Elle avait laissé Mme Bajon l'emmener en Amérique. Tous, elle les avait tous laissés décider à sa place. Elle était tellement en colère ! À présent, elle seule choisirait. Toute cette rage, ça l'aidait à soulever les caisses.

Dix. Neuf. Huit. Sept.

C'était trop difficile. Elle n'était pas de taille. À bout de force, Alice s'assit sur le quai et éclata en sanglots. Elle savait qu'elle ne pourrait plus continuer. C'était comme si ses bras ne faisaient plus partie de son corps. Deux poids morts de chaque côté de sa poitrine. « Pardon, maman. Pardon, mon Dieu. » Elle ne pouvait plus bouger. Elle avait beau essayer de se raisonner, rien ne fonctionnait. Ce n'était pas la motivation qui manquait, son corps l'avait lâchée. Elle se détestait d'être aussi faible. Si proche du but ! Vadim essaya de soulever la caisse seul, hélas l'opération se révéla impossible. Il donna un coup de pied dans le mur.

– Allez, fillette ! Courage ! Il nous en reste plus beaucoup.

– Je peux pas…

– Mais bon sang ! C'est trop bête !

Alice essaya de se relever, mais retomba aussitôt. Elle pleura de plus belle. Vadim soupira. Il s'assit à ses côtés et la prit dans ses bras. Elle n'arrivait plus à parler. Elle regardait la mer devant elle. Ils y étaient presque. Elle avait tout gâché. Elle n'aurait plus d'autres chances. Sa mère mourrait sûrement et… Elle ne pouvait même plus y penser, c'était trop dur.

Tout en fumant leur cigarette, deux membres de l'équipage les observaient. Alice surprit leur regard et baissa la tête. C'était eux qui s'étaient moqués d'elle. Ils avaient eu raison. Ils s'approchèrent et saisirent une des caisses qui restaient. Ils volaient leur cargaison à présent ? Paniquée, Alice les interpella :

– *We do… we…*

Mais elle savait bien que Vadim et elle ne pourraient plus rien faire… Qu'ils les prennent, c'était fichu.

– *Let us help you*, lui répondit un des deux hommes.

Quoi ? Elle n'était pas sûre d'avoir compris.

– Ils veulent nous aider, lui traduisit Vadim.

Elle n'en revenait pas. Ils saisirent la caisse.

C'était comme si elle ne pesait rien. On aurait dit des

chats qui grimpaient sur la passerelle et en quelques secondes, ils étaient de retour, tout sourire. Des anges.

Plus que deux caisses.

Une minute plus tard, les hommes se dirigèrent vers la dernière.

C'était terminé.

Ils pouvaient partir. Ils montèrent à bord et rejoignirent l'équipage dans la cale. On leur souhaita la bienvenue. Alice n'arrivait pas à y croire. Ils avaient réussi.

*

Les journées semblaient longues à bord du bateau, peut-être parce qu'Alice était pressée d'arriver à Paris. Auraient-ils le train à temps ? Sa mère serait-elle toujours dans le même hôpital ? Mais surtout que lui dirait-elle ? Alice parviendrait-elle à lui poser ces questions qu'elle gardait en elle depuis tant d'années ? Elle n'y était pas parvenue avant… Y arriverait-elle cette fois ? Et Vadim ? Qu'allait-il devenir ? Monsieur Marcel l'accepterait-il dans l'appartement ? Plus les choses devenaient concrètes, moins les issues lui paraissaient encourageantes.

À bord, l'équipage se montrait chaleureux. Alice s'était attendue à ce que Vadim et elle soient mis à l'écart, mais c'était tout le contraire. Leurs compagnons de voyage s'intéressaient à leur histoire. Le soir, au moment de dîner, chacun racontait sa vie. Il y avait

Yvan, qui avait fui la Russie. Pour Carlos, c'était l'Espagne et sa femme était restée à Madrid. Il cherchait un moyen de la retrouver. Mike était un Américain dont les frères étaient morts pendant la guerre, et qui ne supportait plus sa vie en Arkansas. Sita était indien. Il avait perdu sa femme et ses enfants là-bas. Et puis il y avait Chuck, le responsable, Graham et Smith, qui ne parlaient pas beaucoup, mais qui écoutaient avec une grande attention les récits des autres.

Toute cette tristesse… C'était à peine croyable. Pourquoi la vie était-elle si difficile ? Finalement, elle n'avait pas vécu tant d'épreuves, comparée à eux… Pourtant, les membres de l'équipage semblaient fascinés par leur fuite. Alice était fière de raconter les exploits de son oncle en tant que reporter. Il était à l'origine de photos qui avaient marqué le monde entier avant son accident lors du débarquement de Normandie. Dans sa tête, elle entendait : « Vago, Vago », et ça l'énervait. Mais devant les autres, elle donnait le change. Elle voulait que le voyage se passe bien.

Le responsable de l'équipe, qui avait hérité du Leica, observait l'appareil comme s'il découvrait un trésor. En retour, les marins prenaient soin de Vadim. Ils partageaient leurs réserves d'alcool, l'invitaient à chanter avec eux quand Mike prenait sa guitare. Il jouait du blues. Chantée par ces hommes malmenés par la vie, cette musique sonnait tellement juste… Pendant des heures, Alice en avait des frissons.

Mais les deux premiers soirs, quand à la tombée de la nuit l'équipage était parti se reposer, Alice s'était sentie seule. Vadim l'avait rejointe sur le pont. Ils avaient écouté les vagues noires se fracasser sur la coque. Ce bruit était réconfortant. C'était toujours le même, comme une berceuse, qui finissait par les détendre. Alors ils parlaient. « Vago, Vago... » Alice avait fini par demander :

– Pour quels journaux as-tu travaillé ?

– Beaucoup... *Vu*, *Regards*, partout où on me commandait des reportages.

– Et... tu les signais Vadim ?

– Pourquoi ? avait-il demandé, très surpris par cette question.

C'était l'occasion ou jamais.

– Parce que maman lisait souvent des reportages d'un reporter qui s'appelait Vago, et qui faisait de belles photos, comme les tiennes.

– Ah bon ?

Vadim s'était décomposé, elle avait sa réponse.

– Comment ça, elle les lisait ?

Alice avait raconté à son oncle la page 22 cornée dans le journal de Salies, puis les journaux cachés dans l'armoire à Paris. De la stupéfaction, Vadim était passé à la peine. Les traits de son visage s'étaient affaissés d'un coup, comme s'ils pesaient trop lourd. Alice avait commencé à lui demander si lui et sa mère... Mais elle s'était interrompue. Elle avait eu l'impression de le torturer, sans vraiment comprendre pourquoi. Peut-être lui expliquerait-il plus tard ?

Vadim avait reniflé et tenté de changer de sujet. Alice avait fait comme si elle n'avait pas remarqué. Il lui avait posé des questions sur son enfance à Paris.

– Mais je n'ai pas grandi à Paris !

Elle lui avait raconté Jeanne, Salies-de-Béarn, sa vie à la ferme... Jusqu'au jour où sa mère était venue la chercher. Alice avait cru qu'elle était vide à l'intérieur. Elle avait décrit le train qu'elles avaient pris toutes les trois avec Mme Bajon, sa tristesse de quitter Jeanne, son désarroi de ne pas savoir quoi dire à celle qu'elle devait désormais appeler maman. Elle s'était demandé si elle avait le droit de continuer de penser à sa nourrice ou s'il fallait l'oublier. Elle avait choisi d'y penser en secret, mais de ne plus en parler devant sa mère. Et puis, il y avait eu la gare de Lyon en arrivant à Paris, le choc du bruit... Elle qui était habituée à la quiétude de la campagne, elle avait eu l'impression de devenir sourde.

– Quand on est arrivées à l'appartement rue Pavée, Monsieur Marcel nous attendait. Il revenait des listes.

– Monsieur Marcel ?

Vadim eut l'air surpris.

– C'est un ami de maman. Ils se sont connus en Pologne. Mais c'est tout ce que je sais.

Elle expliqua à Vadim que sa mère n'aimait pas parler de cette époque. Monsieur Marcel non plus. Ça avait dû être très dur parce que chaque nuit, elle les entendait crier, et la journée, ils se muraient dans le silence.

– Ils ne voulaient voir personne. Et personne n'avait le droit de monter à la maison.

– Je les comprends.

– Je pense que pour toi ce sera différent. Monsieur Marcel cherche ses filles et sa femme, alors il ne faudra pas parler de famille, c'est tout…

Vadim semblait étonné. On aurait dit qu'il n'avait jamais envisagé de le rencontrer.

Alice retraça son périple au Lutetia, lorsqu'elle avait accompagné Monsieur Marcel ; le métro ensemble, le magnifique hôtel et tous ces gens si maigres rassemblés dans une salle, la vieille dame qui ne voulait pas arrêter de manger, et puis Rivka que Monsieur Marcel avait cru voir… Elle garda pour elle l'épisode du métro où il avait voulu mourir. C'était encore trop dur.

Alice lui décrivit les Parisiens, étranges, toujours pressés, comme s'ils étaient seuls sur terre. Une seule personne comptait vraiment pour elle, à part sa mère bien sûr, c'était Jean-Joseph. Elle lui parla des trocs, des petits boulots. Sa mère à lui, qui était vraiment bizarre, et qui la plupart du temps lui interdisait de sortir. Elle lui apprenait l'allemand pour pouvoir comprendre les ordres et s'en sortir « au cas où ». Au cas où quoi ? Elle ne l'avait jamais expliqué.

– Je suis pressée de te les présenter tous. J'espère que Jean-Joseph sera encore là.

Vadim avait souri sans conviction. Il paraissait distant. Elle avait beaucoup parlé, peut-être avait-il besoin de temps pour assimiler toutes ces histoires ? Quoi qu'il en soit, Alice s'était sentie mieux après avoir raconté tout ça. Comme si elle s'était déchargée d'un poids.

Mais le troisième soir, rien ne parvenait à la calmer. Était-ce parce qu'ils se rapprochaient de la France ? Alice avait du mal à respirer. Vadim s'inquiétait pour elle. Malgré la nausée, elle essayait de se concentrer sur les flots noirs. Soudain, elle ressentit comme une décharge, et elle se mit à trembler.

– Qu'est-ce qui t'arrive ?

– Rien.

Elle n'osait pas raconter à Vadim le souvenir qui venait de la rattraper. Cette fois où elle s'était écrit un nombre sur l'avant-bras… Elle avait besoin de s'approcher du pont. Respirer la mer. Est-ce que la honte partait un jour ?

– À quoi tu penses ? insista Vadim après l'avoir rejointe.

– Tu sais ce que ça veut dire, toi, des chiffres tatoués sur l'avant-bras ?

– Pourquoi tu me demandes ça ?

En l'espace de quelques secondes, Vadim était devenu grave.

– Ma mère en avait un. Monsieur Marcel aussi.

– Oh…

Ils se turent un moment.

– Tu crois que ma mère m'aime ?

Vadim s'était redressé. Il se tenait face à l'océan.

– Elle t'aime sûrement comme elle peut… Les gens aiment avec ce qu'ils sont.

Alice frissonna de nouveau. Comme si un liquide glacé parcourait son corps des pieds à la tête. Elle venait de revoir le squelette, celui qui l'avait tant effrayée sur le bateau pour aller en Amérique. Elle suffoqua. Vadim posa sa main sur son épaule.

– Tu ne te sens pas bien ?

Alice ne répondit pas tout de suite. Ça lui faisait trop mal.

– Fillette, dis-moi ce qui ne va pas.

– Et… et si ma mère est morte ?

Vadim souffla. Il réfléchit un court moment et répondit d'une voix grave :

– Si ta mère est morte, ou qu'elle meurt, tu ressentiras plein de choses. Tu te diras que tu aurais pu faire plus, mais ce n'est pas vrai. Tu as fait tout ce que tu pouvais. Retiens bien ça. Tu auras mal à chaque fois que tu penseras à elle. Et puis, ça fera de moins en moins mal. Un jour, tu te souviendras d'elle et ça ira quand même.

Alice soupira.

– Comment on vit quand ceux qu'on aime disparaissent ? Moi je ne pourrai pas.

– Tu feras avec, comme tout le monde. Tant que la musique est là, on continue à danser.

– Tout ce que j'aimerais, c'est fêter mon anniversaire avec ma mère, toi et Marcel.

– C'est quand ton anniversaire ?

– Le 14 juin.

Vadim parut surpris.

– Tu es sûre ?

– Bah oui !

De la buée apparut sur ses lunettes. Alice ne comprenait pas pourquoi sa date d'anniversaire pouvait lui faire tant de peine.

– Tu pleures ?

Il s'essuya discrètement.

– Non, c'est le vent.

*

Ils regagnèrent leurs couchettes… Quelque chose n'allait pas. Alice se sentait faible, comme si elle allait tomber. Ses jambes, ses bras étaient mous. La tête lui tournait. Soudain, elle se mit à vomir. Vadim la prit dans ses bras et lui passa de l'eau sur le visage.

– Tu es brûlante.

Il se mit à crier :

– À l'aide ! À l'aide !

Alice avait l'impression que Vadim courait mais elle ne voyait ni n'entendait plus rien. Elle avait chaud, et elle transpirait beaucoup. Mike, Sita et Graham l'entourèrent. Elle les saluait, mais ils ne répondaient pas. Tout lui semblait irréel, comme si elle flottait dans les airs. Elle ouvrit les yeux. Elle était sur sa couchette. Le temps passait. Elle ne savait pas si c'était des heures ou des jours. Étaient-ils arrivés à Paris ? Elle oscillait entre un état de gaieté inexpliquée, où elle riait sans pouvoir s'arrêter, et l'impression que tout autour d'elle était une menace. L'équipage, les couchettes, les lampes. Vadim auprès d'elle lui répétait :

– Alice, tu as beaucoup de fièvre. Mais ça va aller.

Qu'est-ce que ça voulait dire ? Sa bouche se déformait quand il parlait, elle devenait immense. On aurait dit une baleine. Il lui tendait un verre d'eau qui lui semblait trop grand. Presque aussi grand que Vadim lui-même. Comment pouvait-il le soulever ? Elle avait l'impression d'être dans la mer, elle entendait les vagues. Un tourbillon se dessinait à quelques mètres. Il allait l'aspirer et l'attirer dans les profondeurs, où elle disparaîtrait. La mort. La mort était au bout, elle cria.

– Alice. Alice. Je suis là, lui dit son oncle en serrant sa main.

Elle s'endormit.

Quand elle se réveilla, tout était calme. Elle savait qu'elle était guérie. Vadim dormait sur la couchette à côté d'elle. Il était cinq heures du matin. Elle regarda le calendrier que l'équipage avait accroché au mur. Elle avait dormi deux jours. Deux jours ! Si ses calculs étaient bons, ils arriveraient en France dans quelques heures.

*

Accoudés au bastingage, Alice et Vadim regardèrent la terre apparaître doucement. La France se dessina petit à petit, perdue dans une brume épaisse. Le bateau ralentit et l'équipage jeta l'ancre. Ils étaient arrivés. On descendit la passerelle, et ils gagnèrent le quai. Ils échangèrent quelques accolades avec les membres d'équipage. Carlos prit Alice dans ses bras et lui donna un baiser. Sita effectua une sorte de révérence.

– À bientôt, dans une nouvelle vie ! conclut-il.

Chuck, le responsable, semblait mal à l'aise. Dès qu'il croisait le regard de Vadim, il baissait les yeux. Il se mordilla le bout de la lèvre en saisissant le Leica resté autour de son cou, qu'il tendit à Vadim :

– Je vous le rends, je n'ai pas le droit de le garder.

Quand il comprit ce que Chuck lui tendait, Vadim se raidit. Il avait l'air aussi surpris qu'heureux. Il serra la main du responsable du bateau. Chuck avait l'air embarrassé. Chaque fois qu'Alice avait vanté les mérites de son oncle en tant que grand reporter, il avait eu la même expression. Comme s'il ne supportait pas le silence, il ajouta :

– Je ne vous accompagne pas au train, c'est Graham qui prend le relais.

À présent, Alice n'avait plus besoin qu'on lui traduise l'anglais.

Chuck s'éloigna mais Alice le rattrapa. Elle voulait prendre une photo. Elle aida Vadim à se placer. Son oncle lui donna quelques consignes pour qu'elle se positionne correctement en fonction du soleil. Quand tout le monde fut prêt, Alice regarda dans le viseur. Elle appuya sur le déclencheur. Elle aimait ce son.

– Tu es contaminée, plaisanta Vadim.

Puis Graham s'approcha à son tour. Il était fébrile. Il saisit la main de Vadim et y déposa une enveloppe :

– C'est de la part de toute l'équipe.

– Qu'est-ce que c'est ?

– De quoi voir venir un jour ou deux.

Les lèvres de Vadim se mirent à trembler.

– Merci… Mais je… On peut pas accepter.

– Prenez. Comme ça, vous nous oublierez pas. Et puis on a toujours besoin d'argent…

Alice avait envie de dire qu'ils n'avaient pas besoin de ça pour se souvenir d'eux, mais toute cette émotion, ça lui coupait la voix.

L'équipage déchargea une partie des caisses dans un camion qui les conduisit à la gare. Là, des hommes chargèrent le contenu dans le train en direction de Paris. Alice et Vadim prirent place dans un wagon destiné aux marchandises. Chuck avait veillé à ce qu'ils aient un endroit où s'asseoir. Le trajet devait durer deux heures environ. Le wagon n'avait pas de fenêtres. Alice ne pouvait pas regarder le paysage. Il faisait trop sombre pour qu'elle puisse lire, et de toute façon, elle n'en avait pas envie. Le train se balançait. Une intense fatigue s'abattit sur elle. Elle se laissa emporter.

Vadim la réveilla. Le train était entré en gare. Des hommes se mirent à décharger les caisses. Alice ressentit comme un énorme vide. Elle avait du mal à tenir debout. L'heure de vérité était arrivée. C'était trop. À présent, elle ne pouvait plus se contenter d'avoir envie, il fallait qu'elle affronte ses peurs, et qu'elle aille au bout.

Elle ne voulait plus être à Paris. Mais elle ne voulait plus être à New York non plus ni à Salies. Où alors ? Elle rêvait de disparaître, que le temps s'arrête. Elle se remémorait sa mère telle qu'elle était vraiment : dure, froide, silencieuse. Rien à voir avec celle dont elle se souvenait quand elle était loin... Que dirait-elle ? Et si Diane était furieuse qu'elle se soit enfuie ? Si Mme Bajon la renvoyait en Amérique avant même qu'elle n'ait vu sa mère ? Pourquoi n'avait-elle pas pensé à tout ça ? Elle n'avait soudain plus la force d'affronter l'odeur des malades et des produits de l'hôpital, la lumière des salles d'attente, le regard désolé des médecins.

– Enfin, tu ne vas pas rester plantée là !

– Je ne peux plus avancer.

– Arrête tes caprices, fillette, tu es ridicule.

Vadim ne supportait pas qu'elle soit lâche. Mais Alice ne voulait pas bouger.

– Enfin ! Tu n'es pas seule ! Je suis avec toi. On va y aller tous les deux.

Alice n'était pas convaincue, pourtant elle finit par acquiescer. Ils entrèrent dans un café.

– Pouvons-nous utiliser votre téléphone ? demanda Vadim.

Le serveur leur indiqua une cabine à côté des toilettes. Ils appelèrent l'épicier de la rue Pavée. C'était comme ça qu'ils s'arrangeaient d'habitude. D'après ce que savait l'épicier, Diane était toujours à Tenon.

Ils n'avaient plus qu'à y aller. Plus qu'à…

Ils se lancèrent dans les rues de Paris. Alice, le sac à l'épaule, serrait la mallette dans une main, la manche de son oncle dans l'autre. Ils étaient si lents qu'on aurait dit qu'ils faisaient du sur-place. Dans quelques minutes, ils verraient Diane, et plus rien ne serait pareil.

*

Ils entrèrent dans le hall immense de l'hôpital. Ils montèrent les escaliers jusqu'au deuxième étage, demandèrent le service du docteur Praal.

– Je cherche ma mère, Diane Amarille.

L'infirmière à l'accueil ouvrit de grands yeux.

– Je vais aller chercher le médecin, asseyez-vous.

Un homme très mince en blouse blanche apparut, un dossier à la main, et regardait ses chaussures. Il les fit asseoir dans un petit bureau et commença à parler.

Deux jours avant. Diane était morte deux jours avant.

Juste quand Alice était tombée malade sur le *Denver Machine*.

Morte. Ce n'était pas possible, elle n'y croyait pas.

– Et alors, qu'est-ce que vous allez faire maintenant ?

Le médecin cligna plusieurs fois des yeux puis demanda :

– Comment ça ?

– Qu'est-ce que vous allez faire pour arranger ça ?

Vadim intervint :

– Fillette, il n'y a plus rien à faire, c'est fini.

– Non.

– Alice…

– Je dois la voir.

Le médecin se racla la gorge.

– Je suis désolé, ma petite.

Vadim chercha la main d'Alice sur l'accoudoir. Mais elle la retira. Elle ne voulait pas qu'on la touche ni qu'on lui parle. Sa mère était morte. Elle ne reviendrait pas. Elles ne se connaîtraient jamais vraiment. Elle fut comme engloutie par un brouillard. Elle entendait qu'on lui parlait, mais ne voyait rien. Pourquoi n'avait-elle pas réagi avant ? Pourquoi avait-elle fui si tard ? Et si elle avait fouillé dans le placard d'Ellen plus tôt ? Et si elle avait appelé l'épicier pour transmettre un message ? S'ils avaient pris l'avion ? Sa mère était morte. Ce n'était pas possible. Ça ne pouvait pas se finir comme ça. Elle ne saurait jamais rien de son histoire. Elle ne pourrait plus rien lui dire de ses sentiments. Toute sa vie durant, elle vivrait avec ce manque.

– Elle est partie seule, murmura-t-elle au bout d'un moment.

– On part toujours seul…, répondit Vadim. On naît seul, on traverse les épreuves seul. C'est comme ça.

Alice se mit à tousser. Vadim lui tapota le dos.

– Tu voudrais qu'on fasse une prière pour elle ? proposa-t-il.

– Non. Je crois que je ne veux plus prier.

Alice recommença à tousser. Elle ne savait pas pourquoi. C'était violent. Elle avait du mal à respirer. Quand elle essayait de parler, sa voix était comme voilée. Le médecin lui adressa un regard inquiet.

– Il faudrait l'allonger, dit-il à Vadim.

Le docteur Praal l'examina. Ce n'était rien de grave. Il proposa de lui donner quelque chose pour l'aider à dormir un peu. Bien qu'il ne se soit pas adressé directement à elle, Alice refusa. Elle voulait rentrer chez elle. Le médecin insista, une infirmière lui tint les mains et elle avala une cuillère de sirop.

15.

Paris, juin 1947

Quand elle se réveilla, Alice avait oublié où elle était. À côté d'elle, une infirmière appela le docteur Praal et tout lui revint. C'était comme si sa mère mourait encore. Est-ce que ça ferait ça chaque fois qu'elle dormirait maintenant ? Le docteur lui demanda comment elle allait, si elle pouvait marcher.

– Oui. Je voudrais voir ma mère.

Le médecin eut un mouvement de recul. Il balbutia :

– Mais… nous en avons parlé… Ta mère est…

– Oui, je sais qu'elle est morte. Je voudrais la voir, c'est tout.

– Je pense que pour aujourd'hui, c'est un peu trop. Demain, je t'accompagnerai là où elle repose en attendant les funérailles.

Les funérailles ! Elle avait oublié ça… Quand la cérémonie aurait-elle lieu ? Où ? Avec qui ? Il y avait tant de détails à voir. On allait mettre sa mère dans une boîte. Une petite boîte, sous la terre. Enfermée à jamais. À jamais… C'était comme un fossé qui se creusait sous ses pieds. Le docteur avait raison. Elle était trop épuisée pour aujourd'hui. Elle reviendrait demain. En attendant, elle devait rentrer chez elle.

Dehors il pleuvait des cordes. Malgré tout, Alice et Vadim partirent à pied. Alice ne voulait pas s'enfermer dans le métro. Ça l'angoissait de descendre dans un souterrain, elle ne savait pas pourquoi. Au bout d'une heure, ils arrivèrent rue Pavée. Ils passèrent devant la boulangerie et l'odeur des croissants lui donna la nausée. Au moment d'ouvrir la porte de l'immeuble, Vadim recula. Il était bizarre depuis le bateau. Presque trop attentif. Alice avait l'impression qu'il avait peur pour elle. Lorsqu'elle était triste ou angoissée, il adoptait la même humeur. Mais là, quelque chose semblait le retenir. Ça avait l'air plus fort que lui. Alice n'avait pas le courage de lui demander quoi. Peut-être se trompait-elle ? Tout était flou. Elle était vidée. Elle faisait les choses sans réfléchir. C'était comme si le fait d'agir l'empêchait d'avoir mal. Elle lui dit :

– Je préfère que tu m'attendes ici.

– Tu es sûre ?

– Oui. Je n'en ai pas pour longtemps.

De toute manière, elle préférait être seule pour monter. Ça allait être dur de retrouver cet appartement. Elle avait besoin de calme pour se concentrer. Ce n'était pas le moment de flancher.

– Très bien. Laisse-moi tes affaires. Je vais aller

t'acheter un goûter pour quand tu reviendras. Il faut que tu manges quelque chose.

– Ok.

– S'il y a quoi que ce soit, je suis là.

Alice lui tendit son baluchon et ôta son manteau. Elle avait beau être trempée par la pluie, elle mourait de chaud. Elle sentait la tristesse arriver comme on voit une tempête se dessiner au loin, avec ses nuages gris qui assombrissent le ciel… Tôt ou tard, elle s'effondrerait, mais là, il fallait qu'elle monte. Une voix en elle lui ordonnait de tenir encore.

Dans la cage d'escalier, l'odeur était la même qu'avant. Elle monta quelques marches et s'arrêta. Les fissures dans les murs étaient toujours là. Rien n'avait changé… Incroyable comme le monde autour se fichait d'elle. Elle s'accrocha à la rampe pour atteindre le premier palier. Elle eut un pincement au cœur quand elle dépassa l'endroit où elle discutait avec Madame Léa. « Continuer. Continuer. » Aucun bruit ne venait de l'appartement de Jean-Joseph. Était-il parti ? Elle montait les marches lentement. Elle était essoufflée. Un étage encore. Elle avait l'impression de gravir une montagne. Chaque fois qu'elle prenait conscience que sa mère ne serait pas dans sa chambre quand elle entrerait dans l'appartement, elle avait envie de vomir.

Elle arriva au quatrième étage. La porte n'était pas verrouillée. Elle entra.

– Y a quelqu'un ?

Personne ne répondit.

Elle avança dans le séjour. Monsieur Marcel était en slip, assis sur le sol.

– C'est moi, murmura-t-elle.

Monsieur Marcel tressaillit.

– Qu'est-ce qué ti fais là ?

Il était tétanisé. On aurait dit qu'il venait de voir un fantôme.

– Je suis là, c'est tout.

Alice s'assit à ses côtés et lui prit la main. Il sentait mauvais. Ses cheveux, ses ongles étaient trop longs. Elle se tut. Devant elle, des vêtements étaient entassés sans soin, des dizaines d'aiguilles traînaient sur le sol, des cols de chemise, des boutons étaient éparpillés çà et là. Soudain, Monsieur Marcel retira sa main.

– Elle t'a laissé quelqué chose.

Alice sentit son cœur faire des bonds dans sa poitrine.

– Pour moi ?

– C'était très importont pour elle.

Il s'interrompit un moment. Ça avait l'air dur de parler. Puis il murmura :

– Elle savay que ti reviendrais.

De sa main, il indiqua la cheminée. Alice se leva pour s'en approcher. Ses jambes tremblaient. Et si elle était déçue ? S'il ne s'agissait que de babioles ou de vieux objets ? Ce serait le dernier signe de sa mère. Après, elle devrait se contenter de ses souvenirs.

– Vas-y, sir l'itagère.

C'était une enveloppe. Elle était épaisse et assez lourde. Alice souffla. Elle l'examina un long moment. Elle avait très envie de l'ouvrir, mais ne se sentait pas prête. Elle regardait les murs du salon, retournait l'enveloppe dans ses mains. Au dos, il y avait écrit : « Pour Alice ». Du bout des doigts, elle caressa les deux mots inscrits par sa mère. C'était la première fois qu'elle recevait un courrier. Pour Alice. C'était presque assez. C'était pour elle seule. Alice existait, elle suffisait. Cette enveloppe, c'était la preuve qu'elle avait compté. Rassurée, elle la déchira d'un coup, comme on arrache un pansement pour avoir moins mal.

À l'intérieur, il y avait une lettre de sa mère. Et un cahier.

– Mais… quand est-ce qu'elle a écrit ça ?

– Elle voulay qué ti saches.

Alice se figea. Avait-elle vraiment envie de savoir ?

Elle décida de lire à voix haute. Elle se sentirait moins seule si Monsieur Marcel partageait ce moment. Sa bouche était pâteuse, sa langue engourdie.

L'écriture était fébrile. Diane avait dû faire un effort considérable en la rédigeant. Alice leva les yeux vers le ciel et se lança.

Alice,

La sensiblerie, ça n'a jamais été mon fort, mais tu es ce que j'ai fait de mieux.

Je ne serai pas à tes côtés dans la vie. Du début à la fin, je n'aurai pas été une bonne mère, et j'en suis désolée.

La seule chose que je puisse faire pour toi, c'est t'offrir la vérité. Après tout, que possédons-nous d'autre qui vaille la peine ? Tu seras peut-être grande quand tu trouveras cette lettre. Peut-être ne la trouveras-tu même jamais. Tant mieux, c'est que tu auras été heureuse et que tu n'auras pas éprouvé le besoin de revenir.

Ce qui va suivre, je ne l'écris pas pour te faire mal, je crois simplement que dans la vie, pour savoir où l'on va, on doit savoir d'où l'on vient. Dans l'enveloppe, il y a un cahier. Je l'ai commencé avant de venir te chercher à Salies. J'avais besoin d'avoir les idées claires. Écrire, c'était plus facile que parler. J'ai souvent voulu te le donner, mais je n'y arrivais pas. Je redoutais tes questions. J'avais peur que tu ne me croies pas ou que tu m'en veuilles. À présent, je me dis que tu n'as qu'une mère, et tu as le droit de savoir qui je suis.

Surtout ne sois pas triste. Essaie en tout cas.

Diane

Alice n'en revenait pas. Jamais sa mère ne s'était adressée à elle ainsi. S'était-elle jamais vraiment adressée à elle d'ailleurs ? Le cahier était bleu et à peine plus grand que sa main. À l'intérieur, l'écriture était plus appuyée, plus ronde que sur la lettre. Diane n'était pas encore malade à ce moment-là.

Nyon, juillet 1946

Alice. Qui es-tu ? Et moi ? Je ne sais pas vraiment qui je suis non plus. Je crois que je m'écris autant qu'à toi.

J'espère qu'on rattrapera le temps perdu.

Je vais tout dire ici, et c'en sera fini du passé. Alice… Il me tarde de te retrouver.

Par quoi commencer ?

J'ai grandi en Normandie, à Blonville, près de Deauville. Près de la mer. Je n'ai pas eu de frères ou de sœurs. Je n'ai pas connu ma mère. Elle est morte en couches.

Mon père consacrait sa vie à son haras, et pendant longtemps, je n'ai jamais rien envisagé d'autre que de m'en occuper aussi. Nous travaillions seize heures par jour. Mais j'aimais ça. Je n'étais pas comme les autres filles. Mes chevaux occupaient tout mon temps et toutes mes pensées.

Chaque fois que l'occasion m'était donnée, je montais Flèche, une jument née sous mes yeux, que mon père m'avait offerte. Elle était d'une élégance rare, blanche, au museau moucheté de petites taches grises, et si rapide. Elle était ma liberté, et je n'étais jamais aussi bien que lorsque je la montais.

Quand j'ai eu quatorze ans, mon père m'a autorisée à organiser des balades sur la plage, pour sortir les bêtes que les maîtres délaissaient, entraîner les nôtres et gagner un peu d'argent. Deux fois par jour, j'allais de Bénerville à Trouville en longeant la mer.

C'est comme ça que j'ai rencontré Paul d'Arny. C'était en 1935. J'avais dix-sept ans. Sa famille possédait une maison de vacances à Villers-sur-Mer. Paul aimait les chevaux, il me confia le sien, et nous sommes devenus amis. Je sentais bien qu'il cherchait à se rapprocher de moi. Je l'aimais bien, mais je ne souhaitais rien de plus. À cette époque, il semblait fragile, toujours un peu nerveux. Même s'il avait un certain charme, il ne m'attirait pas comme je pensais qu'un homme devait m'attirer. Alors, pour ne pas risquer de le perdre, je faisais semblant de ne rien comprendre et m'arrangeais de sa timidité. Notre amitié était ce qui comptait le plus pour moi.

Par la suite, j'ai découvert que de toute manière, ce que j'étais ne pouvait pas convenir à son ambition, et que, par ma faute, il avait longtemps été tiraillé entre son désir et ses rêves d'avenir. Paul était un ambitieux complexé par son père et son demi-frère. Se lier à une fille de la campagne ne lui aurait pas permis d'atteindre le statut qu'il envisageait – ou qu'Henri d'Arny espérait pour lui. Mais à ce moment-là, j'étais loin d'imaginer ce qui arriverait. Je ne connaissais ni sa famille ni ses projets.

En été nous nous baignions dans la mer, nous cueillions des mûres dans les hauteurs de la campagne. Nous allions parfois au cinéma. Paul était mon confident, mon meilleur ami. Ce quotidien me rendait heureuse. Mais en janvier 1936, mon existence a brusquement changé.

J'ai fait la connaissance d'un homme.

Tu verras, les grands bouleversements de la vie ne tiennent souvent qu'à cela, même pour les femmes comme moi… Je faisais des courses sur la place du marché, et soudain, il se trouva face à moi. Un jeune homme, grand, très brun, avec d'épais sourcils, et des lèvres charnues. Il se dégageait de lui une force impressionnante qui contrastait avec la douceur de son regard. Cet instant-là marqua la fin de ma vie d'avant.

Il tenait un appareil photo. Il m'avait souri trop longtemps pour que ce soit normal, et m'avait demandé s'il pouvait me photographier : « Après tout ce que j'ai vu ces dernières années, et ce qui m'attend, je vais avoir besoin d'une image réconfortante pour m'accompagner. Le monde ne va pas vers le beau, mademoiselle, mais vous êtes si jolie. » J'étais gênée. Je me demandais ce que les gens allaient penser. Mais personne ne prêtait attention à nous. Je lui répondis que je m'occupais de chevaux, que s'il voulait, il pourrait me prendre en photo avec eux. Il s'est contenté de me sourire. Puis il s'est approché et m'a tendu la main, comme à un garçon : « Je m'appelle Vadim. »

Alice se figea. « Vago, Vago... » Alors ils s'étaient bien aimés, sa mère et lui, elle ne s'était pas trompée. Les questions revinrent en masse. Mais elle en était sûre, les clefs se trouvaient dans ces quelques pages. Elle devait connaître la suite, elle réfléchirait plus tard.

Sa poigne ferme dégageait une chaleur diffuse qui me surprit et me réconforta. J'ai serré sa main plus longtemps que d'ordinaire. Nous nous sommes souri. Le futur s'annonçait soudain radieux. Si j'avais su... La vie n'est pas décevante tu sais, c'est l'écart entre ce que nous projetons et la réalité qui est intolérable.

Très vite, je voulus passer mon temps avec Vadim. Il faut que tu saches qui il était, pourquoi après l'avoir connu je n'ai jamais pu accorder de place à un autre homme. Vadim était exceptionnel. Il était aussi ma différence, le début de ma quête, le commencement de tous mes combats. Il était journaliste-photographe, il voulait devenir grand reporter de guerre. À vingt ans à peine, il avait déjà couvert de nombreux événements marquants de cette époque folle. En 1933, à peine âgé de dix-sept ans, il était parti seul en Allemagne, sous un faux nom, Vago, un pseudonyme qu'il a gardé par la suite. Nous entendions des rumeurs sur la montée d'un certain Hitler, l'espoir qu'il suscitait chez beaucoup d'Allemands. Nous savions qu'Hitler était soutenu tant par le peuple que par certaines élites, qu'il usait de force et d'intimidation pour accéder au pouvoir. Nous savions, nous pensions savoir, Vadim voulait témoigner. Il partit avec son appareil photo pour seul compagnon, et vit l'incendie du Reichstag, immortalisa le drame.

Il captura ces hommes vêtus de noir, qui s'attaquaient à des passants, bousculaient des vieilles femmes. Une chemise noire le surprit, et lui confisqua son appareil. Il l'enferma dans une fourgonnette avec d'autres « non-fréquentables » : des homosexuels, des juifs et des communistes. Tous furent parqués dans un hangar. Certains furent torturés, deux moururent dans d'horribles souffrances, dévorés vivants par des chiens. Quand après ça Vadim réussit à rentrer en France, il se jura de faire tout son possible pour lutter contre le fascisme. Pour lui, la photo, c'était la seule arme valable, du moins la seule à sa portée. Il pensait que quand on savait, on agissait. Et il voulait réveiller le monde. Il m'avait dit : « Toutes ces scènes d'horreur à vous glacer le sang, et je n'ai même pas pu ramener la moindre image ! » C'était ça qui l'ennuyait le plus. Plus que d'avoir été frappé, d'avoir assisté à des meurtres barbares. Je compris que rien ni personne ne pourrait jamais le détourner de son obsession, et cela ne me gêna pas.

En 34, sa carrière commença réellement, je ne le connaissais pas encore et ignorais la plupart des événements qui balisaient son quotidien. L'actualité aurait dû m'intéresser, mais que veux-tu, comme beaucoup à ce moment-là, je ne regardais que moi. Il vendit ses premières photographies au magazine Vu, *une référence de l'époque, où Lucien Vogel, le rédacteur en chef, avait salué la qualité de son travail, son humanité, et son ironie aussi. Il les avait prises lors des émeutes du 6 février à Paris. Les fascistes avaient annoncé une manifestation colossale devant le Palais Bourbon. L'Action française et les Jeunesses patriotes voulaient montrer leur opposition à la gauche en général et à l'investiture du gouvernement Daladier en particulier. Trente mille personnes place de la Concorde ! Une triste première, dont l'objectif était d'atteindre la Chambre des députés.*

En réalité, plusieurs manifestations eurent lieu en même temps. L'objectif ne fut pas atteint, et les manifestants se dispersèrent, jusqu'à ce que l'émeute se transforme en combat de rue, du côté du pont de Solférino. Vadim s'y trouvait. Il avait suivi ces hommes qui incarnaient l'éveil de la France fasciste, ses jeunesses, et ses adeptes de toujours, soudainement décomplexés. Son premier cliché sélectionné par Vogel montrait une jeune femme recevant une pierre sur le front, une des nombreuses personnes mortellement blessées ce jour-là. Elle était stupéfaite. Autour d'elle, l'action continuait, comme si elle n'était pas là. L'autre photo fut prise dans un des cafés de la rive Gauche transformé en infirmerie. Un véritable chaos, au milieu des comptoirs et des bières. Cette photo-là était si triste et drôle à la fois.

Pour les prendre, Vadim avait évité un coup de barre métallique. Chaque fois qu'il me racontait la scène, je buvais ses paroles. Il me décrivait la tension au moment de l'action, sa concentration à l'extrême : observer l'ensemble du tableau pour comprendre et, en même temps, se focaliser sur les détails, ses crampes au poignet le soir, ses douleurs à la mâchoire à force d'avoir trop serré les dents.

Ce reportage le fit connaître dans tout le pays. Le magazine Regards, *et la revue* Europe *lui commandèrent des sujets. L'agence Alliance-Photo, l'une des plus prestigieuses du moment, l'embaucha. Pour lui, c'était incroyable, bien qu'il n'ait jamais vraiment douté de son succès, à en croire son assurance. Il était enfin pris au sérieux.*

Alice s'arrêta un instant. Elle repensa au magazine qu'elle avait trouvé dans l'armoire de sa mère. Diane collectionnait les reportages de Vadim, c'était ça son mystère. Ça voulait dire qu'elle l'aimait encore. Elle soupira avant de se replonger dans le cahier bleu.

J'étais amoureuse. J'éprouvais la certitude d'être liée à lui pour toujours. Son discours résonnait en moi. Pour la première fois, le monde extérieur se frayait un chemin dans mon quotidien, et mes chevaux ne me suffisaient plus. Il fallait que j'agisse, je voulais qu'il m'apprenne. Je voulais me battre aussi contre le fascisme. Ce monde où démocratie et égalité n'étaient pas souveraines ne devait jamais gagner.

Vadim n'était pas souvent là, mais chaque fois qu'il revenait à Blonville, je savais que c'était pour moi. Nous préparions des paniers de provisions et nous sortions nous installer sur les dunes, face à la mer. Nous parlions d'histoire, il m'expliquait la politique, sa vision du moins.

Il m'est arrivé plusieurs fois de l'accompagner à Paris. Nous y étions lors de l'élection du Front populaire. Je commençais à comprendre les enjeux, et mon cœur était gonflé d'espoir. Nous nous étions serrés dans les bras l'un de l'autre, en criant : « Le pain, la paix, la liberté », comme les milliers de gens qui partageaient notre joie. Ses paroles enterrèrent pourtant mon enthousiasme. Selon lui, il ne fallait pas confondre l'accès au pouvoir et son exercice, et tout restait à faire pour éviter à la France de plonger. Ce pessimisme me sembla malvenu. Je voulais savourer les victoires. « Je suis réaliste, et être réaliste, c'est prendre le parti de la désillusion », me lâcha-t-il en guise de conclusion. Si être témoin de la concrétisation de tant de mois d'implication politique suscitait chez lui une réaction si négative, que pouvais-je espérer nous concernant ? Mais il me sourit et j'oubliai tout. Cependant, il ne s'était pas trompé : un mois plus tard, de grandes grèves embrasèrent la France, et le monde ouvrier obtint le respect et la reconnaissance au prix de journées de lutte acharnée qui paralysèrent le pays.

Je découvrais, émerveillée, son quotidien. Il me présentait ses amis. Nous nous retrouvions dans des cafés du boulevard Saint-Michel. Nous y croisions d'autres photographes comme André Friedmann et sa compagne Gerda, des Polonais que rien ne semblait effrayer. Lui fait une grande carrière depuis sous le nom de Robert Capa, elle est morte. L'action et la réalisation de soi ne riment pas bien avec l'amour, je crois.

Alice songea aux photos d'Espagne avec André et Gerda. C'était donc ça.

Les vieux troquets servaient de tribunes, où peintres, écrivains, réfugiés politiques, photographes se retrouvaient, débattaient de façon enflammée, parfois même spectaculaire. Picasso, Man Ray, Lee Miller, la magnifique Américaine, Matisse et son épouse, Buñuel, Hemingway… Tant de personnes dont j'ai croisé la route grâce à Vadim. À cette époque, j'étais dans la même mouvance qu'eux, je partageais le même espoir. Moi, petite Normande sans histoire, je côtoyais les plus grands ! Je ne connaissais pas suffisamment de choses pour intervenir ni contredire mais j'absorbais, je m'imprégnais d'eux. Tous préparaient leurs futurs reportages, analysaient les événements, buvaient, mangeaient. C'était une période intense, charnelle. Vadim me faisait me sentir vivante. Il était un révélateur et une révélation.

Il ne parlait pas de sa famille. Il avait uniquement mentionné le fait que sa mère était journaliste, chose exceptionnelle pour son époque, et qu'elle l'avait poussé depuis l'enfance à affirmer sa vision du monde. Il disait qu'elle était sans attaches, pas même attachée à lui. De mon côté, je prenais de la distance avec mon père, pour qui rien, parmi tout ce que comprenait l'actualité politique, ne comptait. À ses yeux, seuls les anciens combattants étaient dignes de confiance, quand bien même ils soutenaient des idées intolérantes.

En octobre, Vadim partit pour Londres, couvrir une manifestation fasciste qu'on appela la bataille de Cable Street. Évidemment, elle dégénéra. Les militants anglais soutenant la politique de cet « admirable Hitler », de plus en plus populaire en Allemagne, décidèrent d'organiser une manifestation dans l'East End, un quartier à forte population juive de la banlieue. Un rendez-vous que les antifascistes, communistes, anarchistes, nationalistes irlandais de gauche et juifs bien sûr ne pouvaient manquer. Des milliers de chemises noires armées affrontèrent plus de cent mille manifestants. Une véritable guerre civile. Cette fois encore, le fascisme fut repoussé. Vadim aussi, projeté contre une barricade. Il fut immobilisé à l'hôpital trois semaines, le temps nécessairc pour que son épaule déboîtée se remette. Et à son grand désarroi, il n'eut aucune photo à vendre.

Cela nous aurait été plus profitable sûrement, car ce fut à ce moment-là qu'il m'annonça notre première séparation politique, comme je les appelais. Il décida de rejoindre André, Gerda et les autres en Espagne, dans les Brigades internationales. Il avait appris leur présence dans le bataillon Thälmann, composé de juifs, communistes, Polonais et Allemands, et il voulait en être. Il refusa que je l'accompagne. Pour lui, seules mes lettres pourraient lui donner le courage de rester et de rapporter la photo exceptionnelle qu'il rêvait de prendre… Nous étions loin d'imaginer le désastre des années qui suivirent.

Il partit six longs mois, pendant lesquels je lus beaucoup, m'intéressai de près à la politique d'hier et d'alors. Je m'inscrivis à des comités de gauche, me rendis plusieurs fois par semaine à des réunions. Une fois, je pris la parole pour remplacer à la dernière minute Alain, le leader de notre groupe, qui je crois m'aimait bien. Innocemment, et parce que je ne voyais pas quoi dire d'autre, je parlai du rôle des femmes, qu'il fallait cesser de négliger. Selon moi, nous avions une importance capitale, tant dans le soutien que dans l'action. Je ne me rendais pas compte que j'entamais un combat que je ne pouvais mener seule. Certaines personnes m'accordèrent leur soutien, d'autres, des hommes surtout, m'écoutèrent, un sourire au coin des lèvres, attendant sans doute que mon spectacle de potiche agitée comme j'ai pu l'entendre prenne fin…

Pendant toute cette période, je retrouvais mon ami Paul. À aucun moment je ne me doutais que Vadim était son frère. Enfin demi-frère. La mère de Vadim avait épousé Henri d'Arny, dont elle avait divorcé quelques années plus tard pour partir dans le Pacifique. Vadim était doué, dégourdi, quand Paul jouissait des moyens d'Henri sans se poser de questions. La proximité de ce frère parfait ne l'aidait pas à créer des liens. Mais à ce moment-là, j'ignorais tout cela. Je n'avais jamais parlé à Paul de Vadim parce que je voulais garder ce trop-plein d'amour pour moi seule, de peur que la moindre fuite ne détruise l'ensemble.

Vadim et moi nous écrivions chaque jour. L'absence renforçait nos sentiments. Il me décrivait sa vie là-bas. Barcelone avait perdu sa splendeur au profit de la révolution. Le syndicat anarchiste avait monté son QG provisoire Via Laietana. Églises converties en garages ou hangars à matériel de guerre, presbytères transformés en bureaux de syndicat, grandes banques et hôtels occupés par les travailleurs. Le POUM avait même installé sa base à l'hôtel Falcon, près de la Plaça de

Catalunya, et le Ritz était devenu une cantine populaire ! À Madrid, la vie se frayait difficilement un chemin dans les rues, les Espagnols s'allongeaient dans les bus pour échapper aux balles en cas de tirs. Les fenêtres soutenaient des draps sur lesquels il était écrit : No pasarán ! *Vadim m'envoyait des photos de ces gens aux regards profonds, prêts à mener le combat jusqu'au bout. Il avait été très impressionné par les femmes espagnoles, si brunes, si sauvages, un journal dans une main, un Mauser dans l'autre.*

Puis il comprit que l'action ne se passerait pas dans les grandes villes, et il partit rejoindre les républicains dans les provinces. Il m'avait écrit : « Imagine-toi que les Madrilènes font quand même la queue des heures pour aller au cinéma voir Fred Astaire et Ginger Rogers danser. » Et je me disais : « Moi aussi, je préférerais mourir avec de belles images en tête. »

Sur le front, les armes, fournies pour la plupart par les Russes, peinaient à arriver. Les combattants venaient de partout, d'Angleterre, de Russie, d'Italie, de France. Tous ceux qui craignaient que l'ombre noire du fascisme ne s'abatte sur leur pays voyaient en Espagne un symbole. Mais les hommes restent des hommes, et les affrontements entre républicains commencèrent à anéantir le moral des troupes. Les dirigeants russes ne supportaient pas d'être venus jusque-là pour recevoir des ordres d'idéalistes anglais. Règlements de comptes, bagarres, épuisement… Les batailles perdues malmenaient les volontaires dans la fournaise de l'été ibérique, et les nerfs à vif, ils perdaient de vue la raison de leur présence.

Vadim se retrouva au premier plan d'une bataille. Il se fondit dans le paysage pour photographier ceux qu'il considérait comme les siens, jusqu'à ce qu'il se rende compte qu'ils formaient un appât. On les avait envoyés en éclaireurs pour que les brigades derrière eux puissent contourner la zone d'affrontement et prendre l'ennemi par surprise.

Vadim vit mourir des dizaines d'hommes en quelques heures. Il ramassa une mitraillette que l'un de ses anciens camarades à terre tenait encore sur son cœur. Il parvint à trouver un abri, vit passer des combattants ennemis qui ne le remarquèrent pas. Il resta caché deux jours, paralysé par la peur, choqué par la trahison. Il vécut cette défaite comme une désillusion humaine. Même parmi les hommes censés être bons, il y avait des traîtres, et des manipulations pour la gloire personnelle.

Après ça il revint quelques jours. Il n'était plus le même. On aurait dit un fantôme. Il m'accompagna à un comité, écouta les préoccupations des organisateurs quant aux nouveaux réseaux français d'extrême droite et ne quitta pas ses chaussures du regard pendant tout le discours. À la fin, il se contenta de me dire : « Le monde ne s'en sortira pas. Nous ne nous en sortirons pas. »

Moi, j'étais encore pleine d'espoir, convaincue de

pouvoir agir, qu'il n'était pas trop tard, et qu'une nouvelle guerre pourrait être évitée. J'affichais mes positions socialistes et essuyais déjà certaines réactions de rejet dans ma région natale, à commencer par celle de mon père. Vadim me donnait raison sur le fond, mais pour lui, j'étais seule et donc vulnérable. Tant qu'il ne serait pas à mes côtés à chaque instant, il préférait que je revendique moins mes opinions. « Les hommes sont violents, Diane, et je n'ai pas envie de lire sur ta tombe : "Elle avait raison". » Je trouvais profondément injuste qu'il aille au front, et que moi, sous prétexte que j'étais une femme, je ne puisse pas dire ce que je pensais.

Quand il repartit en Espagne, je fus si désemparée que je décidai de m'engager davantage. J'allais de plus en plus souvent à Paris, je revoyais les amis que Vadim m'avait présentés et multipliais les réunions politiques.

Nous avions eu plusieurs preuves que l'extrémisme de droite s'était organisé. Leur action devenait dangereuse. Nous devions faire quelque chose et il y avait un rôle pour moi. Une première mission, à l'origine de beaucoup d'autres. Je devais m'infiltrer en me rapprochant d'un membre actif des Croix-de-Feu, Jean-Michel Crin. Son statut dans l'organisation était secondaire. Il n'était pas assez important pour se méfier, mais suffisamment pour avoir des informations utiles. Bien que l'envie de me confier me démange, je ne dis rien à Vadim. Nous nous écrivions toujours autant, continuions de rêver à un avenir commun où nous pourrions enfin vivre en paix. Mais en attendant, il se dirigeait vers le front d'Aragon, où la bataille de Belchite fit rage quelques semaines plus tard. Il avait peur, mais il pensait sincèrement que la roue allait tourner en leur faveur, et qu'ils gagneraient ce combat.

De mon côté, j'accostai Jean-Michel dans un bar, et je dus attendre notre sixième rendez-vous pour qu'il me confie plus de détails sur les réunions « spéciales » auxquelles il se rendait. Écouter son insupportable haine des juifs, des communistes, de cette France, selon lui, tombée en désuétude, pathétique même, depuis que la Russie, de près ou de loin, était au pouvoir, paya enfin. Je rapportais systématiquement ses révélations à mes supérieurs. Je ne savais pas où ces informations allaient ensuite ni ce qui arriverait à cet homme, trop idiot pour évaluer la dangerosité de ses idées. J'obéissais, et quand j'avais terminé, je rentrais m'occuper des chevaux. Paul me trouvait distante, et je crois que c'est ce qui déclencha son envie de me conquérir.

Il m'invitait le soir, ou restait de plus en plus tard chez moi, cherchait à percer ce qu'il appelait mon mystère. Je souriais et faisais dévier la conversation comme je le pouvais. Je l'aimais beaucoup et sa présence me réconfortait, mais je ne lui donnais aucun espoir quant à un nous possible. Bien qu'en près de deux ans nous n'ayons pas passé plus de quelques semaines consécu-

tives ensemble, j'aimais Vadim. Rien ne pouvait nous atteindre jamais vraiment. J'y croyais. Nous serions nous, jusqu'à la fin du monde.

En Espagne, les républicains furent écrasés à Belchite début septembre 1937. En France, la Cagoule réussit en partie un attentat à la bombe le 11 du même mois contre la Confédération générale du patronat français. On ne compta que deux morts, mais ce fut la preuve ultime des capacités de leur organisation. J'avais échoué, au même titre que tous les autres qui partageaient mon action. J'étais triste, en colère, et je doutais de tout.

C'est à ce moment-là que Vadim se présenta à ma porte. Il était sale, amaigri, son visage était noir de crasse, sa barbe avait poussé. Il avait réussi à passer à pied la frontière avec l'aide de paysans, puis s'était caché dans des trains pour éviter de devoir payer ses trajets. Une course folle dont j'étais la destination. J'étais si heureuse. Nous passâmes deux jours collés l'un à l'autre. Il était là, en vie, avec moi, c'était tout ce qui comptait.

Quand enfin nous sortîmes de la maison pour aller en ville, tout bascula.

Paul nous aperçut et il se décomposa. J'attribuai son choc au fait de me voir aux côtés d'un homme. Je ne pouvais pas savoir. Les insultes et les cris fusèrent. Était-il possible que ces deux-là se connaissent ? Je ne comprenais plus. Paul frappa Vadim au visage, qui lui rendit un coup de pied. Des passants les séparèrent, Vadim et moi partîmes d'un côté, Paul disparut dans la foule. À la maison, Vadim me raconta ce frère, leur histoire conflictuelle. Il voulut tout savoir de ma relation avec Paul. Il comprenait sa rage, sans pour autant l'excuser. J'étais le trophée de trop.

Plus tard, je suis allée voir Paul, pensant arranger les choses. Son discours fut décousu, un mélange d'amour et de dégoût. Il m'ordonna de partir, et devant mon insistance pour continuer cette conversation, il me bouscula. Je tombai sur le sol. Je venais de perdre mon ami, et Vadim s'en voulait de m'aimer.

Après ça, nous restâmes deux semaines isolés. Deux semaines en demi-teinte. Puis Alliance-Photo téléphona. Début juillet, l'armée impériale japonaise avait créé un incident diplomatique grave au nord de la Chine et après des affrontements, les Japonais avaient fini par s'emparer de Pékin début août. Les combats avaient contaminé Shanghai, et on ne tarda pas à parler d'une seconde guerre sino-japonaise. Nouvelle échappatoire pour Vadim. Il allait partir encore trop loin, trop longtemps, et je ne pouvais rien dire. La photo restait sa priorité, et même si j'étais importante pour lui, je n'étais pas une perspective de reportage unique, ni un monde à sauver, et surtout, je pouvais l'attendre.

Je compris très peu de temps après son départ que j'étais enceinte. J'étais partagée entre la joie et l'inquiétude. Je ne savais pas s'il allait rentrer à temps, si je devais lui dire. Je n'apportai aucun changement à mon quotidien. L'avenir semblait trop complexe, je me contentais du moment présent. Mes réunions politiques m'occupaient et je ne remarquais pas les attitudes de certains voisins ni les inconnus rôdant autour de ma maison, j'étais ailleurs. Les pires ennemis, ma fille, sont souvent ceux qu'on ne veut pas voir. Un jour, mon père fit un malaise, je devais le conduire de toute urgence à l'hôpital, mais je n'arrivais pas à le porter. Dans l'affolement, je me tournai vers l'unique personne sur qui je pouvais compter : Paul. Il vint à mon secours. Le cœur de papa était de plus en plus faible. Les médecins lui recommandèrent un repos absolu. Il avait fait une petite attaque, et sans ménagement, il ne tarderait pas à en faire une autre, plus sérieuse. Lui annoncer que sa fille unique allait avoir un enfant seule me paraissait impossible.

Mon état et tous ces bouleversements me fatiguaient. Le soir, je couchais mon père, et je laissais Paul me consoler. Chaque jour, il venait prendre des nouvelles, et nous passions un moment tous les deux. Je pleurais des heures. Il me caressait les cheveux sans poser de questions. Je retrouvais enfin mon ami, et je lui étais sincèrement reconnaissante de son soutien.

Je commençais à penser que la situation pouvait s'arranger, quand je reçus la première et dernière lettre de Vadim en provenance de Chine. Son discours était confus. Ce qu'il avait vu là-bas l'avait, pour toujours, écarté des hommes, disait-il. Il ne comprenait plus le sens de l'existence. Il m'annonça qu'il ne reviendrait pas, que je devais continuer sans lui. Il m'avait aimée, mais je ne suffisais plus.

J'étais enceinte d'un homme qui ne reviendrait pas.

Je ne suffisais pas.

Je me suis effondrée, ce fut la dernière fois. Par la suite, rien ni personne ne réussit à me faire flancher. Pour autant ce jour-là, le choc fut rude, et j'avais besoin d'une brindille à laquelle me raccrocher. J'étais si triste de la tournure que prenait ma vie, si désolée pour toi à qui je n'avais rien à offrir. Tu méritais un père.

La solution devint évidente. Paul était prêt à m'aimer. Je finis par céder à ses avances. Une seule et unique fois, car je me rendis aussitôt compte que cette histoire était vouée à l'échec. Après cette nuit-là, je l'évitai. Encore un mauvais choix. Au bout d'un mois, son insistance pour me revoir était telle que je lui avouai que j'étais enceinte. Sans me laisser finir mon explication, Paul crut que c'était de lui et me dit de ne pas m'inquiéter en me prenant dans ses bras, que nous allions former une famille. Je ne savais pas quoi faire. J'avais tellement envie d'y croire. Je n'avais pas la force de dire la vérité, mais la lâcheté se paie toujours.

Quelques jours plus tard, Henri d'Arny débarqua au haras. Il m'annonça qu'ils allaient partir vivre en Amérique pour y faire fructifier leur affaire. Ma situation, comme il disait, les dérangeait beaucoup. Il ne cessait de répéter : « Que diraient les gens ? » Je n'étais pas sûre de comprendre et lui demandai d'être plus clair. Il le fut. Il ne voulait pas de cet enfant. Personne ne devait savoir pour Paul et moi. Il me proposa une grosse somme d'argent en échange de mon silence. Je devais faire un choix : avoir de quoi t'élever pendant quelques années en perdant ma réputation, ou me heurter à la famille d'Arny... J'acceptai son offre. De toute façon, je détestais mentir à Paul. Et puisque personne ne voulait de nous, je décidai de t'aimer pour deux.

Je pensais ne jamais utiliser l'argent. J'espérais que Vadim changerait d'avis, que tout s'arrangerait puisque ça ne pouvait pas être pire. J'avais tort.

Était-ce un signe ? Flèche aussi portait un poulain. Je me disais qu'entre mères en devenir, nous devions veiller l'une sur l'autre, et je la sentais particulièrement attentive chaque jour, quand je la montais. Elle me donna la force d'affronter le regard de mon père quand je dus lui annoncer ma grossesse, avant que mon corps ne me trahisse. Il ne me fit aucune remarque, mais prit ses distances.

Dans mon sixième mois, sa maladie s'aggrava brusquement, et cette fois-ci, personne ne put rien pour lui. Il mourut le 23 mars 1938. Je fus d'autant plus triste que je n'avais pas réussi à trouver le terrain d'entente qui nous aurait permis de nous quitter en paix. Au même moment, je commençai à être la cible d'attaques. Je n'en ai jamais eu la preuve, mais j'ai toujours pensé que Jean-Michel Crin y était pour quelque chose. Je reçus des lettres anonymes. Puis, régulièrement, des objets furent lancés sur la façade de ma maison.

Aux réunions, mes camarades me conseillèrent de me méfier. Alain me proposa même de m'installer chez lui. Je refusai, j'espérais que Vadim reviendrait. À partir du huitième mois, j'arrêtai de monter Flèche, mais chaque jour, nous nous promenions. Quelqu'un dut nous voir… Je n'oublierai jamais ce matin où je fus anéantie en ouvrant son box. On lui avait tranché la tête, et écrit des insultes sur le mur avec son sang. C'était d'une violence inouïe. Je vomis, et courus me réfugier chez Alain. Je compris que nous n'échapperions pas à une guerre. Notre pays, l'Europe, le monde étaient trop divisés. Une fièvre violente s'empara de moi. Je devais te protéger, et je partis quelque temps à Paris.

Tu es née le 14 juin 1938. Il faisait beau, chaud, et tu étais un magnifique bébé. Malgré ma joie intense, j'avais peur pour toi. Je ne savais pas où aller. Je suis retournée au haras, et évidemment, les menaces recommencèrent. La seule solution qui me sembla appropriée fut de te conduire chez Jeanne, une nourrice que l'on me recommanda, et je mis l'argent d'Henri à profit.

Au début, j'allais te voir régulièrement. Et puis la guerre éclata, et peu à peu, je m'investis dans ce qui devint la Résistance. Je perçus très tôt le danger, quand d'autres riaient du calme apparent du conflit au point de l'appeler la drôle de guerre, moi, je ne voyais rien de drôle.

La propagande antijuive s'intensifia. Je ne connaissais pas de juifs, à part Vadim, et je fus choquée par cet entrain français à copier l'inhumanité et l'intolérance des Allemands. Vadim m'avait raconté de quoi ils avaient été capables près de dix ans auparavant. Quelques mois plus tard, Pétain mit en place le régime de Vichy, et l'insulte suprême à la démocratie française commença. J'avais beau m'être intéressée très tardivement à la politique, ce revirement m'était insupportable. Ce monde ordonné par la loi du plus fort et du plus cruel ne devait pas exister. Il était impensable de te laisser grandir dans cette décadence. Et moi, je ne pouvais pas avoir tout perdu pour rien. Heureusement, je n'étais pas seule à penser ainsi. Nous n'étions pas nombreux à vouloir agir, mais nous l'avons fait quand même.

Nos discussions idéologiques se transformèrent en réunions stratégiques. Alain passa à la tête de notre comité, et très vite, les rendez-vous se multiplièrent. Nous rejoignîmes d'autres groupes plus importants pour former ce que l'on appela le réseau Surcouf, le plus actif de Normandie.

Aller te voir devenait dangereux. Je ne voulais pas te faire prendre le moindre risque, que les gens s'interrogent à mon sujet. Alors j'ai arrêté de te rendre visite. De temps en temps, Jeanne m'écrivait chez un contact que je lui avais donné. Je savais que tu allais bien, c'était le principal.

Nos premiers sabotages commencèrent en 42. Au début, mes tâches se limitaient à des relais. Je rapportais des informations, accueillais des aides venues d'Angleterre, pour la plupart.

Je n'oublierai jamais ces nuits, cachée dans des buissons, surveillant une grange remplie de matériel fraîchement largué par la SOE, une section des services secrets britanniques qui nous aidait. Cette peur, quand nous entendions une voiture au loin, la terreur lors des contrôles d'identité. Au moindre bruit de pas dans mon immeuble, je pensais qu'on venait m'arrêter. Aujourd'hui encore, j'ai l'impression d'être un lapin hagard sur un terrain de chasse. Mais on s'adapte à tout, même à la guerre… Et je pris rapidement mes habitudes.

Un matin de janvier 44, Vadim réapparut. Rasé de frais, incroyablement beau. Il semblait avoir repris des forces, il était même plus robuste qu'avant. Il m'avait retrouvée grâce à un ami. Il était rentré de Chine au bout de deux ans, puis après l'attaque de Pearl Harbor, il était parti en Amérique pour couvrir la face Pacifique du conflit. Seulement, un jour, sans comprendre pourquoi, sa voix s'éteignit. Les médecins appelèrent ça un état de choc. Six mois de silence et trois autres de convalescence pour revenir à l'origine du mal. En Chine, un soldat blessé avait occupé toute l'équipe médicale. Ils avaient réparé son bras en lambeaux, sa jambe, arrêté une hémorragie autour de ses côtes. Vadim avait assisté à toute la scène. Il voulait faire le portrait du gamin. Dix jours plus tard, un miracle, le jeune homme était sur pied et l'équipe médicale applaudit quand il se leva. Quelques heures après, Vadim le retrouva pendu à la sangle de sa mitraillette. Complètement chamboulé, il remit toute sa vie en question. Quand on n'est pas assez fort, les autres ont sur nous un impact parfois radical.

Mais après une longue et douloureuse période de doute, Vadim décréta qu'il avait encore des choses à faire, et se retrouva bientôt en Angleterre, à Baker Street, au QG de la SOE. Il sympathisa avec l'un des nôtres, Jules, envoyé là-bas pour communiquer nos besoins aux Anglais. Jules avait vu dans la main de Vadim la photo de moi prise le jour de notre rencontre. Il m'avait reconnue et après s'être assuré de la fiabilité de son identité lui avait expliqué ce que je faisais, et où j'habitais.

Vadim me demanda pardon. Il m'expliqua à quel point, au moment où il m'avait écrit cette dernière lettre, plus rien n'avait de couleur, de saveur, ni d'importance. Il ne faisait plus de différence entre le jour et la nuit, il n'arrivait plus à se projeter dans l'avenir. Puis le temps avait agi, et il n'avait eu qu'une idée en tête, me retrouver.

« J'ai eu si peur de ne jamais te revoir », répétait-il.

Pour autant, je vécus les trois semaines de cette parenthèse en demi-teinte, encore une fois. Ce qui s'était passé ces dernières années nous avait éloignés, et j'en arrivais souvent à la conclusion qu'il ne me connaissait plus. M'aimerait-il toujours en sachant la vérité ? Il ignorait tout de mon quotidien, et bien sûr de notre enfant. Était-il au courant pour Paul et moi ? Je préférai attendre qu'il aborde le sujet si tel était le cas, et me focaliser sur les bons moments.

Malheureusement, à cette époque, les accalmies ne duraient jamais bien longtemps. Nous savions que le Débarquement était imminent et la séparation inévitable, mais pour peu de temps, pensions-nous. Nous étions certains de nous retrouver quelques mois plus tard, pour tout recommencer. Il était impensable de ne pas apporter notre contribution à cette fin de guerre. Vadim retourna en Angleterre, et je repris contact avec mon QG.

Nous communiquions peu, suivant un code élaboré ensemble. Il ne risquait pas grand-chose, mais de mon côté, personne ne devait savoir que j'entretenais des liens outre-Manche. Des messages brefs donc, juste pour dire que j'étais vivante et que je l'aimais. Il me répondait qu'il rêvait chaque nuit d'une grande maison où nous élèverions ensemble nos futurs enfants.

Je ne lui parlai pas de toi. Je ne sais pas pourquoi mais j'en fus incapable. Était-ce la honte de ne pas t'avoir gardée auprès de moi ? D'avoir utilisé l'argent d'Henri ? Ou la crainte qu'il replonge en l'apprenant ? Je ne voulais pas lui donner de prétexte pour disparaître une nouvelle fois. Le retrouver tenait déjà du miracle, je me disais : « Chaque chose en son temps. Si nous survivons à tout cela, nous irons chercher Alice ensemble, et tout ira bien. »

Les missions s'enchaînèrent à un rythme effréné. La plupart des résistants de notre groupe ayant été tués ou emprisonnés, les femmes avaient plus de responsabilités. Je remportai quelques succès grâce auxquels on me confia une ultime opération : faire sauter un central téléphonique, pour empêcher les communications entre les Allemands postés en Normandie et leurs renforts au moment du Débarquement. Le but était de gagner les deux jours décisifs pour l'avancée de nos troupes. Vadim avait réussi à intégrer une division en tant que photographe et il devait débarquer aux côtés des soldats. Ils n'étaient que deux dans ce cas, André et lui. Nos retrouvailles approchaient. Si quelque chose se passait mal, nous devions nous attendre sous la tour Eiffel, au coucher du soleil, à la fin de la guerre.

Trois filles de chez nous moururent, mais mon opération atteignit tout de même son but : le central prit feu. Les Allemands mirent des jours à réparer les câbles. Les Alliés avaient, eux, je crois, suffisamment avancé pour stabiliser leur offensive. C'est en tout cas ce que j'en déduisis, car je ne vis jamais le

Débarquement. Quelqu'un m'avait dénoncée, et les Allemands m'embarquèrent.

Ils essayèrent de me faire parler. Ils voulaient des noms, des lieux, mais n'obtinrent rien. Mes jambes me soutenaient à peine quand ils m'enfermèrent avec des dizaines d'autres dans un wagon en bois. Personne ne savait où nous allions. Moi qui étais persuadée que le conflit mondial touchait à sa fin, j'étais loin de me douter que c'était ma guerre qui commençait.

Trois jours plus tard, nous arrivâmes à la fin du monde. Je fus emprisonnée dans un endroit appelé Auschwitz. Quand le camp fut libéré, près d'un an plus tard, l'armée américaine nous fit rapatrier par camions, jusqu'au Lutetia. Nous sentions mauvais, nous étions sales, affamés. Il fallut réapprendre à manger, guérir du typhus, supprimer nos parasites. Et quand nous retrouvâmes quelques forces, il fallut s'attaquer au mental. Un combat que je mène encore aujourd'hui. Je ne sais pas comment vivre en sortant de là… Tout est trop absurde. Je crois que je vivrai toujours avec le camp. Que je fasse le choix d'y penser, d'en parler, ou le contraire, tout se situe par rapport à lui.

Et puis, il y a quelques semaines, j'ai été mise en relation par ce qui reste de mon réseau avec Geneviève de Gaulle, qui m'a invitée avec d'autres filles comme moi dans une pension en Suisse pour nous rétablir. Et me voici à Nyon.

L'intention était louable, le résultat moins. La pen-

sion est tenue par des protestantes, qui nous répètent que la liberté se mérite, qu'il nous faut vite retrouver un travail, apprendre la dactylographie, ou l'anglais…

J'étais encore plus découragée qu'en arrivant, pourtant, je ne sais pas ce qui s'est passé, il y a trois jours, j'ai su que j'allais vivre. Tout a commencé par une envie, très simple, mais je n'en avais plus ressenti depuis des mois : un pain au chocolat. Peu de temps après, j'ai rêvé d'une montre pour savoir l'heure exacte. Et en rentrant dans ma chambre, j'ai eu envie d'aller te chercher.

Il faut que tu comprennes que jusque-là, c'était au-dessus de mes forces. Je pourrais te dire que j'ai continué à t'aimer malgré tout, mais la vérité c'est que je ne ressentais plus rien. Je ne savais pas ce qui restait d'avant. J'avais peur que tout ait disparu. Pour y voir plus clair, j'ai décidé de t'écrire. J'ai demandé des feuilles, et on m'a donné ce cahier. Il sera pour toi.

Alice tourna quelques pages blanches, puis le récit reprenait, à l'encre bleue cette fois.

Paris, septembre 1946

Alice, il y a eu tant de choses à faire depuis que je suis rentrée de Nyon, je n'ai pas pu t'écrire.

J'ai essayé de retrouver Vadim. Durant les trois derniers mois, je me suis rendue chaque jour au coucher du soleil sous la tour Eiffel. J'ai attendu des heures, mais il n'est jamais venu. J'ai fait des démarches, j'ai repris contact avec toutes nos connaissances communes de la SOE. Personne n'avait de ses nouvelles, jusqu'à la semaine dernière…

Il est tombé.

Jim Smythe, de la division qu'il accompagnait, l'a vu sombrer dans la Manche pendant le Débarquement. « Cent jours de combat en Normandie, cent quarante mille morts : disparaître fait partie de la règle », m'a-t-il dit. Il m'a recommandé de me concentrer sur l'avenir, comme lui.

Vadim est mort. Ça semble tellement irréel.

J'ai passé plus de temps sans lui qu'à ses côtés, mais j'ai toujours eu l'impression que ce n'était que partie remise. Quelle injustice !

On se raccroche à des ficelles, pauvres marionnettes que nous sommes, mais elles sont entre les mains d'enfants cruels et inconséquents.

J'ai pleuré des jours entiers. Ce monde en guerre a fait de nous ses pions et ne nous a jamais remboursés ce qu'il nous a volé. Ton père était un être exceptionnel, et comme souvent, l'exception ne trouve pas facilement sa place parmi l'ordinaire.

J'espère qu'il est mort sans regrets. J'essaie de me consoler en me disant qu'il exerçait sa passion, persuadé que l'on se retrouverait.

Mais toi tu es là.

L'association qui nous a logés, Marcel et moi, m'a mise en relation avec une assistante sociale, Mme Bajon, qui va venir avec moi te chercher.

Le texte se terminait là, se répétait-elle. Alice se mit à pleurer. « S'il te plaît, maman, encore. » Affolée, elle tourna les pages. Il y avait un dernier commentaire, de nouveau avec l'écriture malade.

La suite, tu la connais. Quand je suis arrivée à Salies et que je t'ai vue... Tu étais si grande. Tu semblais n'avoir peur de rien, besoin de personne. J'étais sous le choc. J'ai compris que jamais je n'effacerais la distance de mon abandon. J'étais responsable de ce que tu allais devenir, tout en sachant que je ne serais jamais pour rien dans l'essentiel de ce que tu es. Je me suis engagée à veiller du mieux possible sur toi et sur Marcel. Vous êtes tout ce que j'ai.

Pardon de t'avoir laissée partir, et surtout de t'avoir menti. J'ai pensé que tu serais mieux avec Paul. Il a les moyens de t'offrir une vie agréable, de t'accompagner quand je ne serai plus là.

Je suis tellement désolée que les choses se soient passées ainsi.

J'aurais dû choisir une autre voie, j'aurais dû abandonner certains combats pour m'occuper de toi. Je n'ai pas pu. Question de survie.

Alice, tout ce que je peux te dire, c'est que mes

chemins n'ont mené qu'à toi finalement. Et chaque jour que Dieu fait, comme disait mon père, tu as été importante.

Diane

Alice reposa le cahier sur le sol. Elle le fixait, paralysée. Monsieur Marcel lui tapota la cuisse, l'air de dire : « Ça ira. » Elle le regarda sans trouver quoi répondre.

Il fallait qu'elle voie Vadim.

Vadim… son… Impossible de prononcer le mot. Elle salua Monsieur Marcel, lui promit qu'elle reviendrait bientôt. Il ne l'écoutait plus. Sans faire de bruit, elle referma la porte derrière elle. Le palier lui semblait différent de tout à l'heure. Plus grand peut-être. Elle descendit quelques marches et dut s'arrêter. Son père n'était pas Paul. Son père n'était pas Paul. La tête lui tournait. On aurait dit que des liens se tissaient dans son esprit, sans qu'elle le décide. Ça s'enclenchait, ça explosait. Sa mère avait cru que Vadim était mort. Comme elle avait dû être malheureuse… Tout ça pour quoi ? Pour des mensonges… On lui avait toujours dit que mentir était mal. Pourquoi les siens n'avaient-ils fait que ça ?

À New York, Vadim et Paul se détestaient, elle comprenait enfin la raison : ils avaient aimé la même femme. Sa mère. Diane avait été le grand amour de Vadim. Et pourtant tout ce temps, il avait cru qu'il n'avait pas compté, que leur amour n'avait été qu'un mensonge et il avait préféré disparaître. Alice repensait à son arrivée à Manhattan, cette agressivité qui se dégageait de son oncle, sans qu'elle puisse l'expliquer. C'était simple, elle était la preuve de la trahison. Quel gâchis. Ça lui coupait le souffle. Elle s'assit sur une marche et regarda le mur. Elle le fixait sans rien attendre.

Elle ne voulait plus penser. Elle voulait rester là. Elle était triste pour hier, craignait demain, et même tout à l'heure. Elle qui croyait que connaître son histoire la soulagerait... C'était pire. À présent, elle était perdue.

Soudain, elle ressentit une urgence : Vadim devait savoir la vérité, savoir qu'il avait toujours été aimé. Savoir qu'elle était sa f... Elle n'arrivait toujours pas à le formuler. Elle bondit sur ses pieds et dévala les escaliers jusqu'au premier étage. Là, elle s'arrêta de nouveau. Elle avait des crampes aux jambes et aux bras. Son corps réclamait une pause. C'était trop à la fois. Elle se remémora Ellen, sa dispute avec Paul à l'appartement. « Tout va bien chez moi », avait-elle répété. Elle avait dû comprendre. C'était le corps de Paul qui ne « fonctionnait » pas. Ellen devait détester Diane pour ses mensonges. Était-ce pour ça qu'elle n'avait pas posté les lettres ? Et Henri... Il maudissait Alice d'être venue une seconde fois gâcher sa vie. Tous ces gens, leurs petites histoires, leur haine et leurs envies de revanche, ça l'épuisait. Quel temps perdu.

Elle entendit une porte claquer plus haut. Elle ne voulait croiser personne. Elle se réfugia dans la cour. Le cabinet de Jean-Joseph était vide. Il avait dû partir en Allemagne avec les Ricains. Elle lui écrirait bientôt.

La pluie crépitait sur la vitre qu'il avait placée dans le soupirail pour les protéger du froid. De grosses gouttes s'y étalaient en un son compact. Elle se sentait ridicule de rester là, mais elle ne parvenait plus à bouger. Elle se revoyait, quelques mois plus tôt à Salies, attendant le retour de sa mère. Ces mois à trimballer sa layette, et son désarroi d'être la dernière enfant cachée un an après la fin de la guerre. Diane n'avait pas pu venir avant, rien à voir avec son envie…

Ses sentiments se mélangeaient. C'était étrange. Elle était à la fois triste et gaie. L'intensité de ses découvertes avait beau lui peser, elle se sentait légère. Elle avait beau réfléchir, ce n'était pas logique. Elle eut un vertige. Elle s'allongea sur le sol. C'était plus fort qu'elle, elle avait besoin d'une parenthèse avant de repartir. En musique, on disait un soupir, elle l'avait lu sur une partition. Un soupir… Le mot lui semblait si juste. Demain, elle dirait au revoir à sa mère. Elle la remercierait pour le cahier bleu. D'où qu'elle soit, elle l'entendrait, Alice en était certaine. Rien de tout cela n'était juste, mais c'était la nature, c'était comme ça, Vadim avait raison.

Au bout d'un moment, la pluie s'arrêta. Combien de temps s'était écoulé ? Elle avait tellement souffert de ne pas être normale. Toutes ces routes, ces bateaux, ces trains en espérant aller quelque part où la vie aurait un sens, toutes ces nuits à chercher pourquoi, à se demander ce qu'elle faisait là, ces questions sans réponse, ces efforts pour ressembler aux autres… Était-ce enfin derrière pour de bon ? Aujourd'hui, elle n'était plus seule. Elle avait un père, et il l'attendait au coin de la rue avec un goûter.

Remerciements

J'ai lu quelque part que le bonheur le plus doux est celui que l'on partage… Je suis assez d'accord. Tant de personnes ont compté, de près ou de loin, dans l'écriture de ce livre. Sachez que je m'en souviens. Pardonnez-moi d'être un peu longue, mais à mes yeux, ces lignes sont essentielles.

J'aimerais tout d'abord vous remercier, cher lecteur, qui êtes arrivé jusqu'ici ! J'ai écrit en espérant que cette histoire vous toucherait. Les livres ont toujours été des sauveurs dans ma vie, des supports, des amis. J'espère qu'Alice, à son niveau, aura su vous entraîner avec elle quelques instants.

Je voudrais remercier Arthur qui m'accompagne tant dans les doutes que dans les joies, et qui m'aide depuis tout ce temps à trouver la force d'être moi-même, d'avoir confiance en l'authenticité. Je n'oublie rien. Ces clefs que tu m'as données, elles sont en moi pour toujours. Toi et moi, nous sommes ensemble, nous sommes une équipe, c'est le plus important.

Merci à mes parents qui se sont toujours intéressés aux histoires que j'avais envie de raconter. « Travaille. Ça arrivera quand tu ne t'y attendras plus », me répétaient-ils, un sourire confiant aux lèvres. Vous ne vous êtes pas trompés et je suis si heureuse de partager cela avec vous.

Merci à mon frère et à ma sœur, qui ont cru en moi, quand moi-même je n'y croyais pas. Mon frère, tu sais comme nos conversations ont compté. Ces moments dans la rue où nous refaisions le monde, tentant d'y trouver une place. La route ne fait que commencer, mais chaque étape est importante. Ma sœur, être l'aînée d'une personne si courageuse, combative et engagée est précieux. Sache que je suis là.

J'ai une pensée toute spéciale pour mon grand-père Léon qui, très tôt, m'a donné le goût de la lecture. J'ai gardé bien au chaud tes exemplaires reliés de *La Comédie humaine*. Souvent, j'imagine ce que nous aurions pu dire de telle ou telle histoire… Comme j'aurais aimé partager la sortie de ce roman avec toi. Je pense également à toi, Alain. D'où tu es, je suis sûre que tu veilles aussi sur moi.

Merci à ma grand-mère pour ses encouragements et son enthousiasme. Et merci aussi à Marcel, Denise et Michel pour leurs témoignages. À tous, j'espère avoir su rendre vos émotions, vos impressions autour de la guerre et de l'après-guerre. Je n'oublie pas non plus le voyage à Salies…

Ange, Marguerite, sachez que votre absence a aiguisé mon envie, mon besoin d'imaginer. Vous êtes dans mon cœur.

Je ne sais comment remercier Jean-Étienne Cohen-Séat. Jean-Étienne, vos conseils éclairés, et votre regard implacable m'ont beaucoup aidée… Je vous l'accorde, ce que vous appelez mon pessimisme (que je considère plutôt comme du réalisme) est légèrement ébréché… Mais nous avons encore du boulot !

Julie, mon amie, tu as une place bien à part dans ma vie,

sache-le. Et merci de m'avoir lue et encouragée depuis les premières pages des premières années.

Véronique G., personne n'est indispensable, c'est vrai, mais à mes yeux, il y a des exceptions…

Merci à Audrey S., Nicole Cz. et Débora K.-S., qui ont su trouver les bons mots aux bons moments dans ce long et difficile début de parcours littéraire.

Merci à ma cousine Nathalie, à Christine et à mon équipe de choc pour leur entrain si touchant.

Merci à Albert Arts pour ce soutien qui m'a fait chaud au cœur.

Merci à Jacques G., dont l'intuition a été bonne !

Merci aux talents inspirants de Robert Capa, Charlie Parker, Art Tatum, Frank Conroy, et à celui de Romain Gary qui m'a appris que « rien n'est blanc ou noir et que le blanc, c'est souvent le noir qui se cache et le noir, c'est parfois le blanc qui s'est fait avoir ».

Enfin et surtout, des mercis pleins de reconnaissance, de joie, d'entrain (les mots pourraient se multiplier sur des lignes) à, par ordre d'apparition, Gérard de Cortanze, Maëlle Guillaud et Francis Esménard des éditions Albin Michel qui ont rendu ce rêve possible et m'entourent de leur bienveillance. C'est si rare de se sentir compris. Maëlle, continuons ce travail complice, ton enthousiasme est un moteur.

À toutes et tous, merci donc.

Composition : IGS-CP
Impression : CPI Bussière en janvier 2017
Éditions Albin Michel
22, rue Huyghens, 75014 Paris
www.albin-michel.fr
ISBN : 978-2-226-32976-9
N° d'édition : 22332/01 – N° d'impression : 2025352
Dépôt légal : février 2017
Imprimé en France